Gracias mi vida

Por tanto amor mi hijita linda
hasta pronto, tu viejo papá

[firma]

Primavera-92

INTRODUCCIÓN
AL ESTUDIO DE LA LITERATURA

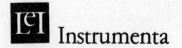

Instrumenta

Letras e Ideas

Colección dirigida por
FRANCISCO RICO

FRANCO BRIOSCHI
y COSTANZO DI GIROLAMO

INTRODUCCIÓN
AL ESTUDIO
DE LA LITERATURA

Con la colaboración de
ALBERTO BLECUA,
ANTONIO GARGANO
y CARLOS VAÍLLO

EDITORIAL ARIEL, S. A.
BARCELONA

Título original:
Elementi di teoria letteraria

Traducción de
CARLOS VAÍLLO

1.ª edición: septiembre 1988

© 1984: Principato

© Franco Brioschi, Costanzo Di Girolamo,
Alberto Blecua, Antonio Gargano, Carlos Vaíllo

Derechos exclusivos de edición en castellano
reservados para todo el mundo
y propiedad de la traducción:
© 1988: Editorial Ariel, S. A.
Córcega, 270 - 08008 Barcelona

ISBN: 84-344-8388-2

Depósito legal: B. 29.647 - 1988

Impreso en España

PREFACIO A LA EDICIÓN ESPAÑOLA

Cuando en 1984 se publicó por primera vez este libro en italiano, no contenía ningún prefacio. Naturalmente, conocemos, y conocíamos desde hace ya mucho tiempo, las ventajas de los prefacios. En el prefacio se entablan los primeros contactos con el lector: uno se presenta, le da la mano, intenta hacerle estar a sus anchas, le indica la butaca (o la silla más o menos cómoda) donde tiene que sentarse y, sobre todo, empieza por disculparse y criticarse si algo no funciona en la decoración, en las bebidas, en lo que se va a comer. Dejemos a un lado la metáfora: los prefacios, como se sabe, funcionan un poco como pararrayos y sirven para prevenir las inevitables lagunas respecto a lo que el lector espera, o respecto a lo que el título promete. Nosotros evitamos escribir un prefacio, no porque estuviéramos seguros de que nuestro libro no tenía fallos, sino porque no sabíamos de qué fallos debíamos excusarnos. Queriendo explicar toda la verdad (el lector de este prefacio puede empezar a sentirse a sus anchas: la confesión del autor hace siempre efecto sobre el lector sensible), este libro en su edición italiana estaba destinado para el correspondiente italiano del BUP español, en particular para el BUP de letras, y de hecho fue publicado por un editor especializado en libros de enseñanza. Tenemos que precisar que los autores tenían de la escuela una idea muy vaga, fundada tan sólo en sus propios recuerdos como estudiantes de instituto, o sea, de hacía quince o veinte años. No porque el sistema educativo italiano haya cambiado en nada..., ¡por favor! Ha sido la postura de los estudiantes y la disposición de los enseñantes lo que ha cambiado, es decir, lo que alguien llama el «nivel» de la escuela superior. Naturalmente, nosotros no nos consideramos competentes para juzgar si a mejor o a peor: nos han explicado tan sólo que, aunque nada haya cambiado, todo es diferente. Se puede entender, pues, cómo en nuestra ignorancia, y especialmente sin ningún término de comparación (otros libros del mismo género), difícilmente nos hubiéramos podido disculpar de algo. Mientras tanto, el libro, si a pesar de todo no ha ido del todo mal en la escuela, ha funcionado perfectamente a nivel universitario, donde justamente ha sido empleado como introducción a los estudios literarios, no sólo en los cursos de literatura italiana, sino también en los cursos de literaturas extranjeras y además en el curso propedéutico instituido en algunas universidades. Llegados a este punto en que finalmente nos han hecho entender quiénes son nuestros principales lectores, hubiéramos podido escribir de hecho un prefacio: pero no lo hemos escrito para las nuevas ediciones italianas y de hecho no lo estamos escribiendo tampoco ahora, un verdadero prefacio con todos los requisitos del caso; y esto a pesar de que el público al que va dirigida esta edición española, nos parece mucho mejor definido que el de los destinatarios italianos para quienes escribimos en primer lugar, y a pesar de que en lengua española (una cultura con la que los autores pueden jactarse de alguna familiaridad) existen claros precedentes y términos de comparación respecto a este libro.

Está claro que todo el mundo sabe que un gran número de prefacios niegan ser tales, y muchos empezarán a sospechar que nosotros también estamos jugando a este juego, de modo que no vamos a continuar adelante. En realidad, el espacio de este prefacio nos sirve para explicar principalmente el modo en que el manual ha cambiado respecto a la edición italiana y para reconocer algunas deudas declaradas (parcialmente) ya en la portada. El libro ante todo ha sido reorganizado por nosotros en algunas partes, con una serie de cortes, de añadiduras y de sustituciones, que son el resultado de largas discusiones e intercambios epistolares con Francisco Rico: su nombre no aparece en la portada, pero a él se le debe su forma actual. A Carlos Vaíllo, traducción aparte, se le debe la adaptación minuciosa de ejemplos y la puesta a punto de la bibliografía, realizadas con rigor y con inteligencia. El parágrafo dedicado a la transmisión es de Alberto Blecua. Finalmente, el capítulo que, por razones obvias, ha sufrido los cambios más radicales es el de la versificación, reelaborado y escrito de nuevo sustancialmente por Antonio Gargano.

Queremos expresar nuestra gratitud a todos los que han colaborado en esta edición. Gracias a ellos nuestro trabajo, ahora mejorado, se puede presentar no ya como una simple traducción, sino como un nuevo libro para un nuevo público.

Septiembre de 1988

I
LA INSTITUCIÓN LITERARIA

EL OBJETO LITERARIO

1. La obra

Cada año se publican en el mundo varios centenares de millares de libros (en 1975 la suma alcanzaba a 568.000). Una parte considerable de ellos se clasifica por lo regular en las estadísticas bajo la rúbrica «literatura», a su vez dividida en distintos subgrupos («literatura clásica», «literatura moderna», etc.) o géneros («narrativa», «poesía», «teatro», etc.). De 38.814 libros publicados en España en 1987, por ejemplo, alrededor del 19 % se incluía dentro de esta categoría global.

Si se omiten de momento todas las especificaciones necesarias, cabría decir que la literatura aparece, de forma inmediata, bajo este aspecto. En los catálogos de los editores, en las ordenaciones de las bibliotecas, en las estimaciones estadísticas y en las estanterías de las librerías, la literatura se presenta más bien como un conjunto o *corpus* de textos.

Aunque incompleta, esta constatación puede ofrecer al menos un útil punto de partida. Nos encontramos ante una serie de objetos como la *Divina Comedia*, *Don Quijote*, *Los hermanos Karamazov* o la novela policíaca recién comprada en el quiosco, del mismo modo que, si hablásemos de pintura, tendríamos ante nosotros una serie de objetos como *La Santa Cena*, *La maja desnuda*, el *Guernica* o el cuadro de incierto origen heredado del abuelo. A fin de cuentas, si se destruyera *Las Meninas* o se extraviaran todos los ejemplares de *La Celestina*, la pintura y la literatura quedarían mutiladas de una parte propia, constitutiva e insustituible. No hay más que recordar el caso catastrófico de la literatura griega, tres cuartos de la cual se perdieron de manera irrecuperable en el incendio de la Biblioteca de Alejandría.

Todo esto puede parecer bastante trivial. Nadie identificaría, por ejemplo, la ciencia con un conjunto de textos: el *De revolutionibus orbium caelestium*, la *Óptica*, el *Ensayo sobre la relatividad*, etc. A primera vista al menos, uno se vería forzado a sostener que la ciencia es un *corpus* de teorías más que de libros.

Lo que cuenta no es el *De revolutionibus*, sino la teoría heliocéntrica; y si todos los ejemplares de la obra de Copérnico se perdieran, es probable que la pérdida sería grave para la historia de la ciencia, pero no para la ciencia misma.

Como es natural, las cosas son en realidad menos simples, incluso en la ciencia. Una cosa es cierta: una teoría no está ligada necesariamente a las palabras usadas originariamente por su autor y puede parafrasearse en otros textos. Hoy nadie estudia la mecánica celeste en los escritos de Newton, sino en cualquier paráfrasis moderna que muy probablemente presentará una formulación más completa y puesta al día. Sin embargo, hay que advertir que no existen criterios firmes para establecer si una teoría conserva su propia y completa identidad en el curso de esta transformación. Más bien se está seguro de lo contrario. De modo inevitable, cualquier paráfrasis se elabora a la luz de los paradigmas científicos actualmente en vigor; y éstos, al seleccionar los aspectos de la teoría considerados pertinentes, a la vez pueden oscurecer otros aspectos, tal vez destinados a adquirir nueva importancia a la luz de otros paradigmas que se impongan en el futuro. La vuelta al texto original puede hacerse necesaria en cualquier momento para recuperar rasgos de la teoría —ciertas implicaciones o un estilo peculiar de investigación—, hasta entonces inadvertido.

Sentadas estas advertencias, queda establecida la orientación distinta de la percepción, que justifica una hipótesis provisional: la ciencia consiste en teorías, la literatura en textos. En el fondo, todo el mundo ha estudiado la geometría euclidiana y legítimamente asegura conocerla sin haber hojeado nunca los escritos de Euclides; mucho menos legítimo sería afirmar que se conoce *Madame Bovary* sin haber leído nunca la novela. La verdadera dificultad se halla en otra parte, ya que hablar simplemente de «textos» abre el camino a no pocos reparos.

En primer lugar, hay que evitar identificar el «texto» con su realización escrita. La existencia de la literatura oral o la práctica aún corriente de recitar en público (sobre todo en la poesía) bastan para demostrar que la situación es algo más compleja. En segundo lugar, surge inmediatamente la pregunta: ¿qué texto? La escritura y la imprenta, la filología tradicional y la crítica literaria, nos han acostumbrado a la idea de un texto fijado para siempre con una constitución inmutable —aunque muy a menudo es una creencia infundada—. Así, si quiero leer *Orillas del Duero*, de Antonio Machado, he de tener delante una copia correcta de la redacción definitiva revisada por el autor y cualquier lectura que se desviara se habría de rechazar por no estar conforme con su voluntad. Aunque esta noción corresponda a ciertas propiedades del hecho literario, es al fin y al cabo bastante reciente y nada absoluta en realidad: buena parte de nuestras lecturas, por ejemplo, se ha llevado a cabo sobre traducciones (§ 9), que, sin duda, se alejan del original al menos lo mismo que la paráfrasis de una teoría científica. Y sin embargo, en la práctica corriente, todos piensan con perfecto derecho haber leído *Guerra y paz*, aunque no conozcan ni una palabra de ruso.

Pero incluso si fuera posible efectuar siempre una clara y rigurosa delimitación de los «textos» de que se compone la literatura, el problema seguiría abierto. ¿Por qué los textos que hemos aceptado como «literarios» se clasifican bajo el término «literatura»? ¿Por qué precisamente éstos y no otros? Tratándose de productos lingüísticos, la respuesta más natural sería que comparten algunos rasgos del lenguaje; en donde se reconoce su presencia, se tiene un texto literario que añadir a la serie. La cuestión es definir tales rasgos, y así se dispondría de un criterio seguro de distinción.

Sin embargo, las cosas no son tan simples; los intentos promovidos en tal dirección (§ 14) no han dado un resultado del todo satisfactorio. ¿Qué puede haber en común entre una poesía transmental de Jlébnikov y una página del *Quijote*? Y si lo hay, ¿no se corre el riesgo de que se halle entre lo menos significativo de uno y otro texto? Añádase a ello que la clasificación variará de modo radical en el curso del tiempo: hoy se leen como «literarios» textos —los cuentos, las enciclopedias medievales o el *Examen de ingenios*— destinados originariamente a otra forma de consumo (§ 15).

Esta variabilidad sugiere una solución justificable. Para que un texto sea literario, no es suficiente que posea determinados rasgos. Es necesario también acercarse a él con cierto hábito de expectación, siguiendo ciertas normas (históricamente diferenciadas); en una palabra, haciéndolo objeto de cierto comportamiento. Mientras que para la ciencia el texto es transparente y lo que cuenta es la teoría de que es portador, la literatura no es una mera colección de textos, sino de «obras»; es decir, de textos recibidos, leídos y transmitidos según un conjunto peculiar de reglas. Así, empezaremos por tratar de precisar este concepto de «obra» a través de las condiciones que la constituyen como tal.

2. Condiciones simbólicas

Cuenta Jonathan Swift que en su viaje a Lagado Gulliver tuvo oportunidad, entre otras cosas, de visitar en la Academia «una escuela de lenguas, donde tres profesores estaban reunidos para mejorar la lengua del país». Entre los varios expedientes por ellos sugeridos, en particular uno parece ser digno de atención, un remedio simple y en extremo ventajoso para la salud de nuestros pulmones fatigados: «abolir completamente todas las palabras existentes». «Puesto que las palabra son sólo los nombres de las cosas —argumentaban los tres estudiosos—, sería más conveniente que cada uno llevase consigo las cosas que precisara para hablar de cada asunto particular.»

«A menudo he observado —refiere Gulliver— a dos de esos sabios, agobiados bajo el peso de sus fardos, como entre nosotros los buhoneros. Cuando se encontraban por la calle, depositaban sus cargas, abrían sus sacos y conversaban durante una hora; luego guardaban sus instrumentos, se ayudaban mutuamente a cargárselos encima y se despedían. Para breves charlas basta llevar objetos en los bolsillos o bajo los brazos» (*Los viajes de Gulliver*, parte III, cap. 5).

Pero, ¿qué pasaría si de verdad se promoviera esta sabia reforma? ¿Cómo funcionarían en realidad las cosas? No es difícil de imaginar: para decir *mesa* señalaríamos una mesa; para decir *rojo* extraeríamos del saco un objeto rojo; para decir *fumar* encenderíamos un cigarrillo. De hecho, pese a las apariencias, no se habrían abolido en modo alguno las palabras. Si acaso, se emplearían de modo invertido: en vez de servirnos de las palabras para aludir a los objetos, nos serviríamos de los objetos para referirnos a las palabras.

Por más que peregrina, la idea de los académicos de Lagado permite, sin embargo, identificar un procedimiento de gran importancia, y no sólo teórica: la ejemplificación. La muestra del sastre ejemplifica las propiedades del tejido; una cartulina roja ejemplifica las propiedades designadas por el predicado *rojo*; puedo exhibir mi máquina de escribir como un ejemplo de máquina de escribir. Se dirá que una palabra (o predicado cualquiera) denota los objetos y las situaciones del mundo a que se aplica; este procedimiento simbólico se llamará denotación. Pero también podemos referirnos a algo siguiendo el recorrido inverso: a quien nos pregunte el significado de *mesa* le mostraremos una mesa, y en este caso el objeto ejemplifica el predicado. En suma, la ejemplificación no es más que lo inverso de la denotación. Lo resume el siguiente esquema, en el que *p* significa la palabra y *x* la cosa:

Pero las palabras no sólo denotan los objetos o los estados del mundo a que se aplican. También pueden ejemplificar las características que poseen. Así, si se escribe en verso, la palabra *mesa* ejemplifica «bisílabo», la palabra *caballo* «trisílabo» y, para salir de apuros, *desinteresadamente* «octosílabo». Lo aclara un segundo esquema:

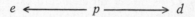

Toda palabra, y en general todo enunciado lingüístico *p* puede interpretarse —como de hecho lo es por lo común— desde dos vertientes. Por una parte, se tratará de identificar lo que denota (*d*); por otra, lo que ejemplifica (*e*). Por descontado, esta doble atención rige antes el proceso de construcción del enunciado por parte de quien lo produce. Además, las exigencias de la situación impondrán un límite razonable al esfuerzo de indagar las ejemplificaciones: no siempre interesará saber de cuántas letras se compone una palabra y tal vez sólo el aburrimiento de un viaje en tren, y no una pasión delirante, será lo que nos induzca a contarlas en un crucigrama del diario.

Las observaciones precedentes son también relevantes para el discurso literario. Ya hemos aludido al caso del verso, donde evidentemente las palabras, además de denotar lo que denotan, ejemplifican algunas de las propiedades fonológicas (sílabas y acentos) que poseen. Pero de forma más general, vemos la literatura como un típico «contexto opaco»: el texto nos interesa tanto por lo que denota como por lo que al mismo tiempo ejemplifica, a todos los niveles. De aquí derivan los rasgos característicos de la experiencia estética. El primero es la singularidad de la obra, en la que no cabe sustituir nada; un texto literario no consiente paráfrasis, mutilaciones, modificaciones, y por ello mismo ha surgido como celoso custodio de la palabra originaria una disciplina aguerrida y suspicaz como la filología. El segundo rasgo es la infinidad de las interpretaciones: ante un texto literario no se fija de modo preventivo ningún límite a la búsqueda de posibles ejemplificaciones y de las jerarquías significativas resultantes.

Ambos rasgos no encierran ningún misterio, contra lo que se suele creer. Simplemente son el efecto de las modalidades con que se aborda la obra, disponibles para captar su «espesor de ejemplificación». Quizá se pueda ya postular una primera condición para admitir un texto en la categoría de la «literatura»: el discurso ante nuestra vista ha de prestarse a este tipo de lectura, ha de gratificar nuestra atención también en este plano. Es difícil que un texto científico o puramente instrumental nos proporcione ejemplificaciones lo bastante singulares y complejas para que valga la pena someterlo (y someternos) a un examen semejante.

Con todo, la condición simbólica es necesaria, pero no suficiente. Es decir, no ofrece un criterio para distinguir el texto literario del no literario. Lejos de ser un elemento exclusivo de la obra artística, la ejemplificación está extendida por toda forma de comunicación.

Nótese cómo un personaje de Henry James escucha sus propias palabras y las de otro interrogándose incesantemente: «Ahora él siempre le saludaba e incluso solía quitarse el sombrero. Si tenía tiempo y había poca gente, le dirigía la palabra. Una vez ella llegó a decirle que hacía "siglos" que no le veía. "Siglos" fue la palabra que empleó, después de haberla sopesado cuidadosamente, aunque con un ligero temblor en la voz; "siglos" expresaba exactamente lo que quería decir. Él le respondió en términos ciertamente no escogidos con la misma aprensión, pero tal vez por eso mismo, no menos significativos: "Sí, es verdad. No ha hecho más que llover." Ésta es una muestra de sus diálogos, y la fantasía de la joven se alimentaba con la idea de que no se había visto jamás sobre la faz de la tierra una forma de comunicación tan trascendente y sutil. Todo podía, en definitiva, significar cualquier cosa: dependía de ellos decidirlo» (*In the Cage*, cap. XII).

Así, el amante escuchará las palabras de la amada, prestando atención tanto a lo que denotan como sobre todo a lo que ejemplifican; pero esto no convierte una conversación telefónica en una obra literaria. Es otra la diferencia. Cuando sitúo *Noche oscura del alma* de san Juan de la Cruz dentro de aquel sistema doble de referencia que hemos descrito (denotación y ejemplificación), no estoy efectuando una operación en cierto modo confiada a mi buena voluntad o dictada por un eventual interés personal; hago algo que se me pide hacer. Es este aspecto institucional de mi comportamiento lo que introduce la distinción que se buscaba.

Antes de pasar adelante, quizá sea oportuna una última aclaración. El concepto de ejemplificación presenta especiales analogías con el de connotación (§ 14). Se ha preferido utilizar el primero por los siguientes motivos: 1) la ejemplificación se puede explicar de manera más sencilla; 2) constituye un fenómeno más general; 3) la connotación implica una suspensión de la referencia, al menos en las formas más corrientes de presentarla, mientras que, por el contrario, la ejemplificación implica una referencia múltiple y de ningún modo anula la presencia de la denotación. A diferencia de lo que sucede en muchas teorías al uso, este último punto permitirá tener presentes aquellos aspectos del texto literario que comúnmente se designan como «contenido» y que por norma desempeñan un papel relevante en la experiencia estética.

3. CONDICIONES PRAGMÁTICAS

La literatura propone sus textos no sólo a mí, aquí y ahora. De generación en generación, los ofrece a la lectura de un destinatario colectivo; en la práctica, a quienquiera que posea la capacidad y el deseo de disfrutarlos. «Noche oscura» se presenta, por así decir, no como un «discurso de consumo», sino como un «discurso de uso repetido». Trataremos de especificar ahora qué entendemos por esta nueva categoría.

En palabras de Lausberg, el discurso de uso repetido «es aquel que el mismo orador y oradores distintos en cada caso pronuncian en situaciones (solemnes) que se repiten típicamente, periódica o no periódicamente, y que conservan de una vez para siempre (dentro de un orden social supuesto como constante) su utilidad para el dominio de estas situaciones típicas. Toda sociedad de suficiente intensidad social conoce discursos de uso repetido, que son un instrumento social para mantener consciente la plenitud y continuidad del orden social y, con frecuencia, son asimismo instrumento de la necesaria caracterización social del ser humano. Se pueden distinguir tres tipos (por ejemplo, en el Antiguo Testamento todavía muy afines) de discursos de uso repetido: 1) Leyes como normas de derecho sagrado (litúrgicas) y profano. 2) Fórmulas para la ordenación legal de los actos de derecho sagrado (litúrgicos) y profano. 3) Discursos fijados para la evocación repetida de actos de conciencia colectivos con validez socialmente relevante. Estos textos corresponden a aquello que, en las sociedades con un orden social más abierto, se manifiesta como "Literatura" y "Poesía"» (1967: 20).

Parece necesario hacer algún comentario. Ante todo, para simplificar, se hablará de escrituras sagradas, leyes y textos literarios. Además, por su utilidad comparativa, se añadirán dos tipos más «débiles»: los textos filosóficos y científicos.

Si nos limitamos de momento a describir en qué consiste el uso repetido, cabe distinguir tres aspectos destacados. En primer lugar, a diferencia del discurso de consumo, el texto no se aplica a una situación particular, sino a un conjunto de situaciones. Una ley, por ejemplo, o una tesis científica es válida para todas las situaciones que, según cierto parámetro convenido, pertenezcan al mismo «tipo»; se supone, en definitiva, que cubre un *dominio* dotado de cierta generalidad. En segundo lugar, por definición, el texto debe conservarse en su *identidad*; de otro modo, faltaría el objeto mismo del uso repetido. En tercer lugar, parece que existe una *asimetría* característica entre los sujetos de la comunicación. A diferencia de lo que ocurre en una conversación corriente, los interlocutores se sitúan en planos de valor heterogéneos: no puedo «responder» a la Biblia con otro libro sagrado, ni a una ley con otra ley, ni a una poesía con otra poesía (§ 59). En sí mismo, el uso del texto ha de apoyarse en motivos válidos para que una comunidad decida acogerlo y de vez en cuando renueve tal aceptación. Los ejemplos que siguen pueden sugerir algunos de los criterios en juego: 1) si escribo un tratado de astronomía sosteniendo que el Sol gira en torno a la Tierra, difícilmente lograré que lo acepte la comunidad científica; al menos en lo que respecta a este tipo de uso repetido, el texto debe superar una prueba de *veracidad*. 2) Puedo escribir tal como me pase por la cabeza, pero será una norma conveniente construir el texto según un *estilo* adecuado a la circunstancia específica. 3) Como ciudadano particular, no puedo promulgar ninguna ley; he de poseer la *autoridad* para ello.

Estos ejemplos puramente indicativos permiten formular tres clases de criterios: un criterio semántico o de veracidad, un criterio expresivo o de estilo y un criterio etiológico o de autoridad. Resulta interesante percatarse de que tales criterios están presentes de alguna forma en todos los distintos géneros del discurso, aunque de modo desigual.

Veracidad. No opera como criterio para el texto sagrado, que es verídico por definición, y no es pertinente en el caso de la ley, que no afirma, sino que ordena (se puede desobedecer una orden, pero no refutarla). En el ámbito científico se imponen algunas precisiones. No es suficiente de hecho que una teoría sea verdadera, hace falta también que tenga interés, que revele relaciones significativas entre fenómenos merecedores de cierta atención; una simple lista de verdades positivas no tendría ningún valor científico. Dicho de manera más general, parece razonable que el dominio de un texto lleve aneja cierta importancia social, ética, cognitiva o psicológica, por más que en principio sea difícil de definir.

Estilo. Se plantea más como una consecuencia que como una causa del uso repetido (un texto sagrado no es tal porque esté escrito en un estilo determinado, sino que está escrito en aquel estilo porque es sagrado). En apariencia, es el criterio que más interesa a la literatura; en el fondo, cabría decidirse a reiterar el uso de un texto sólo porque es «bello». Pero en la literatura, en la que el condicionante del estilo es tan fuerte, la variedad de estilos es tan grande que no se puede reducir a una descripción unitaria.

Autoridad. En las escrituras sagradas es el único criterio a la vez necesario y suficiente. En otros ámbitos, no es un criterio necesario: para un poeta, un filósofo o un científico que no se hayan consagrado todavía, es más una consecuencia que una causa de su aceptación. En ciertos casos, es un criterio suficiente: el epistolario de Valera se edita y estudia como un texto literario, aunque en su origen sea una escritura privada, esencialmente por la autoridad de su autor. En la ciencia, en cambio, se puede considerar casi como irrelevante.

El uso repetido se presenta, así pues, como un fenómeno cuando menos complejo, que implica múltiples factores, difíciles de abarcar en una descripción detallada. Las fronteras entre formas distintas de uso repetido se cruzan con facilidad: así, un texto como el *Examen de ingenios* de Huarte de San Juan pertenece por igual a los campos estudiados por la historia de la ciencia y por la crítica literaria; puede leerse la Biblia como una obra de arte, además o en vez de como una escritura sagrada, etc. Hay que añadir que los límites mismos entre el consumo y el uso repetido distan de estar fijados de una vez por todas. No hay más que reparar en las disciplinas históricas que sustraen de la deriva del consumo todo testimonio o revelación del pasado al convertirlos en documentos y transferirlos así a una forma particular de uso repetido. De manera inversa, se admite que el uso repetido puede ser puramente virtual o actualizarse casi nunca. ¿Quién, por ejemplo, ha leído realmente *La Austriada* de Juan Rufo?

Pese a todo, esta polaridad parece estar bastante clara de modo intuitivo. Ahora es cuestión de discutir más específicamente sus aspectos constitutivos, en relación particular con la literatura, a los que se aludió al principio de este párrafo.

Dominio. No resulta difícil imaginar a qué se aplica un artículo de ley o una tesis científica; es menos evidente a qué situación o a qué experiencia hace referencia un texto literario. ¿No es más cierto que una poesía o un relato se destinan a «crear» en mi mente la experiencia como objeto? La hipótesis parece muy aceptable y habrá que volver sobre este punto (§ 58). De momento, digamos que se me convida a reproducir en mi mente lo que el texto denota y ejemplifica y que justamente esto constituye la experiencia «dominada» por el propio texto. Esta experiencia puede apreciarse por sí misma, y el hecho de que sea más o menos interesante representa ya un criterio de juicio. No obstante, nadie me impide afrontar, en una ulterior instancia, la experiencia suscitada por el texto con circunstancias, fenómenos, situaciones, de la vida «real». Esta posibilidad, que proscriben los teóricos de la autonomía del arte, de hecho es un ingrediente no desdeñable del comportamiento «real». En esto consiste el mecanismo de la *cita*: la posibilidad de proyectar una imagen literaria sobre una situación u objeto. Así, frente a un desengaño vital, uno dirá como Calderón «que toda la vida es sueño, / y los sueños, sueños son», o reconocerá en un tímido empleadillo los rasgos de Akaki Akákievich, el oficinista inmortalizado por Gogol en *El capote*, o los de Villaamil, creado por Pérez Galdós en *Miau*. Esta posibilidad, rechazada por los teóricos de la autonomía del arte, es en realidad un ingrediente nada desdeñable del comportamiento estético. En todo caso, aparece ligada a funciones y valores (estéticos, sapienciales o cognoscitivos) con los que históricamente la literatura ha sido investida. A tales funciones y valores hacen referencia explícita géneros enteros —como la poesía didáctica o la sátira—, además de obras canónicas como *La Divina Comedia* o *Don Quijote*, y no podemos, por tanto, ignorarlos so pena de empobrecer su lectura (§ 55).

Identidad. Aparte los textos orales, la escritura preserva normalmente la identidad de un texto. La notación alfabética permite además reproducir el texto en un número infinito de copias. Naturalmente, las cosas no siempre son tan simples (§ 7), pero por lo común conocemos una obra a través de una copia correcta o autorizada del original.

Asimetría entre los interlocutores. Por lo general, el uso repetido asigna al productor del texto una posición «superior» (*one-up*) respecto a quien lo recibe. El destinatario ocupa una posición «inferior» (*one-down*), por cuanto su papel en la comunicación no prevé que pueda responder al autor del texto en el mismo plano. Naturalmente, puedo describir a mi vez una poesía o una novela. Pero con esto no suprimiré la asimetría; sencillamente asumiré a mi vez la posición *one-up* respecto a los lectores. Y de ordinario, una novela no se considera como una respuesta a otra novela. Pese a las relaciones de imitación y rivalidad que se tejen entre los miembros de una comunidad literaria, sus obras se yuxtaponen unas a otras. Si bien el *Orlando furioso* de Ariosto es la «continuación» del *Orlando enamorado* de Boyardo y la *Diana enamorada* de Gil Polo lo es de la *Diana* de Montemayor, esto no modifica en modo alguno su estatuto de obras individuales. Es distinta, en cambio, la situación en la filosofía y la ciencia, donde para las respectivas comunidades los textos funcionan como las «intervenciones» sucesivas en una conversación o una discusión entre iguales; por eso, desde esta perspectiva, se sitúan en los límites del uso repetido. Por parte de los destinatarios, la simetría entre los interlocutores puede traducirse en la constitución de un *público*, entendido en el sentido propio del término. No siempre sucede así: sería impropio probablemente hablar de los automovilistas como del «público» al que se dirige el código de la circulación. Ciertamente, no puede ignorarse que la noción de público es intrínseca al uso repetido literario (y más en general, estético). Por parte del autor, en fin, la asimetría se traduce en algo que llamaremos *principio de la paternidad*. Si digo, por ejemplo, «dos cuerpos celestes se atraen con una fuerza directamente proporcional a su masa e inversamente proporcional al cuadrado de la distancia», no siempre, y sobre todo no necesariamente, me estoy refiriendo a Newton, ni nadie puede sospechar que pretenda apropiarme de este enunciado, haciéndolo pasar por mío. Pero si digo, «¡Qué descansada vida/ la del que huye el mundanal ruido!», la alternativa de inmediato se llena de significado: o estoy citando a fray Luis de León, o estoy pretendiendo que estos versos son míos, aun cuando quisiera afirmar como verdadero el contenido de semejante enunciado. En otras palabras: el autor de un texto literario detenta su responsabilidad. No sucede así en el caso del texto sagrado (en el que la responsabilidad se atribuye a Dios que lo inspiró), ni en el de la ley (donde asume su responsabilidad el poder que la promulga, no su redactor), ni en el de la teoría (donde asume su responsabilidad colectivamente la comunidad científica que decide aceptarla).

Sobre la base de estas aclaraciones, cabe ahora precisar mejor el concepto de «obra», sugiriendo cuatro condiciones:

1) el texto se somete a uso repetido en una comunidad;

2) el «dominio» del texto equivale en primera instancia a la experiencia a la que aquél da forma en nuestra lectura;

3) lo que le hace insustituible y, por tanto, motiva la conservación de su identidad es ante todo su referencia al plano de la ejemplificación;

4) la asimetría entre los interlocutores se determina por la presencia de un público en sentido propio y por el principio de paternidad que ratifica al autor como responsable del texto.

Con algunas adaptaciones obvias, esta descripción podría extenderse a cualquier arte. Será bueno precisar, no obstante, que no se trata de una definición. Las condiciones indicadas realmente distan de ser rigurosas o capaces de ofrecer distinciones seguras, ni son siempre necesarias: existen, por ejemplo, artes efímeras, que a falta de registros sonoros o visuales, permanecen total o parcialmente ajenas al uso repetido (como la danza, el arte de la ejecución musical o de la recitación y muchos otros tipos de espectáculo [§ 50]); la responsabilidad del autor es un principio del todo extraño, por ejemplo, a la arquitectura medieval, para no hablar del escritor antiguo, que se desprendía de ella atribuyéndola a las Musas, etc. Ninguna de estas condiciones además se presenta como exclusiva del arte, de modo que distinga la experiencia estética de otros tipos de experiencia. Ello no impide que tengan cierta utilidad, pues por lo menos, proporcionan un parámetro para medir las variables históricas del fenómeno y corresponden bastante bien a los caracteres de la institución literaria (o artística) tal como se ha constituido en sociedades similares a la nuestra.

Por los múltiples parámetros a los que se precisa recurrir, las varias formas del uso repetido configuran un sistema sin discontinuidades netas ni regulares. Dentro de él, la literatura se identifica por la más o menos estricta adecuación a las condiciones indicadas. Además, la literatura parece desempeñar una función un tanto peculiar en el plano histórico y antropológico. El uso repetido, en efecto, eleva los objetos y hechos resaltados más allá de su contexto temporal, proyectándolos sobre un fondo de ejemplaridad paradigmática. Desde este punto de vista, halla su origen en una cultura jerarquizada, fundada sobre la transmisión permanente de comportamientos tradicionales. Pero, así como en una sociedad determinada los textos sagrados forman un *corpus* cerrado y una ley puede abrogar otra ley, la literatura presupone un *corpus* abierto, que se puede enriquecer hasta el infinito. La competencia técnica postulada por ésta separa a sus productores (cuando no a veces a sus consumidores) de los profanos y con frecuencia da por sentada una posición social privilegiada que permite adquirirla; pero, a diferencia de la ley, no presupone una posición institucional definida en términos de autoridad y de poder. En este sentido, la literatura parece acompañar el tránsito desde un uso repetido fuertemente ritualizado a otro más mundano, más extendido, más próximo en definitiva a una imagen secular del mundo.

BIBLIOGRAFÍA. Tendremos oportunidad de volver a tratar más veces en este libro de la oposición y de las analogías entre el arte y la ciencia; por el momento, remitidos a Goodman (1968) y a Feyerabend (1978a). Goodman (1968: 61-108) introdujo y analizó el concepto de ejemplificación; sobre los contextos opacos, véase Linsky (1971). Aparte de Lausberg (1949), sobre el uso repetido véase Fortini (1979). Hay importantes observaciones sobre la relación entre verdad y conocimiento también en Goodman (1968: 262-4). La asimetría entre los interlocutores en la comunicación literaria ha sido resaltada como factor discriminante significativo por Di Girolamo (1978: 114-20). Para la distinción entre texto (o, más en general, artefacto) y obra, puede ser interesante confrontarla con una versión muy diferente, en clave de filosofía idealista, en Heidegger (1936).

LOS SUJETOS DE LA COMUNICACIÓN LITERARIA

4. La comunidad literaria

Como en cualquier forma de comunicación verbal, también en la comunicación literaria se dan unos «factores» constitutivos. Es decir, según el esquema ya clásico de Jakobson (1960): un *emisor* (el que habla o escribe); un *destinatario* (el que escucha o lee); un *mensaje* (el texto, oral o escrito); un *contexto* (la realidad a la que se alude); un *contacto* de naturaleza física entre los interlocutores, que permite transmitir el mensaje a través del canal (sonoro o visual) que los conecta; un *código* (la lengua en la que se formula el mensaje, incluido el sistema de representación alfabético), común a emisor y destinatario.

	Contexto	
Emisor	Mensaje	Destinatario
	Contacto	
	Código	

Más adelante (§ 14) se volverá a tratar de las funciones que, según Jakobson, asume el mensaje en relación con cada uno de estos factores. Hay que aclarar, además, de inmediato que el hecho literario implica necesariamente un acto de comunicación, pero que no se agota en éste (§ 58). Lo que importa de momento, sin embargo, es observar las modificaciones que sufren estos factores cuando se consideran desde el punto de vista de la literatura.

Orlando ha escrito: «Supongamos, por ejemplo, que un amigo me lee en voz alta en una estancia una composición poética que se remonta a muchos siglos atrás. Si considero el simple acto inmediato de comunicación lingüística, prescindiendo de la institución literaria a la que pertenece, obtendré la siguiente constelación de datos: 1) el *mensaje* será la composición; 2) el *emisor* será el amigo que lo recita; 3) el *destinatario* seré yo que le escucho; 4) el *contexto* será aquello de que habla la composición, en la medida en que me informa; 5) el *código* será la lengua de la composición, como lengua italiana o francesa, etc.; el *contacto* será el establecido entre la voz del amigo y mis oídos, al que puede estorbar un ruido dentro o fuera de la habitación. En suma, todo será como si el amigo me dirigiera una frase o un enunciado sobre un asunto cualquiera, improvisado en aquel instante y destinado a no repetirse más. Si por el contrario, considero el acto de comunicación literaria en cuanto tal, esto es, en cuanto presupone una institución social duradera en el tiempo y una participación ocasional en ella, por fuerza habré de modificar la consistencia de todos los factores excepto 1) el *mensaje*. Es decir, habré de considerar: 2) como *emisor* no a quien ocasionalmente lee, sino al autor de la composición, muerto desde algún tiempo; 3) como *destinatario* no sólo a quien escucha ocasionalmente, sino también a toda la serie de oyentes y lectores, así como a cuantos disfruten y estudien la composición, a lo largo del tiempo; 4) como *contexto* no sólo aquella parcela de información que la composición transmite sobre aquello de que habla, sino también todas las circunstancias reales, alejadas en el tiempo, que puedan estar involucradas; 5) como *código* tanto la lengua italiana o francesa, etc., como el conjunto de normas y convenciones del género literario que tiene en cuenta la composición, al observarlas o violarlas; 6) como *contacto* no el contacto acústico del momento, sino la transmisión oral o escrita, manuscrita o impresa, a lo largo del tiempo, del texto de la composición, más o menos alterado» (1973: 11-2).

Esta descripción muestra claramente que la literatura no se da simplemente en el texto, en la materialidad objetiva del mensaje, sino en la relación del texto y la situación comunicativa en la que institucionalmente está inserta. Naturalmente, aunque no se modifique el mensaje, cambia la orientación mediante la cual se perciben sus elementos constitutivos. En otras palabras, se nos presenta como una «obra» asumiendo los rasgos arriba definidos (§ 3).

En el desarrollo de nuestro estudio, se irá examinando también la consistencia alcanzada en el plano literario por estos factores, empezando por el emisor, o sea, el autor. Por lo que atañe más en general a los sujetos de la comunicación, sin embargo, hemos querido introducir la noción de *comunidad literaria*, útil tal vez para encuadrar de forma preliminar la exposición

Tal noción es análoga a la de *comunidad científica* analizada por Kuhn (1962), al menos en relación con un punto fundamental: el recurso a esta noción se ha hecho necesario por la dificultad de definir qué es «ciencia» (o, añadamos, «literatura») sin referirse a quien la juzga o admite como ciencia (o como literatura). En un breve resumen de la tesis de Kuhn, se dirá que una comunidad científica cobra forma por el asentimiento a algunos *paradigmas*, constituidos por creencias y generalidades de varia índole (presupuestos lógicos y filosóficos o leyes de la naturaleza consideradas fundamentales, como «la acción equivale a la reacción»), valores (como coherencia y simplicidad o la preferencia acordada a la medición cuantitativa por encima de la información cualitativa), teorías que desempeñan el papel de modelos ejemplares (como por largo tiempo ha sido el caso de la mecánica newtoniana, por ejemplo). En relación a los paradigmas se fijan los procedimientos admitidos como «científicos», se identifican los «datos» pertinentes, se aíslan los problemas que han de afrontarse en la investigación subsiguiente. Además, en ellos se funda el aprendizaje profesional que selecciona a los futuros miembros de la comunidad.

El proceso así descrito sería naturalmente circular si la adhesión a estos paradigmas fuese permanente y definitiva. En realidad, se han formado históricamente, han prevalecido sobre paradigmas rivales por razones no siempre claras o puramente «objetivas» y sobre todo son revocables en todo momento. Más que su diligente aplicación en las fases de investigación «normal», es el conflicto entre paradigmas concurrentes —entre los consolidados y los emergentes o revolucionarios— lo que caracteriza la empresa científica como aventura y descubrimiento del conocimiento.

El propio Kuhn (1962: 249-50) declara que estas tesis derivan de otros campos, y en especial, de la historia de la literatura y del arte, a las que por ello resulta fácil extenderlas. Hay que subrayar, no obstante, algunas diferencias notables entre comunidad científica y comunidad literaria. La primera aparece de hecho mucho más compacta y no registra una distinción tan neta entre «autores» y «público»: la audiencia de la *Relatividad* de Einstein está constituida por los demás miembros de la comunidad científica, que pueden responder en el mismo plano a su autor (§ 3). Ni siquiera los estudiantes como tales constituyen un público en sentido propio —añádase, a este propósito, que el adiestramiento de los candidatos a la profesión es bastante más riguroso y bajo el cuidado directo de los mismos científicos—. En cuanto a los lectores comunes, a lo sumo forman más el público de la divulgación científica que el de la ciencia.

A la inversa, la comunidad literaria aparece mucho más diferenciada y complicada. Pese a que quienes detentan la competencia activa son de igual modo poco numerosos, existe en compensación un público en sentido propio, que detenta una competencia pasiva, adquirible de manera más difusa. Piénsese además en el papel tan relevante desempeñado en la comunidad literaria por mediaciones específicas, como las de los editores o de los críticos. En la comunidad científica, por el contrario, los unos no tienen responsabilidades de decisión significativas en el plano específico y los otros no existen como figuras autónomas de especialistas a los que se delega la función de juzgar.

5. EL AUTOR

Mientras que la comunidad científica a fin de cuentas coincide en la práctica con la comunidad de los científicos, acompañan al escritor otros sujetos, con funciones distintas de la suya, sin los que su existencia sería difícil de imaginar (el autor ni siquiera podría concebirse como tal si no en relación a un público) o mínimamente eficaz (su obra no podría llegar a los lectores sin la intervención de quien publica o administra el patrimonio literario). Pero, con todo, igual que al científico, se le confía el papel fundamental de la creación (§ 53): él es, finalmente, quien produce las obras que leeremos, quien elabora los nuevos «paradigmas» de estilo y sensibilidad a los que en cada ocasión se pueden traducir literariamente las nuevas condiciones de la experiencia colectiva e individual que toman cuerpo en la historia; él es quien decide la destinación literaria y las modalidades de lectura de sus escritos en el mismo momento en que los proyecta y bautiza con la locución «novela», «poesía» o «tragedia».

En el texto toman forma el designio y la voluntad de alguien que, para decirlo de manera apropiada, lo ha «entretejido» o «hilvanado» intencionadamente. Por otra parte, nosotros lo acogemos como un producto «firmado» por un responsable. Y, como ante cualquier otro producto lingüístico, trataremos de interpretar el pensamiento del autor del modo más verosímil. Entre todas las claves que nos introducen en una obra, las informaciones sobre el autor, su vida, su personalidad, etc., ofrecen una orientación a la lectura, que es razonable tomar en tanta consideración como cualquier otra. Y no sólo esto. Entre las muchas razones que nos impulsan a leer un libro, la curiosidad por la experiencia humana que eventualmente lo inspiró constituye una motivación tan legítima como cualquier otra.

Todo eso justifica la crítica biográfica y psicológica, pero de hecho no implica que una obra encuentre ahí su significado o su explicación. En sus orígenes o mientras prevalece la tradición oral, la creación literaria es rigurosamente anónima y el principio de paternidad está aún latente en la autoridad de la tradición. Sólo cuando la institución adquiera rasgos históricamente más modernos, la firma formará parte constitutiva de la obra. Pero en la práctica hará falta esperar hasta el Romanticismo para que el autor haga en su obra referencia explícita a sí mismo, a la propia individualidad, como el «verdadero» contenido de la comunicación literaria.

Ni qué decir tiene que, si se aceptase completamente este punto de vista, la obra se reduciría a mero testimonio, a simple expresión de sentimientos o de vicisitudes: pálida sombra de una vivencia inaccesible para nosotros, no sería más que un sucedáneo de la realidad originaria de la que habría nacido. Precisamente por eso, a medida que el autor se convierte en protagonista, se impone e intensifica la actitud opuesta. El propio Romanticismo teoriza sobre la figura del «genio» como portavoz inconsciente del *Volk*, el pueblo-nación. Muchos movimientos de vanguardia del siglo xx prescinden totalmente de la figura del autor. Basta pensar en la «escritura automática» de los surrealistas, en la que el autor —al menos como principio— se limita a transcribir el flujo inconsciente de las asociaciones, o en los «cadáveres exquisitos» igualmente de los surrealistas, en donde la creación colectiva reemplaza a la individual y la casualidad sustituye al proyecto voluntario. De forma más general, es de notar la frecuencia con que el escritor se oculta tras seudónimos, heterónimos o dobles —Perrault publicó sus *Cuentos* bajo el nombre de su hijo de quince años y en el siglo xvi, al parecer, Miguel Sabuco publicó sus obras médicas y filosóficas bajo el nombre de su hija Olivia—, cuando no recurre directamente al anonimato.

En el plano teórico, será menester distinguir siempre al autor en cuanto sujeto empírico (la persona de Miguel de Cervantes, 1547-1616) del «autor implícito» que se encuentra en las páginas de su obra (el narrador de *Don Quijote*, que finge editar la traducción de un manuscrito árabe sobre las hazañas del Caballero de la Triste Figura). Tal distinción a menudo forma parte del tema: en *Manon Lescaut*, el «autor» encuentra a un joven, el caballero Des Grieux, que le cuenta su historia; Conan Doyle se dobla en Watson, que, por su parte, narra las aventuras de Sherlock Holmes; en *Crónica de una muerte anunciada* de García Márquez, el narrador recoge información sobre los hechos de testigos y actores, y hay otros ejemplos en algunas obras de Galdós, Cela, Ayala, etc. Sobre todo, hay que desconfiar de los casos en que se da una aparente coincidencia: el protagonista de *A la búsqueda del tiempo perdido* se llama Marcel y narra en primera persona, pero obviamente *no es* Marcel Proust y la novela no es una autobiografía. Finalmente, en las mismas autobiografías el «yo» narrador será también un personaje en quien sólo hasta cierto punto cabe reconocer las facciones reales del autor. La *Vida* de Torres Villarroel es un ejemplo.

En el plano crítico, se hace necesaria una segunda distinción. La crítica psicoanalítica ha enseñado a distinguir lo que es voluntario e intencionado —el «contenido manifiesto»— de lo que es inconsciente e inadvertido —el «contenido latente»—. Más allá de la persona del autor, se puede entrever o postular su subconsciente; las imágenes, los temas, los mecanismos verbales de la obra se leerán como síntomas, indicios, más o menos como sucede cuando el psicoanalista interpreta un sueño. La crítica psicoanalítica no ha dado hasta ahora en verdad grandes resultados, salvo excepciones. A diferencia del sueño, en efecto, una obra es un hecho público, un acto de comunicación; y como tal nos interesa, no porque revele en el autor un complejo de Edipo o manifieste un trauma infantil. Por lo demás, en cuanto materia de análisis, una obra literaria se controla demasiado como para ser un síntoma veraz, comparable a la libre cadena asociativa declarada en el diván de un doctor. Por esto, hoy en día la mejor crítica psicoanalítica rechaza cualquier biografismo: Orlando (1971, 1973, 1979, 1982), por ejemplo, estudia la dialéctica entre contenido manifiesto y latente en las configuraciones formales del texto, y ya no con referencia a la persona del autor.

Para concluir, no se debe olvidar que el autor es un individuo tanto psicológico como social. De este aspecto se ocupa propiamente la sociología de la literatura. Convendrá, sin embargo, explicar mejor el problema. La figura social del autor no se reduce a su adscripción a una clase (aristocracia, burguesía, proletariado, etc.). Aparte de ser por nacimiento o educación miembro de una clase, es también un *escritor* o, más en general, un intelectual, y en este aspecto forma parte de un grupo profesional específico que ha de estudiarse en sus características peculiares. Es menester, en suma, considerarle —en términos de Benjamin (1934)— como un «productor», siquiera sea *sui generis*.

También la sociología de la literatura puede llegar al extremo de disolver la individualidad del autor. Es la teoría sostenida explícitamente por Goldmann (1955), cuando afirma que los verdaderos creadores de la obra literaria son los grupos colectivos dentro de los que aquélla nace. Las estructuras de la obra serían así homólogas con las estructuras mentales de estos grupos, de modo que, por ejemplo, en la «conciencia trágica» de Racine se expresaría la visión del mundo de una clase, la «nobleza de la toga», que vive su propio ocaso como un destino. Corresponderá, en cambio, a las clases emergentes elaborar una «conciencia dialéctica», que interpreta las transformaciones de la sociedad en términos de procesos históricos: a la tragedia clásica de Racine sucederá la novela burguesa dieciochesca de Lesage o de Fielding.

Por lo que respecta a la figura profesional del escritor, se observa una tipología bastante variada. El aedo homérico es un artista profesional, pero no un autor en sentido estricto: el poeta cortesano del Renacimiento, por el contrario, es un autor a título pleno y obviamente un especialista de la pluma, aunque siga siendo oscura su función profesional: si Juan de Mena era secretario de cartas latinas del rey Juan II en el siglo XV, en el XVI Alfonso de Valdés lo será de Carlos V y Castillejo de Fernando I de Austria. La literatura puede ocupar el *otium* activo del ciudadano Marco Tulio Cicerón o bien hacer el *oficio* de cuyas rentas vive más o menos precariamente el médico Baroja. Aún hoy es raro el caso del que vive directamente del propio trabajo literario gracias a los derechos de autor. Lo corriente es que el novelista o el poeta ejerzan propiamente otra profesión, por más que sea afín: periodista, como Delibes o Vázquez

Montalbán, editor, como Barral, profesor, como Torrente Ballester, etc. La historia de la profesión literaria aparece, por lo demás, estrechamente vinculada a las vicisitudes generales de las instituciones culturales, de la escuela a la editorial.

Una tipología particularmente interesante, relacionada con la historia de los intelectuales, es la que propone Gramsci. Lo que define ante todo a los intelectuales no es tanto su actividad como su función: «¿Puede hallarse un criterio unánime para caracterizar las diversas y dispares actividades intelectuales distinguiéndolas, al propio tiempo y en esencia, de las correspondientes a otros grupos sociales? Me parece que el error de método más extendido es haber buscado esta estimación de lo diferencial en lo intrínseco de la labor intelectual, en lugar de situarla en el conjunto del sistema de relaciones en el que ellos —y por consiguiente los grupos que les personifican— vienen a unirse al complejo general de las relaciones sociales [...]. Por consiguiente, podría decirse que todos los hombres son intelectuales, pero que no todos tienen en la sociedad la función de intelectuales (así, puede suceder que en alguna ocasión se tercie el freírse uno un par de huevos o coserse un desgarrón de la chaqueta, lo que no significa que se sea cocinero o sastre)» (*CC*: 25-6).

En segundo lugar, será preciso distinguir entre intelectual orgánico e intelectual tradicional. Cada clase emergente, al tiempo que promueve una nueva organización del trabajo, crea nuevos grupos intelectuales, vinculados orgánicamente a tal organización: en la era industrial, por ejemplo, estos intelectuales orgánicos son los técnicos, los empleados, los directores de fábrica, etc. Al mismo tiempo, cuando la clase aspira a ejercer una hegemonía global sobre la sociedad, se preocupará de conquistar a los intelectuales tradicionales, o al menos a parte de ellos, en calidad de organizadores del consenso en torno a su programa. Son intelectuales tradicionales los ligados a instituciones tradicionales, como la Iglesia o —en nuestro caso— la literatura, que en otro tiempo eventualmente habían sido orgánicas para otras formas de civilización y ahora, en virtud de su tradición, poseen una autonomía relativa dentro de la vida social.

Esta clasificación, de todos modos, se combina con la consideración tanto del público al que se dirige el escritor, como evidentemente de las características formales, de lengua y de estilo, que distinguen su obra. Las estructuras de la novela decimonónica, cuya fortuna está tan estrechamente ligada al nacimiento de la editorial moderna y a la ampliación del público literario, constituyen un ejemplo paradigmático (§ 48).

6. EDITORES Y PÚBLICO

Salvo en las recitaciones en los certámenes de poesía, en la lectura o el envío privado del escrito mecanografiado a un círculo de amigos, rara vez se produce hoy en día el encuentro del autor y su público en forma inmediata y directa. En todo caso, siempre se hace necesario conservar y transmitir el texto a través del tiempo; por lo tanto, la mediación de alguien que lo recuerda, lo transcribe, lo hace circular.

Generalmente, el escritor confía su obra a un editor, cediéndole los derechos de publicación y difusión a cambio de un porcentaje sobre las ventas (derechos de autor). Bajo este aspecto, la literatura es también un hecho económico y jurídico: aspecto que no se debe descuidar tanto en una perspectiva sociológica, como en el análisis mismo de la obra, según testimonia elecuentemente el ejemplo de la novela (§ 48).

El nacimiento del libro y del comercio de libros se remonta claramente al mundo antiguo, y se desarrolla a lo largo de muchas etapas. En primer lugar, se halla ligado a la historia de la escritura y de los materiales para escribir. Es significativo que los griegos (quizá por influjo mesopotámico) reemplacen el junco flexible de los egipcios, con el que «más que escribir el escribano dibujaba los signos», por la caña rígida (los símbolos alfabéticos no requieren pintarse); el junco supone un largo aprendizaje, que hace del arte de la escritura «un arte para iniciados, reservado, como sucedía en Egipto y en Asiria, a los sacerdotes y a las corporaciones de escribas. Escribir con una pluma, en cambio, es una operación al alcance de todos. En Grecia no existen corporaciones de escribas que custodien un secreto hereditario, y la literatura griega se diferencia de la oriental en ser una literatura abierta a todos» (Turner 1952: 11-3).

Cabe precisar, sin embargo, que esta contraposición no se perfila de entrada de forma tan nítida. En una cultura que predominantemente se sigue apoyando en la comunicación oral (§ 22), el papel de la escritura no podía ser aún el de la circulación y la difusión, «sino el de la fijación y la conservación de los textos; una fijación que tenía lugar, por lo que dejan suponer ciertos testimonios, en soportes de la escritura pesados (sobre todo, plomo, pieles, mármol), no destinados, por tanto, a una circulación ágil; y una conservación, por regla general, en los templos y archivos del Estado. Los primeros detentadores de la palabra escrita, así pues, parecen haber sido las castas sacerdotales y las clases en el poder» (Cavallo 1975: xv). Sólo en el transcurso del siglo V se puede asistir a una modificación sensible: «Puede ser instructivo comparar al prosista más significativo del siglo V, Herodoto, el 'padre de la historia', con Tucídides; parece ser que Herodoto organizaba aún en diversas ciudades griegas lecturas públicas de su obra, pero a Tucídides, de la generación siguiente, le resulta extraño recitar para entretenimiento público su narración histórica; es κτῆμα ἐς ἀεί, posesión perenne, una obra, no compuesta para declamaciones de breve duración ante un auditorio, sino encomendada a la escritura, al 'libro', es decir, a la meditación de lectores contemporáneos y futuros. Entre las dos generaciones, la de Herodoto y la de Tucídides, se debe así percibir el arco de transición de la oralidad a la civilización del libro» (*ibid.*: xvi).

En todo caso, es en esta época cuando la difusión del «libro» (rollo o *volumen* de papiro) adquiere una relevancia particular, y lo atestiguan sea los sofistas (que se sirven de ellos sin titubear), sea muchos que, como Platón, «expresan su inquietud por el efecto de superficialidad que puede producir en el estudiante la materia leída y no asimilada» (Turner 1952: 24). Lo cierto es que en el primer trentenio del siglo IV «los libros se han asentado sólidamente y continúa su tiranía» (*ibid.*). No parece, sin embargo, que ya se pueda hablar propiamente de un verdadero comercio de libros: «El autor en persona supervisa la circulación de su obra y se reserva la porción de la propiedad literaria que, según la concepción de los antiguos, se admitía en conexión con el libro. Si hubiera recurrido al comercio de libros, habrían podido correr peligro estas ventajas sin ninguna compensación (ciertamente, no porcentajes sobre los beneficios: ningún autor de la Antigüedad obtuvo dinero de un editor). Ni siquiera sabemos si en la Atenas del siglo V hubo alguien que hubiera asumido las funciones de editor, es decir, si hubo una persona dispuesta a correr el riesgo de producir muchas copias antes de saber si se generaría alguna demanda de la obra de un determinado autor por parte del público» (*ibid.*: 21).

Desde este punto de vista, sólo se alcanzará una civilización plena del libro a partir del siglo III a.C. en el ámbito helenístico-alejandrino y en Roma aproximadamente por la época de Cicerón: «A la función asignada a la palabra escrita en la edad arcaica, la de perduración en el tiempo de los textos, se añade otra de prolongación en el espacio. La escritura sustituye a la memoria, la producción literaria a los rapsodas itinerantes» (Cavallo 1975: xix). El libro producido en talleres de copistas y vendido allí directamente, se dirige por otra parte, a un público —en Roma y las provincias latinizadas— de «tal vez, en los mejores tiempos, apenas más que algunas decenas de millares» (Auerbach 1958: 231). El advenimiento del Cristianismo introduce, en cambio, en el mundo de la palabra escrita a nuevos estratos sociales y supone asimismo «un paso capital en la historia del libro: del rollo al códice» (Cavallo 1975: xix). Constituido por páginas generalmente de pergamino, cuadrado o ligeramente oblongo, el códice contenía originariamente textos de una literatura inferior o de carácter técnico, destinados a un público poco instruido. El tránsito al códice «representaba por ello la ruptura con la tradición del rollo, depositario del gran arte literario reservado a las clases superiores, únicas capaces de disfrutar de aquel arte» (*ibid.*: xx). Los talleres tradicionales no logran adaptarse a esta revolución. Sustancialmente les queda el público aristocrático y pagano, cada vez más restringido y aislado. Entre tanto, los *scriptoria* eclesiásticos, surgidos para responder a la nueva demanda, elevan el códice a la misma dignidad y refinamiento ornamental que el rollo. Serán estos últimos, en fin, los únicos lugares en los que la tradición del libro sobrevivirá al ocaso del mundo antiguo, cuando ya no haya ningún público, «pagano o cristiano, que sea comprador de libros» (*ibid.*: xxii).

Entre los siglos VI y VII, para el «público» laico el libro ya no será un instrumento, sino un objeto mágico y sagrado: símbolo adornado con imágenes dibujadas, reliquia dotada de poderes taumatúrgicos. También se potencia en la escritura «el aspecto decorativo y monumental, esto es, visual» (Cavallo 1977: xi), por encima del analítico y discursivo. El libro como instrumento sobrevive sólo entre los clérigos, en los escasos centros de cultura monástica que mantienen ininterrumpida su tradición. Cuando Carlomagno funda en el siglo IX la Escuela Palatina, habrá de recurrrir a los monjes británicos para restaurar en el continente una cultura escrita, ya sea recuperando un conocimiento gramatical del latín casi perdido, ya sea reformando la propia escritura con la introducción de la minúscula carolingia. Pero sólo entre los siglos XI y XII renacerá el comercio de los libros. Los *scriptoria* resultarán ahora inadecuados para satisfacer la demanda del público laico; se les sumarán primero las tiendas de *stationarii* alrededor de las universidades, más tarde, un artesanado más amplio del libro al servicio de las cortes y de la burguesía urbana.

A partir del siglo XIII se forma también un mercado de libros en lenguas vulgares. Y ya se esboza una primera fractura entre el libro para los doctos —en la letra gótica del siglo XIV, con rica ornamentación decorativa— y el libro popular, caracterizado por los estereotipos, la calidad ordinaria, la temática predominantemente extraliteraria —en una variedad de escrituras corrientes, cancilleresca, mercantil, bastarda—. Tratamiento especial exige el libro renacentista. Petrarca ya había señalado en la minúscula carolingia un modelo de elegancia sencilla, de claridad transparente, de facilidad de lectura, en perfecta sintonía con su ideal de cultura. En el siglo XV los humanistas exhumarán de nuevo esta escritura: un empeño voluntarista, estrechamente ligado a un círculo aislado de intelectuales aristocráticos, aunque no desprovisto de consecuencias. «Condenada por su artificiosidad a agostarse pronto —fuera de Italia, de hecho, las letras góticas y bastardas en seguida recuperaron la supremacía—, la minúscula humanística se salvó por la presión conjunta de los europeos cultos, que, ya habituados a considerarla como la expresión gráfica de su cultura, quisieron verla perpetuada también en la imprenta. Así, en el curso del siglo XV, admitida por una gran parte de los tipógrafos italianos y europeos como modelo ejemplar para sus tipos, la "antigua" escritura alcanzaba su segunda resurrección y podía sobrevivir a la evolución espontánea de las escrituras corrientes y de documentos, llegando prácticamente inalterada hasta nuestros días y convirtiéndose en la escritura dominante del mundo moderno» (Petrucci 1979: 34).

Llegamos así al viraje fatídico: la invención de la imprenta de tipos móviles, tradicionalmente atribuida a Gutenberg (sus experimentos, iniciados en 1438, no fueron los únicos; de todos modos, para dar un episodio simbólico, recuérdese su primera gran realización, la Biblia de 1456). Con ello el panorama se hace demasiado complejo para poder dar una información analítica; nos limitaremos a algunas observaciones. Ante todo, el libro impreso emplea por sistema una nueva materia prima, el papel (ya difundido por Europa un par de siglos antes), que sustituye a los demás materiales (obviamente inadecuados, así como más difíciles de producir en gran cantidad). En segundo lugar, hay que destacar que pasarán muchos decenios hasta que la nueva tecnología prevalezca sobre la antigua (destinada a sobrevivir, en ciertos aspectos y en circunstancias especiales, hasta nuestros días: piénsese en los guiones de la «Commedia dell'arte», los pliegos sueltos, las «aleluyas» o la circulación clandestina de obras prohibidas por la censura). Durante mucho tiempo, por otra parte, el tipógrafo sigue fielmente el modelo exterior del manuscrito, la paginación, el formato, los caracteres, reproduciendo sus abreviaciones incluso en los textos en lengua vulgar. Tampoco es posible hablar siempre de un público cuantitativamente nuevo, al que la vieja tecnología no sería capaz de satisfacer; en realidad, las primeras empresas se apoyan menos en un mercado ampliado de lectores que en los encargos, el financiamiento y la protección legal de los poderes (públicos o eclesiásticos). De ahí procedían, de hecho, las demandas que valoraban mejor las ventajas de la nueva tecnología: era la necesidad creciente «de hacer reproducir en más ejemplares y de distribuir prestamente en las ciudades, en las aldeas, en el campo, hojas volantes, avisos de indulgencias, bandos, textos de oraciones e incluso libros litúrgicos para los servicios divinos. Excepto por lo que hace a este último e importante sector, en realidad no se trataba de libros, sino de productos que un taller de libros manuscritos o un copista aislado habrían rehusado o difícilmente podido reproducir; respecto a los libros litúrgicos, la producción manual se revelaba cada vez más como un proceso lento en relación a las exigencias y demandas y, por ello, indirectamente, costoso» (Petrucci 1976: xx).

Desde los primeros decenios del siglo XVI, no obstante, el triunfo de la imprenta es ya cosa hecha. Las consecuencias serán incalculables. Pero el punto esencial es que la empresa tipográfica representa ya, por los capitales y la organización que requiere, una empresa de tipo industrial. Más aún: se constituye como una estructura autónoma e independiente de la esfera de la creación. Los vínculos económicos e institucionales que subyacen a la actividad literaria se hacen más profundos y, por lo menos, más explícitos. Es éste un proceso contradictorio, que por un lado deja entrever posibles condicionamientos y manipulaciones, pero, por otro, enfrenta al intelectual con el desafío de la modernidad y de la historia. Así, si, por una parte, la imprenta no tendrá más que efectos positivos para la difusión del libro, por otra, sanciona definitivamente la separación entre libro culto y libro popular (cuyos rasgos permanecerán inmutables durante siglos: la paginación a dos o más columnas, la cubierta de cartulina y la encuadernación, los grabados en madera o cobre, el formato pequeño para el transporte ambulante y, desde luego, durante mucho tiempo, los caracteres góticos).

Para que nazca una verdadera empresa editorial moderna, sin embargo, hay que esperar a que la revolución industrial modifique la sociedad entera. La movilidad de las clases en el paso del siglo XVIII al XIX ensanchará los límites del público en términos cuantitativos decisivos. Paulatinamente la distribución y el comercio adoptarán una organización firme y eficiente: a partir de la figura del librero-editor (más que de la del tipógrafo-editor), cobra forma la función del editor moderno como empresario autónomo. Al mismo tiempo, se emprende la superación del régimen equívoco de los privilegios (que no impedía la multiplicación de las imprentas piratas y las apropiaciones arbitrarias) con la definición jurídica de la propiedad literaria, que avala el editor.

También la figura profesional del autor entra en una mutación significativa; de ahora en adelante, su obra le reportará una remuneración, convirtiéndole a todos los efectos en un sujeto económico. Eso no quita, naturalmente, que aún hoy sean raros los casos de escritores que se ganen el sustento sólo con el trabajo literario (a lo sumo algún novelista, y es de presumir que ningún poeta) (§ 5). Su dependencia del editor se hace, si acaso, más fuerte, y se acentúa la autonomía de las decisiones por parte de este último. Son esporádicos y, por lo común, destinados al fracaso los ejemplos en el siglo xix de autores metidos a empresarios de sí mismos, confiando al tipógrafo la simple realización del producto: es famoso, a este propósito, el intento de Manzoni con *Los novios* de 1840, analizado por Berengo (1980: 310-2). Por la misma época, en España, el folletinista Ayguals de Izco se edita a sí mismo; Galdós lo hizo más esporádicamente.

Desde entonces, no faltarán otras transformaciones: sea en las dimensiones del mercado, sea en la organización de la distribución y la venta, sea en la prospectiva del producto-libro. Basta pensar en la revolución del libro de bolsillo o en el desarrollo de las comunicaciones audiovisuales. Toda la problemática de la industria cultural es hoy en día un marco indispensable para cualquier reflexión sobre la literatura, tanto en lo que concierne a sus expresiones creativas contemporáneas, como a la administración del patrimonio del pasado.

Rollo de papiro o códice de pergamino, libro o tarjeta perforada, al final, la obra llega a un lector. Último eslabón de la cadena y, al mismo tiempo, presupuesto implícito de todo hecho literario, el público ejercerá su poder soberano aceptando o rechazando, adquiriendo, regalando o aconsejando. Críticos y publicitarios se disputarán su atención, a la vez que un tropel de profesores velará por su formación.

Naturalmente, este poder soberano no siempre se traduce en decisiones de veras libres (§ 9). Pero tampoco se puede sobrevalorar la capacidad de manipulación por parte de las grandes corporaciones editoriales: la historia de los *best sellers* intentados y no logrados, o viceversa, imprevistos, es instructiva a este propósito. Es un hecho que, en último término, la literatura seguirá existiendo mientras exista un lector. La ampliación o contracción del área de la lectura, el dinamismo o la cristalización social del público, la continuidad y el cambio de las competencias en su memoria, todo ello marca profundamente la historia de la literatura. Toda obra lleva inscrita en sí la imagen de su destinatario original; a la inversa, el destinatario modela luego la obra según la forma de su percepción: baste recordar que la literatura clásica se salvó en Occidente precisamente por la interpretación alegórica que legitimó su conservación en el medievo.

El papel que, en el plano teórico, se deba reconocer al público ocupa, en el plano de la indagación empírica, una variedad de investigaciones: sociología de la literatura, estilística, psicología del placer literario. Así, el autor puede concebir a su destinatario como colectivo o individual, representante de una clase o de otra, culto o profano, alma de Dios o intelecto razonante. De su encuentro mutuo, del buscarse y encontrarse a través de las muchas mediaciones que les separan, depende lo que haya de ser la obra en cada caso, más allá del precario soporte material que es el texto.

BIBLIOGRAFÍA. Sobre las nociones de comunidad científica y de paradigma, además de Kuhn (1962), véanse al menos Hanson (1962) y Feyerabend (1978b). La distinción entre autor y autor implícito se trata ampliamente en las teorías literarias modernas: téngase en cuenta, por ejemplo, Chatman (1978) en el ámbito narratológico. Proporcionan una primera orientación sobre la historia de la escritura, del libro y de la edición Havelock y Hershbell (1978), Cavallo (1975; 1977), Petrucci (1977; 1979), Febvre y Martin (1958). Sobre todos los temas abordados en esta sección, véanse Schücking (1931), Escarpit (1973), Oxenham (1980), Hall (1979), Wolff (1981), Williams (1981), así como, para una perspectiva más contemporánea, Spinazzola (1984). Sobre el público, véase Senabre (1986).

EL TEXTO EN EL TIEMPO

7. LA TRANSMISIÓN*

Un texto es todo mensaje verbal que se transmite a través de la escritura. Quien dice escritura dice error, puesto que quien escribe, tanto si se trata de un texto original —una carta, por ejemplo— como de una copia, tiene que llevar a cabo un proceso en apariencia simple, pero que en la realidad reviste una gran complejidad al tratarse de varias operaciones psicológicas y mecánicas o, si se prefiere, psicológicomecánicas. En efecto, y para referirnos sólo al acto de la copia de un modelo, las operaciones que hay que llevar a cabo son las siguientes: a) el copista lee un fragmento —una *pericopa*—; b) lo memoriza; c) se lo dicta a sí mismo; d) lo transcribe; e) vuelve al modelo. A lo largo de este rápido y a la vez complejo proceso, es prácticamente imposible que el copista —o un autor que escribe directamente o alguien que transcribe al dictado— no cometa errores cuyo número dependerá del mayor o menor grado de profesionalidad o del estado anímico del sujeto o de las condiciones materiales —mala iluminación, por ejemplo— del acto de la copia.

Si bien se han hecho varias clasificaciones del error de acuerdo con la fase, psicológica o mecánica, del proceso, la más clara sigue siendo la que parte de las cuatro categorías modificativas aristotélicas. Así los errores pueden ser de cuatro clases: a) por *adición*; b) por *omisión*; c) por *transmutación* o cambio de orden; d) por *inmutación* o sustitución. Todos ellos pueden llevarse a cabo en la unidad más breve, la letra y el fonema, o en la unidad mayor, la frase o frases. Por ejemplo, es muy frecuente leer una letra por otra, lo que habitualmente produce un cambio de una palabra por otra (por lo general, una voz más conocida por el copista, fenómeno llamado *lectio facilior*); o saltar de una palabra a otra igual o muy similar gráficamente que se halla más adelante o más atrás en el modelo (se produce al leer una nueva *pericopa* y es fenómeno conocido como *omissio ex homoioteleuton*).

Por ejemplo, mi *Manual de crítica textual* apareció anunciado

---

* El párrafo 7 es de ALBERTO BLECUA.

en un catálogo como *Manual de crítica sexual*; no creo que se trate de un *lapsus* de la vida cotidiana en la acepción freudiana (cf. Timpanaro 1974), sino de una *lectio facilior* cultural. En el verso de la Égloga III de Garcilaso la primera edición (*editio principis*) lee: «Las telas eran hechas y tejidas /del oro que el felice Tajo envía / y de las verdes hojas reduzidas /en estambre sutil...». La lección correcta, por *difficilior*, es «verdes ovas» («verdes algas») como trae un manuscrito. Algunas conjeturas de copista —no errores involuntarios— pueden desecharse por *faciliores*. Tal es el caso, sin resolver aún, que aparece en *Quijote I*, 1:

> «Pero, acordándose que el valeroso Amadís no sólo se había contentado con llamarse Amadís a secas, sino que añadió el nombre de su reino y patria por Hepila famosa...»

La segunda edición lee «por hacerla famosa», que es la que habitualmente se edita. No obstante, en buena ley textual, es imposible que un copista ni un componedor escriba «Hepila» donde pone «hazerla». O bien desconocemos qué significa «Hepila» o bien se trata de un error en esta palabra. En estos casos la conjetura debe respetar en lo posible la voz, intentando explicar el error de la manera más económica posible. Sugiero que podría tratarse de *hepilasi* o *hepilesi* del griego *epilepsis*, esto es, *cognominatio* en latín y *sobrenombre* en la época de Cervantes, pues el pasaje continúa: «y se llamó Amadís de Gaula, así quiso, como buen caballero, añadir al suyo el nombre de la suya y llamarse Don Quijote de la Mancha, con que a, su parecer, declaraba muy al vivo su linaje y patria, y la honraba con tomar el sobrenombre della». En todo caso, «hacerla» es una conjetura *facilior* de un componedor.

Un caso de *omissio ex homoioteleuton* sería si, en el ejemplo anterior, un copista hubiera saltado de *Amadís* a *Amadís* y escrito: «Pero, acordándose que el valeroso Amadís [...] a secas, sino que añadió...»

La filología bíblica y clásica se preocupó desde fechas muy lejanas de este problema que afecta radicalmente a la exégesis de los textos o al conocimiento de la gramática de una lengua muerta o de un momento arcaico de una viva. Los avances fueron notables a partir del siglo XV, pero no sólo es en el siglo XIX cuando se llega a un método, conocido con el nombre de quien lo expuso con mayor sistema, el filólogo Karl Lachmann (1793-1851), que es el que se sigue aplicando con matizaciones en el presente. El método, basado en la lógica, es en teoría impecable: dos o más testimonios que presenten un error común pertenecerán a una misma familia. Dados, por ejemplo, cuatro manuscritos, *A, B, C, D*, si *A* y *B* presentan un error común, *C* y *D* también presentan un error común distinto del anterior y los cuatro a su vez muestran un error común distinto de los dos anteriores, es lógicamente cierto que *A* y *B* pertenecen a una misma familia, que *C* y *D* pertenecen a otra y que los cuatro se remontan a un manuscrito perdido que había transmitido el error a las dos familias. Esta filiación se representa en el método lachmanniano por medio de un *stemma* o árbol genealógico. En el ejemplo propuesto los *stemmata* posibles son los siguientes:

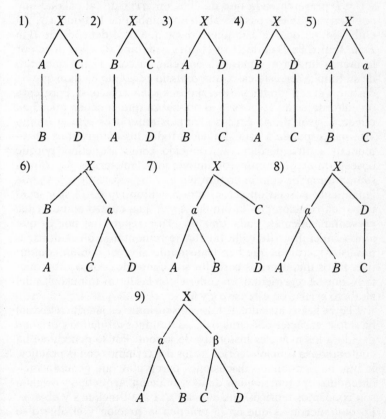

Uno de los problemas centrales del método al llevarlo a la práctica es la dificultad de encontrar con absoluta seguridad errores comunes que se definen en la teoría como todos aquellos errores que dos o más copistas no pueden cometer accidentalmente en un ambiente cultural afín (por ejemplo, una *lectio facilior* o una *omissio ex homioteleuton* pueden ser casuales y no deben presentarse como tales errores comunes). En general, cuando los errores son evidentes los copistas suelen enmendarlos por su cuenta o acudiendo a otras familias de manuscritos, lo que produce una contaminación entre familias de que más adelante trataré. Los errores comunes pueden ser de dos tipos: conjuntivos y separativos. Así, en el ejemplo anterior, los errores de *A* y *B* son conjuntivos porque unen a estos manuscritos y a la vez separativos porque los separan de la familia *C* y *D*. A su vez, si *A* y *B* y *C* y *D* presenta cada uno de ellos un error de tal calidad que por fuerza hubiera pasado al otro miembro de la familia y, sin embargo, no ocurre así, quiere decir que ni *A* depende de *B* ni *B* de *A*, ni *C* de *D* ni de *D* de *C*, pues cada uno de ellos tiene por lo menos un error separativo en relación con el otro miembro de su familia (en este caso, una *omissio ex homioteleuton* que no destruya el sentido del pasaje, sí posee valor crítico: si *A* presenta un salto de esta categoría y *B* no, habrá que concluir que *B* no puede derivar de *A*). En los ejemplos anteriores sólo el último *stemma* responde a esta situación: todos los manuscritos se remontan a otro perdido, *X*, conocido como arquetipo, porque poseen un error común conjuntivo; los manuscritos *A* y *B* presentan un error común conjuntivo que los separa de *C* y *D*, que igualmente poseen un error común conjuntivo entre sí y separativo en relación con la familia *A* y *B*. Los cuatro manuscritos presentan, además, cada uno un error separativo por lo que ambos miembros de cada familia se remontan a otros dos manuscritos perdidos que han transmitido el error común conjuntivo. Estos manuscritos perdidos son conocidos como subarquetipos que se representan en general con las letras minúsculas del alfabeto griego, en este caso *α* y *β*.

El otro gran causante de falsas discusiones en la crítica textual ha sido el carácter polisémico de los términos *arquetipo* y *original* debido a los avatares históricos de ambos. Por lo general se ha confundido la función teórica de los dos términos con la práctica, lo que ha ocasionado discusiones peregrinas que generan malentendidos epistemológicos de fácil solución. Arquetipo y original son conceptos teóricos que indican a la vez funciones y objetos. Lo que sucede es que en la práctica la función y el objeto se confunden y en el caso de la crítica textual la teoría no puede prescindir de la práctica. Un arquetipo y un original son en la teoría dos funciones que se caracterizan por transmitir en el primer caso errores comunes a los descendientes, y en el segundo sólo lecturas correctas. En la práctica se suele confundir, en general, función con objeto y así se puede hablar de un original que es a la vez un arquetipo y de un arquetipo que es también un códice existente que puede identificarse con el original. Por ejemplo, en los siguientes *stemmata*

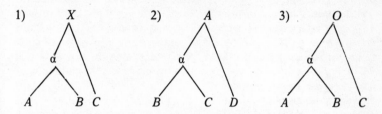

X (un modelo perdido), *A* (un modelo conservado) y *O* (el original autógrafo conservado) funcionarían los tres como arquetipos porque transmitirían errores comunes a sus descendientes (en el caso de *O* también porque de otra manera no podríamos utilizar el método lachmanniano y se llegaría al *stemma* por otros caminos ajenos). Los *stemmata* 2 y 3 sólo serían útiles en la fase de la *recensio* porque una vez sabida la filiación los descendientes *BCD* y *ABC* no servirían para la reconstrucción del arquetipo, ya que éste se conserva. Son, pues, *codices descripti* cuyas variantes sólo poseen un valor histórico (se suelen eliminar —*eliminatio codicum descriptorum*—, al igual que las *lectiones singulares* de los códices que no sirven para la reconstrucción del arquetipo, aunque en algunos casos es preferible mantenerlas en el aparato crítico para conocer la vida histórica del texto). En la fase de la *constitutio textus* los tres *stemmata* se expresarían:

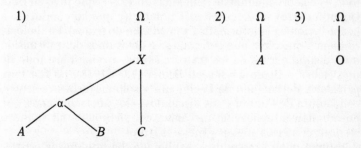

En este caso Ω es el original en el sentido ideal: esto es, la función que sólo transmite lecturas correctas.

Una vez establecido el *stemma* por medio de los errores comunes se procedería a la reconstrucción de *X* de forma mecánica. Por ejemplo, dado el *stemma* 1, el arquetipo *X* se reconstruiría así:

$$X = a+\beta$$
$$X = a+C$$
$$X = a+D$$
$$X = \beta+A$$
$$X = \beta+B$$
$$a = A+B$$
$$a = A+\beta$$
$$a = A+C$$
$$a = A+D$$
$$\beta = C+D$$
$$\beta = C+A$$
$$\beta = C+B$$
$$\beta = D+A$$
$$\beta = D+B$$

Sólo en el caso en que la rama *a* se enfrentara en una lectura a la rama β o cuando los cuatro manuscritos leyeran de forma independiente, el editor no aplicaría el *stemma* de forma mecánica y analizaría las lecturas para con la aplicación del *iudicium* seleccionar la más verosímil (*emendatio ope codicum*) o utilizar la conjetura (*emendatio ope ignenii*).

Éstos son en apretada síntesis los principios del llamado método de Lachmann que con matizaciones posteriores es el que ha seguido buena parte de la filología clásica y moderna, conocido habitualmente como crítica textual, y que difundió sobre todo, el célebre manual de Paul Maas en 1927 y que tuvo en Dom Quentin (1926) su defensor más notable (y que ha conducido a la aplicación de la informática a la edición de textos). La filología románica que tenía que enfrentarse a otros tipos de transmisión muy distintos a los de los textos clásicos, a raíz, sobre todo de un célebre artículo de Joseph Bédier (1864-1938), no fue muy partidaria del método de Lachmann y sólo en fechas recientes, con la obra de Contini y sus discípulos —los neolachmianos, que no admiten la aplicación mecánica del *stemma*—, ha vuelto a resurgir con bríos nuevos y mejores frutos.

Ocurre que el método de Lachmann, basado en los errores comunes, a pesar de ser el mejor de todos los conocidos —los llamados métodos anticuados, que consistían en editar la lectura del códice más antiguo (*antiquior* o *vestustior*) o el que se consideraba mejor (*codex optimus*) o el de seguir la lección de la mayoría de los manuscritos (*codices plurimi*)— tiene sus limitaciones teóricas y prácticas. Bédier observó —y se puede seguir observando— que la casi práctica totalidad de los *stemmata* que habían construido los filólogos clásicos o vulgares sólo tenían dos ramas, fenómeno realmente extraño que se ha intentado explicar por la forma peculiar de la transmisión manuscrita en la Edad Media. Esta explicación es en parte cierta, pero hay otra razón mucho más poderosa que afecta de raíz a los presupuestos lachmannianos: un método basado en el error sólo puede construir *stemmata* binarios. O lo que es lo mismo, el método sólo puede unir y separar a los testimonios con errores comunes, pero no puede aislar una rama que no los presente. Pondré un ejemplo: dados cinco testimonios, A, B, C, D y *E* que se remontan a un arquetipo *X* al tener por lo menos un error común, y si *A* y *B* presentan errores comunes y a su vez *C* y *D* también presentan errores comunes es evidente que *A* y *B* se remontan a un subarquetipo *a* y *C* y *D* a un subarquetipo β. La tendencia en la crítica es construir un *stemma* de tres ramas:

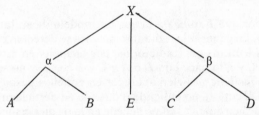

Y, en efecto, lo más probable es que ese *stemma* corresponda a la realidad de la transmisión, pero no se puede demostrar, porque ha podido ocurrir que *E* no derive directamente de *X*, sino de un testimonio anterior de la rama que conduce a *a* o a β:

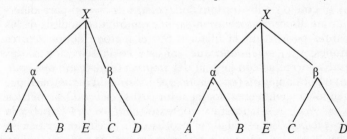

En otras palabras: en la teoría y en la práctica existen los *stemmata* de más de dos ramas, pero no pueden demostrarse. Particularmente es grave este fallo del método en aquellos casos, como ocurre con frecuencia en textos vulgares de la Edad Media, en los que un ascendiente perdido muy cercano al arquetipo ha podido introducir innovaciones que el editor, de admitir un *stemma* de tres ramas, remontaría al arquetipo.

El otro enemigo del editor de textos es la *contaminación* ya antes mencionada, que se produce cuando un manuscrito de una rama acude a otro de otra rama distinta para leer determinados pasajes. Por ejemplo, dado el *stemma*

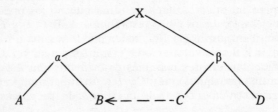

puede suceder que *B* utilice a la vez un modelo de su familia *a* y otro de la β. En general, las contaminaciones se detectan cuando se producen lecturas contradictorias, por ejemplo, en este caso si *A* lee con *C* y *B* lo hace con *D* o *A* y *C* y *B* con *D* y no se trate de *lectiones faciliores*. Suelen aparecer en aquellos pasajes conflictivos que el copista no entiende o cuando advierte lagunas en su modelo. O bien cuando, como sucede en la tradición medieval, el copista utiliza cuadernos que proceden de distintas ramas.

Las introducciones teóricas suelen dividir el proceso de la edición crítica, a partir del mencionado manual de Paul Maas, en tres fases: *a) recensio*, el acopio de las fuentes directas e indirectas y el cotejo de los testimonios (*collatio codicum*) para determinar las diferencias o variantes; *b) examinatio* o análisis de las variantes para trazar la filiación por el método de los errores comunes; y *c) emendatio* que consiste en la selección de las lecturas correctas con la guía del *stemma* (*emendatio ope codicum*) o por conjetura (*emendatio ope ingenii, divinatio*), siempre teniendo en cuenta el estilo del autor (*usus scribendi*), la métrica (*res metrica*), la estructura y contexto (*conformatio textus*) y la *lectio facilior*. En realidad, el proceso de la edición crítica se desarrolla en dos grandes fases: una primera que tiene por objeto determinar la filiación, y una segunda que tiene como fin dar el texto más cercano al original de todos los textos posibles, de tal manera dispuesto, que el lector pueda tener a la vista todos los datos utilizados. Parece preferible denominar a la primera, de acuerdo con una de sus acepciones tradicionales, *recensio*; a la segunda, *constitutio textus*. A su vez, la *recensio* puede subdividirse en las siguientes fases: *a*) *fontes criticae*, esto es el acopio y análisis histórico de los testimonios (la *recensio* en su acepción más común); *b*) *collatio codicum*; *c*) *examinatio* y *selectio* de las variantes; *d*) *constitutio stemmatis*, si es posible trazar la filiación. La *constitutio textus* puede subdividirse en las siguientes fases: *a*) *examinatio* y *selectio* de las variantes (la llamada *emendatio ope codicum*, denominación carente de sentido en un método en el que no se enmienda un códice concreto, sino que se reconstruye un original perdido); *b*) *emendatio ope ingenii* que siempre es peligrosa y que en general es preferible practicar sólo en los casos que ha denominado Contini difracción en ausencia, esto es, cuando ninguna de las variantes da la lección correcta pero es reconstruible partiendo de ellas; *c*) *dispositio textus* (grafías, acentuación, puntuación, signos diacríticos, etc.); *d*) *apparatus criticus* con las variantes y las notas; y *e*) la corrección de pruebas, la parte más ingrata de todo el proceso y, con la *collatio codicum* y el *apparatus criticus*, la más peligrosa porque una corrección de pruebas descuidada puede echar por tierra varios años de trabajo áspero y, en general, poco reconocido.

La selección *ope codicum* o la enmienda por conjetura debe explicar el error, es decir, serán por adición, supresión, inmutación y trasmutación, de acuerdo siempre con el *usus scribendi* del autor y de su época. Como consejo general, antes de seleccionar una variante o enmendar por conjetura conviene asegurarse de que, en efecto, se trata de un error. Por ejemplo en el *Poema de Mio Cid*, vv. 829-834:

> ¡Idevos, Minaya, a Castiella la gentil!
> A nuestros amigos bien les podedes dezir:
> Dios nos valió e vençiemos la lidit.
> A la tornada, si nos falláredes aquí;
> sinon, dó sopiéredes que somos, indos conseguir.

En el v. 831 los editores consideran «lidit» como un error por adición y enmiendan en «lid». Sin embargo, no es un error seguro de esta categoría, porque podría tratarse de un error por unión de palabras («...lid./ It; a la tornada...»).

Éste es, en líneas generales, el método derivado de Lachmann y que en ciertos tipos de tradiciones, como las impresas por ejemplo, da resultados óptimos. Pero hay que reconocer que cada

texto presenta problemas particulares en su transmisión y que
cada época, y por lo general cada género, tiene sus peculiares
modos de difusión. En los textos medievales literarios romances
los copistas suelen enmendar o corregir el texto sin demasiado
respeto al modelo, modernizando la lengua y la sintaxis para
adaptarlas a su público o a sus gustos, o lo que es lo mismo,
pretenden que el texto siga vivo en el tiempo. Los problemas
técnicos que plantea este tipo de transmisión requieren soluciones muy distintas de las de un texto clásico, de tradición más
estable o de uno moderno del que pueden conservarse borrado-
res, copias autógrafas y diversos estadios redaccionales, esto es,
variantes de autor que han podido llevarse a cabo en un lapso
breve o muy dilatado, como sucede con parte de los autores a
partir del siglo xvi y, sobre todo, en la época contemporánea. De
este tipo de variantes se ocupa la reciente crítica genética que,
con instrumentos muy perfeccionados —en el estudio de las
grafías, por ejemplo— analiza el proceso de creación. Sigo creyendo, a pesar de todos los defectos del método lachmanniano,
que es el único método relativamente metódico que puede aplicarse, como tal, a la edición de textos, cuando se conservan dos
o más testimonios de una obra. Bédier confiaba más en el *bon
goût* del editor, esto es, en la formación e intuición del filólogo,
pero si a este *bon goût* se le añade el conocimiento de la crítica
textual —que es en definitva la aportación de los neolachman-
nianos— con seguridad los resultados serán mejores.

8. LA COMPETENCIA

Las vicisitudes de la transmisión no son la única forma en que
puede verse trastornado el mensaje literario en el transcurso del
tiempo. Si es cierto que el texto cambia, no lo es menos que
también cambia (y continuamente) el público: con frecuencia, a
distancia de pocos siglos, habla una lengua que, aunque siga
llamándose español o inglés, difiere profundamente de la «misma» que se hablaba o escribía en un pasado más o menos lejano.
Y también cambian de una época a otra el conocimiento y la
concepción del mundo, las instituciones literarias y las formas y
modos de difusión de la obra, lo que se pide a la literatura y lo
que los escritores piden al público. En cierto sentido, una obra
jamás es la misma, si con el paso de los siglos y a la vuelta de
pocas generaciones varían la manera de interpretarla o de abor-

darla, la capacidad de involucrarnos en ella o de servirnos de ella y de «usarla».

Pero si aún hoy, prescindiendo de lo que la escuela sugiere o impone, se logra leer obras que nos llegan incluso de un pasado remoto, y las leemos porque «nos gustan», porque «nos dicen» algo o mucho, porque representan un «documento» o un «monumento» de otras civilizaciones o por cualquier otro motivo, el hecho es que hay un filtro, una «diferencialidad», como dice Contini (1977: 954), interpuesta entre nosotros y la página y producida por las dificultades de orden lingüístico y no sólo lingüístico. Efectivamente, no es seguro que una obra contemporánea siempre sea más accesible que otra que se remonta a varios siglos antes. Simplemente las dificultades son de un tipo diferente, incluso cuantitativamente diferente: en una obra antigua el conocimiento imprescindible de los códigos literarios debe ir unido al del universo ideológico y filosófico, del contexto social e histórico y del sistema lingüístico en que se inserta el texto.

La competencia del lector, así pues, es la premisa de toda comunicación literaria. Por «competencia» los lingüistas de la escuela chomskiana entienden la capacidad, por parte de cada hablante, de producir y de comprender frases gramaticales. La competencia literaria se distinguirá de la lingüística en el hecho que la habilidad de entender textos literarios no comporta automáticamente la de producirlos. Pero este planteamiento está relacionado con la división del trabajo artístico en muchos tipos de sociedad; volveremos a tratar de ello más adelante (§ 59). Además, si la competencia de que hablan los gramáticos generativistas es innata en el hablante (la hipótesis del innatismo es discutida y por muchos rechazada), la competencia literaria sólo cabe entenderla en una acepción histórico-cultural, en el sentido de que es necesario poseer un bagaje de conocimientos teóricos e históricos, que no todos pueden extraerse de los textos. En otras palabras, si es normal hablar una lengua sin conocer su «gramática», no es posible leer a Virgilio, y ni siquiera a Bécquer, sin poseer nociones de los códigos literarios empleados por aquéllos, además de un código lingüístico (el latín, el castellano de la primera mitad del siglo XIX) que no es el nuestro. No existe por tanto una «competencia literaria» general, en singular por así decir, sino tantas competencias diferentes para cuantos sean los aspectos en los que un texto literario puede analizarse: componentes retóricos, métricos, narrativos, genéricos (esto es, relacionados con el género literario), etc.

La filología en sentido amplio se entenderá como el conjunto

de competencias necesarias para un contacto ni parcial ni super-
ficial con el texto literario. Según la definición de Balduino,
consiste en «el conjunto de estudios que se mueven en varios
sectores y se valen de diversos instrumentos de investigación,
pero siempre se fundan en un puntual examen crítico de los
textos, documentos y testimonios; aspira a una comprensión
exacta y exhaustiva del texto mismo en su entorno histórico y
cultural y aun más, en un alcance más vasto, se propone el
conocimiento y la reconstrucción integrales de un período histórico o de una o más civilizaciones, mediante el estudio de la
lengua, la literatura, las diferentes manifestaciones culturales»
(1979: 2).

Por consiguiente, la filología sirve para superar la «diferencialidad» que se da entre nosotros y una obra del pasado mediante
la reconstrucción del sistema lingüístico, de los códigos culturales, de los modelos culturales; y dentro de la filología entra la
crítica textual (§ 7). En otras palabras, la filología representa un
momento esencial del contacto con el texto, puesto que se propone justamente reconstruir el texto como tal y el sistema del
que depende aquél. El enfoque filológico es por ello previo a la
comprensión del texto, que, desde luego, habrá de estar basada
en conocimientos de índole histórica y filosófica; éstos no siempre
se pueden obtener de la obra, pero son una condición para
entenderla. Pero la filología sólo puede venir antes —en un sentido tanto cronológico como ideal— que cualquier otra operación
sobre los textos, como el encuadre historiográfico, la monografía,
la «crítica» entendida como juicio sobre el valor artístico de las
obras.

Hemos definido arriba la filología como reconstrucción textual y lingüística, y también como expresión de los códigos que
rigen la escritura literaria. Quedará claro así que la filología no
ha de entenderse necesariamente como disciplina histórica o que
tenga por objeto exclusivo los textos antiguos. En realidad, con
tal que se efectúe en función del texto, un estudio narratológico
(§ 39-45) puede considerarse como una operación filológica en
una obra o conjunto de obras, tal como lo es un estudio de
estilística o de gramática de la poesía (Contini 1977: 970-972). Ni
siquiera los padres fundadores del estructuralismo lingüístico y
literario —algunos de los cuales tenían sólidas experiencias filo-
lógicas— han sentido nunca la vieja oposición entre filología y
crítica, avivada hasta la exasperación por los epígonos del neo-
idealismo. Es significativa la situación de los estudios literarios
en la Italia de los últimos veinte años, donde los principales

promotores de corrientes críticas en apariencia orientadas hacia la sincronía pura, como el análisis formal y la semiología, provienen de las filas de la filología, en particular románica. Aunque no se pueda decir lo mismo de España, lo cierto es que un crítico y filólogo de reputación y solvencia en estudios diacrónicos como Fernando Lázaro Carreter también ha mostrado inclinación a aplicar de forma personal algunas de las nuevas tendencias críticas. Otros nombres importantes son García Berrio, Bobes, Alarcos, etc. En la filología más bien se produce el encuentro entre la dimensión diacrónica, de la reconstrucción histórica, y la dimensión sincrónica, del análisis interno de la obra. Y es precisamente esto, la adherencia a los textos, lo que hace de la filología un punto de referencia constante para enfoques metodológicos diferentes.

9. LA TRADUCCIÓN

La «diferencialidad» lingüística de la obra y del público puede conducir a oscurecer en parte o del todo la comprensión. Por diferencialidad lingüística se ha de entender no sólo la diferencia entre dos fases distintas de una misma lengua (el castellano del siglo XIII respecto al castellano contemporáneo), sino también la diferencia entre dos lenguas (el español respecto al francés, o el catalán respecto al español). Si la separación no puede salvarse con la ayuda de un aparato de notas o de un glosario o similares, se recurre a la traducción.

La amplitud de la separación no se puede medir con parámetros absolutos. En Inglaterra, por ejemplo, se traduce a Chaucer y en Francia la literatura medieval; en Italia, en cambio, no se suele traducir a Dante o Boccaccio, y en España tampoco al arcipreste de Hita o don Juan Manuel. Es cierto que la diferencia entre el castellano o el italiano antiguos y los respectivos contemporáneos es inferior (aunque no mucho) a la que se da entre el inglés medieval y el inglés o entre el antiguo francés y el francés. Pero también es cuestión de la disponibilidad del público y de la cantidad de lectores a los que se pretende llegar; dependerá además de la importancia que conceden los programas educativos a las obras medievales (mayor en Italia, por ejemplo, que en Francia o en España).

En cuanto funcional para la comprensión del texto, la traducción puede considerarse una operación primordialmente filológica. Por otro lado, en toda traducción el texto, objeto principal de la filología, desaparece para ser sustituido por «otro» texto, con la inevitable pérdida de una parte del mensaje. Cada texto, en realidad, puede analizarse (§ 14) en un plano de la expresión («cómo» se dice algo) y en un plano del contenido («qué» se dice): estos dos planos juntos expresan a su vez un «qué», un contenido connotativo. En la traducción, sólo se logra de ordinario trasladar el primer contenido (denotativo), mientras que se reemplazan el plano de la expresión y el del contenido connotativo.

Compárese por ejemplo el soneto 48 de Shakespeare con la traducción de Agustín García Calvo (en *Sonetos de amor*, 1974):

> *How careful was I when I took my way,*
> *Each trifle under truest bars to thrust,*
> *That to my use it might unused stay*
> *From hands of falsehood, in sure wards of trust!*
> *But thou, to whom my jewels trifles are,*
> *Most worthy comfort, now my greatest grief,*
> *Thou, best of dearest and mine only care,*
> *Art left the prey of every vulgar thief.*
> *Thee have I not locked up in any chest,*
> *Save where thou art not, though I feel thou art,*
> *Within the gentle closure of my breast,*
> *From whence at pleasure thou mayst come and part;*
>   *And even thence thou wilt be stol'n, I fear,*
>   *For truth proves thievish for a prize so dear.*

> ¡Con qué cuidado, al emprender mi viaje, puse
> bajo cerrojo cierto cada bagatela,
> que allí para mi uso estén, sin que las use
> mano de falsedades, en leal tutela!

> Y tú, ante quien mis joyas eran chuchería,
> mi mejor gozo, ahora mi pesar más fiero,
> tú, mi más caro bien y sola cuenta mía,
> quedaste abierto y presa de cualquier ratero.

> No te he guardado en cofre alguno a ti, mi alhaja,
> salvo en el que no estás, aunque yo en él te alojo,
> en el estuche fino de mi pecho, caja
> donde entrar y salirte puedes a tu antojo;

> y aun de ése habrán de hurtarte: que hasta se confiesa
> la pura fe ladrona por tan cara presa.

En el texto de García Calvo el contenido del original es trasladado con toda la «libertad» permitida y con toda la «fidelidad» exigida a un buen traductor. En términos muy pobres, la traducción «significa» lo mismo que el original: el plano del contenido denotativo se ha expresado de manera tan adecuada como feliz. Pero, ¿qué pasa con lo restante? Del plano de la expresión obviamente no podía quedar nada al pasar de una lengua a otra: los sonidos que componen los versos de Shakespeare han sido cambiados (entre otras cosas, con la pérdida de las aliteraciones de los vv. 2, 6, 7, etc.), se han variado las rimas (y suprimido las múltiples asonancias y rimas internas), la sintaxis, todo. De manera sensible también el contenido connotativo, esto es, todo lo que «significa» el texto más allá del contenido denotativo: la métrica, los arcaísmos, los *overtones* literarios, todo eso necesariamente ha de reemplazarse o eliminarse o añadirse *ex novo*. Pongamos sólo algunos breves ejemplos: en el texto de García Calvo aparecen encabalgamientos (§ 34) allí (1-2, 3-4, 13-14) donde faltan en el original; el traductor sigue el esquema del soneto isabelino (ABAB.CDCD.EFEF.GG), que es distinto del español, y reproduce sus rimas en el mismo orden en consonantes impecables (con alguna licencia en las versiones de otros sonetos de su edición: los números 77, 80, 86, etc.), pero los versos tienen trece sílabas (la mayor proporción de monosílabos en inglés que en español constituye la causa, según señala para la traducción de otro soneto Otero 1972: 98-106); algún arcaísmo léxico, «caro/a» (vv. 7 y 14) o «fe» (v. 14), no tiene un equivalente exacto en el original; el texto de García Calvo, finalmente, es de un estilo más llano que el texto de Shakespeare, escandido lenta y solemnemente.

Claro está que existen textos menos delicados que un soneto y que probablemente soportan mejor su traducción, como el ensayo crítico o filosófico o la novela, o al menos ciertos géneros en prosa, porque es inevitable que en una traducción de Nietzsche (o de Marx o de Américo Castro) o de Rabelais (o de Mateo Alemán o de Camilo J. Cela) se pierda mucho o muchísimo.

La traducción, así pues, siempre implica una pérdida, una pálida aproximación o, en los casos más felices, una sustitución, como en el soneto de Shakespeare traducido por García Calvo, que es quizá más García Calvo que Shakespeare, y que quizá cabría leer y analizar en relación con otras poesías del autor, al margen del texto inglés que tiene detrás y al que reemplaza.

De ahí procede la postura en apariencia paradójica de Fortini, que ha teorizado sobre la necesidad de tomar distancias respecto al texto a traducir, de rechazar el mito de la «fidelidad», que es mistificación y falsificación, y de ensayar el camino de la refundición, de la transposición, de la parodia tal vez, ya que considera la traducción una operación «reaccionaria». El modelo seguido por Fortini es el de Brecht, quien, «desde sus comienzos, ha practicado la refundición, la adaptación, hasta el punto de verse acusado de plagio. Su poesía lírica no está menos llena que sus dramas de imitaciones, adaptaciones y parodias. Uno de los aspectos positivos de seguir modelos para rehacerlos y manipularlos, como aconseja Brecht, reside precisamente en el descrédito que cae sobre la llamada traducción artística, desenmascarando lo que ésta intenta ocultar, esto es, la homogeneidad creciente de literatura de consumo y literatura artística, que se debe a la creciente comercialización» (1974: 343).

Se abordan así aquellos aspectos menos visibles, pero nunca ausentes, de una traducción. En realidad, el acto de traducir no es siempre —o quizá casi nunca— una inocente operación filológica en beneficio de todos los que no logran dominar una lengua extranjera o un texto antiguo, sino exactamente una operación o un proyecto cultural; se puede decir que siempre lo ha sido, desde Livio Andrónico, que traducía la *Odisea* en la Roma del siglo III a.C. a Salinas, que traducía a Proust en la España de los años treinta.

Por lo demás, existen no pocas traducciones que muy difícilmente cabe considerar «de servicio».

Bastará con un par de ejemplos. En el renacido fervor por una cultura catalana autónoma e independiente, se produjeron en la segunda mitad del siglo XIX y principios del XX varias versiones del *Quijote* al catalán, incluso a los distintos dialectos del catalán (incluidos el valenciano y el mallorquín). Aparte de consideraciones sobre la exigua audiencia (la recuperación del catalán como lengua literaria ha sido al principio un fenómeno minoritario), es de presumir que ninguno de los lectores de los *Quijotes* catalanes habría sido incapaz de leer el original castellano. En este caso, la traducción posee el sentido de un homenaje al clásico por excelencia de la literatura castellana, homenaje de igual a igual, que termina por ser un homenaje al catalán como lengua de cultura, porque sólo se traduce a una lengua de cultura. Del mismo modo, a partir sobre todo de los años sesenta, se traducen al catalán los clásicos del pensamiento europeo moderno, empezando por Marx y Freud, ya accesibles en traducciones castellanas.

Otro ejemplo tiene que ver con la relación entre el siciliano y el toscano (o «italiano» literario) a finales del siglo XV. La literatura siciliana tiene una historia singular: como es sabido, el siciliano es la lengua en la que se escribe la primera poesía cortesana, en la corte del emperador Federico II. En el transcurso de pocos decenios, las poesías líricas de la escuela siciliana fueron «traducidas» al toscano y perdieron casi todo carácter lingüístico siciliano. Se trató de una toscanización gradual, aunque rápida e «involuntaria», realizada por los copistas toscanos. Es un hecho que ya

Dante leía a los sicilianos en unos textos radicalmente toscanizados, mientras en Sicilia ya no quedaba ni traza de la escuela cortesana. En los siglos XIV y XV, en cambio, se desarrolla una producción sobre todo en prosa: traducciones, refundiciones, obrillas edificantes, etc., que resiste por lo menos hasta el final del siglo XV, cuando la penetración en la isla del toscano como lengua literaria estaba ya notablemente avanzada, de tal modo que algunos de los primeros incunables impresos en Sicilia (la imprenta fue introducida en 1478) están en lengua vulgar toscana. Es por ello curioso constatar que todavía en ese período se sigue traduciendo del toscano al siciliano. La operación es, desde un punto de vista práctico, casi inútil, ya que razonablemente el lector de la traducción debía de estar bien capacitado para leer el original toscano, y además esas traducciones carecían de cualquier empeño artístico. También en este caso, al margen de su carácter superfluo, la traducción posee un significado: es un signo relevante, aunque modesto, de la capacidad de resistencia del siciliano como lengua literaria frente a la invasión del modelo continental, que de ahí a poco lo habrá vencido completamente.

Estas traducciones «inútiles» revelan justamente todo lo que se encuentra en juego en el acto de traducir. Los dos ejemplos que hemos expuesto arriba tienen que ver con dos lenguas minoritarias dentro de sus respectivos marcos estatales o nacionales: una (el siciliano) al borde de su decadencia final, la otra (el catalán) en los albores de un renacimiento que madurará algo después, incluso a pesar de las trabas halladas por la cultura catalana en el curso de este siglo. De forma bien distinta se plantea la cuestión cuando la lengua de la tracucción no es una lengua minoritaria, sino una de las grandes lenguas de cultura, o mejor dicho quizás, una de las lenguas dominantes: el inglés o el francés, por ejemplo. La traducción a estas lenguas, sobre todo de obras extranjeras contemporáneas, en muchos casos se transforma en la premisa indispensable para la confirmación internacional de un autor. Pero en la base de toda opción se da una selección inevitable, inspirada en criterios a veces de comodidad y otras de oportunismo, que ponen en práctica una política cultural, por tanto, una línea ideológica.

Quien en todo esto acaba por pagar las consecuencias es el lector, sin el que ningún texto literario tendría vida y que es la condición primera de la obra; pero que al mismo tiempo se halla encerrado en una maquinaria, la de las instituciones culturales, que le condicionan en sus preferencias y en sus gustos aun antes de que abra el libro y empiece a leer. Y cuando se habla de maquinaria de la cultura no hay que pensar sólo y por fuerza en la empresa editorial, ni siempre en mecanismos perfectos y lubricados por los poderosos: intervienen también la casualidad, la ignorancia, la estupidez, la facilonería. Desde el mundo antiguo a la actualidad, pasando por la Edad Media, el público siempre ha sido orientado, guiado, forzado. Tal vez encuentre el lector una esfera de libertad, de independencia, al adquirir una serie de competencias, que sólo en parte ofrece el sistema educativo. Comprender, por ejemplo, de dónde procede un texto, preguntándose sobre los procesos de la transmisión; desarrollar competencias (acerca de las estructuras formales, discursivas, narrativas, etc.) que hagan más fácil y completo el contacto con los textos antiguos y modernos sin depender exclusivamente de los mediadores autorizados; lograr manejar mínimamente, siquiera sea al nivel de la lectura, alguna lengua extranjera de manera que se pueda acceder directamente al original, con o sin ayuda de traducciones de servicio, y —¿por qué no?— utilizando traducciones a otras lenguas para llegar a obras no traducidas a la propia: todo eso no es un programa para aspirantes a genios, sino sólo para lectores (y no únicamente de literatura) que quieran tratar de ser un poco más libres y dueños de su propia manera de pensar.

BIBLIOGRAFÍA.   Aparte del clásico Maas (1949), las mejores introducciones a la crítica textual y más en general a la filología son Avalle (1972), Brambilla Ageno (1975), Balduino (1979) y Stussi (1983) —los tres últimos se refieren a los textos italianos en particular—, a los que habrá que añadir Fränkel (1964), Ruiz (1985) y sobre todo Blecua (1983); un resumen excelente se halla en Contini (1977). Téngase en cuenta, finalmente, las antologías de Basile (1975) y Stussi (1985), el conjunto de ensayos de Segre (1979) y libro de Timpanaro (1962), sobre la génesis del método de Lachmann. Sobre la competencia literaria en la teoría generativista, véase la exposición crítica de Aguiar e Silva (1977). De la enorme bibliografía acerca de los aspectos lingüísticos y literarios de la traducción, cabe señalar a Jakobson (1959), Mounin (1965), Steiner (1975) y las colaboraciones en el volumen reunido por Petronio (1973); hay que recordar también las páginas de escritores y teorizadores de la literatura como Eliot (1920: 93-100), Benjamin (1923), Fortini (1974: 332-56).

EL ESTUDIO DE LA LITERATURA

10. La crítica literaria

Siempre que la literatura asume caracteres institucionales en una sociedad histórica, le acompaña irremediablemente cierta actividad crítica o teórica. Aristóteles con la *Poética*, los filólogos alejandrinos, que ordenan el *corpus* homérico, o el anónimo del tratado *Sobre lo sublime*, proporcionan los ejemplos más famosos de la antigüedad clásica. En las literaturas románicas el consorcio es aún más estrecho: piénsese en los *razos* provenzales, el *De vulgari eloquentia* de Dante o la *Carta-prohemio al condestable de Portugal* del marqués de Santillana. Hoy en día, se da más a menudo la profesión de crítico que la de escritor.

En esencia, la función de juzgar se delega al crítico (como revela la etimología de la palabra, del griego κρίνω, «juzgar»). Se trata de una función inherente al discurso de uso repetido, y por tanto, fundamental. Sin embargo, por una parte, no incumbe sólo al crítico, ya que se convoca a cada lector a ejercitarla; por otra, no es la única función de la crítica ni podría ejercitarse aislándola de las demás. El crítico es sobre todo un mediador que tiene la tarea de orientar al público tanto con su juicio, como también con sus interpretaciones. Nos familiariza con la obra, introduciéndonos a una lectura más consciente, guiada por puntos de referencia significativos. Cuando hace de filólogo, tiene la tarea de preservar la identidad de la obra. Nos ayuda a recuperar, en términos oblicuos, la competencia literaria del pasado, necesaria para entender las obras de los clásicos. A veces (en especial en este siglo, caracterizado por la proliferación de poéticas y programas), colabora desde dentro con un movimiento o escuela literaria. No es raro, finalmente, que el crítico y el escritor coincidan en la misma persona: sin necesidad de remontarse a Dante, piénsese en la actividad crítica de Eliot, «Clarín» o Salinas. Y naturalmente, la crítica misma puede convertirse, en último término, en objeto de consideración estética: la *Historia de la literatura italiana* de De Sanctis es también una obra literaria autónoma, no sólo un manual ya clásico; algo similar sucede con algunos escritos críticos de Menéndez Pelayo o de Menéndez Pidal.

Más que sobre la función, será entonces útil reflexionar sobre el objeto de la crítica. ¿De qué se ocupa un crítico? Responder que se ocupa de los textos literarios sería fácil, pero simplificador. En efecto, como hemos visto, un texto se califica como literario dentro de un proceso de comunicación que implica una pluralidad de factores (§ 4). De ahí la variedad de los métodos críticos, cada uno, a su manera, legítimo.

Volvamos por un momento al esquema de Jakobson, tal como lo plantea Orlando: «Se podrá hablar: 1) del mensaje mismo según criterios innumerables [...], Se podrá hablar 2) del emisor, esto es, de la persona y la vida del autor con o sin relación a la obra, o de los autores, si son más de uno, o de la autoría de la obra, si es incierta o disputada; los estudios en este campo abarcan desde una cuestión como la homérica a las biografías de autores vivos, y no hace falta añadir que también entre las biografías se encontrarán métodos extremadamente diversos. Se podrá hablar 3) del destinatario, esto es, de la fortuna de la obra en períodos de tiempo largos o cortos, antiguos o recientes, a través de testimonios colectivos o individuales, fundados en hechos o en palabras; los estudios en este campo abarcan desde la sociología de la composición cualitativa y cuantitativa de un público a la historia de la crítica que pasa revista a opiniones de lectores considerados autorizados. Se podrá hablar 4) del contexto, esto es, de las circunstancias históricas en las que ha nacido la obra y ha vivido el autor, tanto si constituyen el objeto de la obra, como si pueden haberla condicionado en su génesis; también aquí se abarca desde el simple comentario informativo sobre alguna alusión contenida en el texto a los nexos sugeridos por cualquier variedad de historicismo o de estructuralismo genético moderno. Se podrá hablar 5) del código, es decir, de todas las relaciones que existen entre determinada obra y la literatura precedente y subsiguiente, trátese de relaciones sistemáticas como la pertenencia a un género literario o particulares como la reminiscencia o la semejanza. Se abarca aquí desde la actitud normativa de la crítica anterior al Romanticismo y desde la investigación positivista de las fuentes hasta toda la variedad de estudios modernos sobre la tradición de las formas, de los temas o de los estilos. Se podrá hablar 6) del contacto, es decir, de la transmisión del texto por conductos físicos a lo largo del tiempo [...]: es el campo de los estudios de filología textual» (1973: 12-13).

Esta pluralidad de objetivos tal vez parezca desconcertante. En efecto, nos preguntamos desde hace tiempo si, al menos en el plano metodológico, no sería ya hora de poner un poco de orden. Una distinción ampliamente acreditada es la que, por ejemplo, se establece entre «métodos intrínsecos» y «métodos extrínsecos»:

unos se prefieren para el análisis del texto como objeto, los otros se orientan a la exploración de las relaciones con hechos externos (biográficos, culturales, sociales). Los primeros no sólo serían lógicamente prioritarios, sino que, por prestarse al empleo de procedimientos formalizados, aplicando o adaptando los instrumentos proporcionados por la lingüística y la semiología a los estudios literarios, podrían adquirir un rango científico de certeza demostrativa. Por su parte, los métodos extrínsecos seguirían moviéndose en el terreno de lo hipotético y lo analógico, pero al menos ahora podrían seleccionar mejor sus datos, estableciendo con ayuda del análisis objetivo del texto si son o no pertinentes.

A grandes rasgos, éste es el programa de la crítica formalista, luego estructural, finalmente semiológica, que cuenta ya con una tradición consolidada y un buen número de resultados ya clásicos. Se puede, sin embargo, objetar que la distinción entre métodos intrínsecos y extrínsecos es demasiado rígida para respetar la realidad. El texto «en sí» no existe, si no es como una serie de trazos de tinta sobre el papel. Nos habla, y nos habla en particular como un texto literario, sólo cuando lo interrogamos; las informaciones de que dispongamos pueden alterar totalmente su percepción. Si leemos «Apenas había el rubicundo Apolo tendido por la faz de la ancha y espaciosa tierra las doradas hebras...», podríamos considerar este fragmento como un ejemplo de torpe solemnidad retórica; pero si sabemos que el autor es Cervantes, entonces el trozo cobra el valor de una refinada insinuación paródica de un estilo de su época. ¿Cuál de los dos juicios es el más objetivo? ¿El que se limita a los «datos reales» inmediatos? ¿O el que recurre a todos los «datos reales» que poseamos?

En realidad, la pregunta está mal planteada. Como ha demostrado la teoría de la percepción, no existen «datos reales» puros e inmediatos: no vemos sólo lo que miramos, sino también lo que sabemos. Ver es un acto conceptual, que implica el uso de categorías, hábitos, hipótesis. «Leemos» el mundo, distinguiendo mesas, árboles, personas, igual que «vemos» la hora en el reloj: la diferencia es sólo de grado, no de naturaleza. Y es obvio que veremos tanto mejor, cuanto más numerosas, sutiles y ricas sean las categorías con que interroguemos las cosas.

Leer un texto no es una operación diferente. Como objeto, el texto es simplemente mudo. Pero ante todo, ¿cómo haremos para distinguir *a priori* la información reveladora de la superflua? Se sabrá, sólo después de haber intentado interrogar al texto, si descubrimos cualidades nuevas o si, en cambio, no varía nuestra percepción. No es preciso añadir que hace falta tener fantasía, imaginación, incluso audacia: cualidades que difícilmente configuran un «método» formal riguroso.

¿Está, por tanto, la crítica condenada a seguir siendo una disciplina no científica? Lo cierto es que las propias teorías científicas no se construyen de modo sustancialmente distinto. No existe ningún método para *inventar* una teoría: también hace falta fantasía, imaginación, audacia. El método científico sirve para orientar la investigación, proporciona procedimientos técnicos, ratificados por la experiencia de los éxitos pasados, sugiere comportamientos apropiados y permite *justificar* el descubrimiento de la manera más conveniente. Pero el descubrimiento mismo nunca es deducible formalmente, y su formalización es siempre ulterior.

Naturalmente, esto no impide que la experiencia estética sea una cosa distinta del conocimiento científico; ni, por otra parte, exime a la crítica literaria del deber de respetar en sus planteamientos el máximo de racionalidad (§ 54). El problema vuelve así al punto de partida. La crítica no tiene sólo la finalidad de ofrecernos análisis e interpretaciones de los textos literarios, que nos servirán para leerlos mejor, cuando los leamos; el fin último es persuadirnos a leerlos, para que no se interrumpa la cadena del uso repetido. En este sentido, al margen de toda descripción «objetiva» de los textos, se la implica en la temática del valor (§ 57).

Idealmente, la crítica debería proporcionar un mapa del *corpus* literario, que indique jerarquías y aconseje itinerarios. En la práctica, un mapa de esta especie sólo es posible dentro de una cultura literaria muy compacta y estable. Quizá en el pasado, cierta tradición clasicista se acercó a este ideal, pero hoy sería impensable volverlo a proponer. En sus múltiples variedades, individuales o de escuela, la crítica constituye el ejemplo de un debate permanente y abierto, en el que cada uno tratará de hacer prevalecer sus criterios, contrastándolos con los contendientes, y en el que, a fin de cuentas, corresponderá al público la última palabra. En definitiva, más que en el campo de la demostración, nos hallamos en el campo de la argumentación (§ 16). Esto eleva la responsabilidad de todos los sujetos de la comunicación; el crítico no es un simple analizador, que hace pasar el texto bajo una «rejilla» interpretativa y transcribe los resultados, sino más bien un «detentador del gusto», que se cuida de sus juicios y nos invita a verificarlos por nuestra cuenta. Pero precisamente por esto, la delegación que le hemos conferido es temporal, ya que, a la postre, seremos nosotros, los lectores, los únicos jueces de *nuestra* experiencia.

Menos interesantes para nuestros fines son otras distinciones, como la establecida entre crítica académica (que más bien estudia las obras del pasado con métodos, históricos o analíticos, lo más objetivos posible) y crítica militante (que se interesa por la producción actual, o parte de una perspectiva estrechamente ligada a la contemporaneidad, decantándose a favor o en contra de tal o cual tendencia del gusto, de la política cultural, etc.). Para los fines de la comunicación literaria, su papel es activo; por lo demás, pasado y presente, objetividad y participación, están demasiado entretejidos en literatura, para que tal distinción pueda rebasar la nueva convención.

El franco reconocimiento de la pluralidad de métodos críticos no se ha de confundir con un eclecticismo genérico. Para descifrar la riqueza de sus significados, la obra requiere una indagación estereoscópica, que la enfoque desde puntos de vista distintos, que, sin embargo, converjan con precisión sobre aquélla, tratando de devolver una imagen lo más similar posible. El trabajo del crítico es más afín al del traductor que al del científico. Así, puede suceder a su interpretación lo que pasó a la versión castellana de la *Eneida* de Virgilio por Enrique de Villena: a sus contemporáneos pudo parecerles una perfecta reproducción del poeta latino; hoy, incluso el lector más ingenuo capta de inmediato la pátina medieval (invisible, ciertamente, para quien vivía desde dentro la Edad Media como un modo, entre otras cosas, de leer a Virgilio). Esta provisionalidad congénita obviamente no hace inútil la interpretación. Si no fuese continuamente «traducido» en los términos de la cultura coetánea a nosotros, el patrimonio literario cesaría de decirnos algo; desde esta perspectiva, no es objeto de la crítica aplicar a la obra una interpretación definitiva, sino hacer posible, o al menos favorecer, nuestro diálogo con el texto.

11. HISTORIA Y TEORÍA DE LA LITERATURA

Si hablamos por separado de la historiografía literaria, no es porque pretendamos distinguirla artificialmente de la crítica, sino porque, a partir del siglo XIX, se le ha asignado a aquélla una función específica. La historia de la literatura es una criatura del Romanticismo y debería representar la fase de la síntesis frente a la actitud analítica propia del ensayo, del comentario, de la aportación militante.

Bajo esta luz, la historia de la literatura sólo es posible si subsisten dos presupuestos. Ante todo, una estética historicista: la obra ya no es valorada sobre la base de preceptos estilísticos, de cánones retóricos, reglas de géneros, considerados a la medida de criterios normativos universales; se concibe como el producto de una civilización, cuyos caracteres se imprimen de modo indeleble en la representación artística. En segundo lugar, una filosofía de la historia: el sucederse de las culturas, épocas o fases de la vida colectiva posee una lógica interna, una dirección, un sentido. Aun antes que los conceptos de progreso o de dialéctica, el concepto de nación ofrece un marco unitario de investigación, al que reducir la fenomenología multiforme de los hechos literarios.

La *Historia de la literatura italiana* de Francesco De Sanctis es la obra maestra indiscutible de la historiografía literaria en Italia. En su arquitectura, refleja ejemplarmente el siguiente esquema. Tras salir del seno oscuro de los orígenes, la literatura italiana alcanza bien pronto con Dante una expresión suprema. Forma y contenido, esmero artístico y pasión humana, encuentran en la *Divina Comedia* un punto de equilibrio: es la síntesis de lo real y de lo ideal, conseguida en el plano de la trascendencia religiosa. Ya con Petrarca el equilibrio disminuye, el «artista» prevalece sobre el «poeta», la forma sobre el contenido; con Boccaccio, irrumpe lo real con plena autonomía, satisfecho de sí, espectáculo espléndido, que posee en sí mismo su fin. Paulatinamente, la literatura italiana se vuelve una literatura aristocrática, formalista, cada vez más alejada de los acontecimientos de la historia. El Renacimiento consagra, con Ariosto, su sueño de belleza. Y sin embargo, justamente con Ariosto principia un nuevo espíritu crítico, que definitivamente disuelve las fábulas y los fantasmas de la Edad Media, inaugurando la conciencia moderna; corresponderá a Maquiavelo y Galileo sacar a flote en esta conciencia los contenidos vivos de la realidad. Pero el proceso será interrumpido en Italia por la Contrarreforma. Proseguirá en Europa y celebrará su triunfo con la Ilustración: Parini y Alfieri recuperarán su inspiración fundamental, dando así inicio a la nueva literatura, siquiera sea aún dentro de la antigua envoltura retórica del clasicismo. Con la revolución romántica, el contenido moderno hallará al fin su forma natural: lo ideal y lo real volverán así a coincidir, pero ya no en el plano de la trascendencia religiosa, sino en el de la inmanencia histórica.

Tesis, antítesis, síntesis. En el trasfondo, la experiencia dramática de una nación que se pierde y se redime; en primer plano, una riqueza extraordinaria de observaciones, de análisis, de interpretaciones, y un estilo apasionado, conciso, nervioso. Pero las mismas razones que todavía hoy nos hacen admirar esta *Historia* hacen de ella un caso irrepetible.

Ni qué decir tiene que la presencia simultánea de elementos tan diversos y complejos podía muy difícilmente sobrevivir largo tiempo en nuestro siglo. Ninguna estética del siglo xx ha poseído ya la fuerza de atracción ejercida por la estética romántica (por lo demás, muy lejos de ser unitaria). Quizá la estética de Croce obtuvo por algún tiempo un consenso casi generalizado; pero su estética justamente negaba la posibilidad misma de una historia de la literatura, empeñada como estaba en valorar la singularidad particular de la obra. Por otra parte, algo similar sucedió con la filosofía de la historia: nos invita a leer los acontecimientos desde una pluralidad de perspectivas antes que a reducirlos a una lógica lineal, a una secuencia inequívoca y coherente. De ahí, entre otras cosas, la incomodidad y las dificultades que encontramos ante los problemas suscitados por cualquier periodización. Si, por un lado, ésta introduce una primera clasificación de los fenómenos, por otro, presupone una discontinuidad entre las épocas y una estructura orgánica interna, no siempre demostrables.

Ciertamente, la historia de la literatura sigue existiendo en la tradición crítica contemporánea, enriqueciéndose con nuevas referencias: la historia social y la historia de las ideas, de las instituciones y las mentalidades colectivas, de los grupos intelectuales y de la recepción literaria, de la lengua y del libro, etc. Y el estudio o el análisis de una obra cualquiera sería inconcebible sin tener en cuenta, de alguna manera, estos aspectos. Pero precisamente porque la red se hace tan tupida, parece ahora necesario confiar el cometido de la síntesis a otra disciplina: la teoría de la literatura.

El estilo, la retórica, los géneros: en este terreno, que en otro tiempo era el dominio de la crítica normativa, hoy el teórico adopta, al contrario, una actitud descriptiva. En este ámbito, identifica en los textos las constantes que los unen (tradiciones, tipologías, afinidades estructurales), al margen de las variantes que los distinguen; estas generalizaciones nos permitirán apreciar mejor las particularidades y la índole característica de los textos individuales.

Aunque se puede considerar heredera de las poéticas y los estudios retóricos tradicionales, la teoría de la literatura es fundamentalmente una disciplina nacida en el siglo xx. En ciertos aspectos, colma el vacío dejado por la crisis de la estética filosófica. Al renunciar a una representación unitaria del «sistema de las bellas artes», cuyas manifestaciones provendrían de cierta «facultad del espíritu», la estética contemporánea nos invita a desplazar la indagación a las leyes que regulan los lenguajes de las artes en sus modalidades técnicas. Eso explica por qué la teoría de la literatura consiste en gran medida en la tradición crítica que arranca del formalismo ruso de principios del siglo xx y, pasando por la poética estructural, llega hasta la actual semiología literaria.

Una distinción neta entre historia y teoría, sin embargo, presupondría que tales constantes o generalizaciones alcanzarían efectivamente a definir la literatura en términos formales. Como ya se ha visto, una definición de este tipo, que nos indique de modo concluyente las propiedades específicas de los textos literarios, aún no existe, ni es de presumir su posibilidad. De hecho, más que de una teoría, quizá se podría hablar de una morfología histórica. Las formas literarias, vale decir, tienen una historia propia, y su estudio aparece, junto a los demás tipos de investigación, como necesario, pero no por ello predominante. En este sentido, la perspectiva histórica sigue siendo imprescindible; se trata de hallar las mediaciones necesarias que permitan una unificación orgánica con el análisis de tipo estructural.

Con toda probabilidad, el camino a seguir pasa por el reconocimiento, en el plano teórico, del papel asumido en la constitución de la obra por un factor típicamente histórico como es el público. La noción de público resulta de hecho decisiva por una doble serie de razones. Por una parte, permite superar cualquier reduccionismo implícito en las «explicaciones» sociológicas del hecho literario: «El medio es una *vis a tergo*», observa Sartre (1947: 95); «el público, por el contrario, es una espera, un vacío que ha de llenarse, una *aspiración*». La obra, cabría decir, no se coloca al final de una cadena causal, como un efecto que tiene su sentido en lo que la precede (y que la vuelve en definitiva, superflua); se halla en el centro de una relación, como un elemento dinámico y activo. Por otra parte, en tal relación los datos estilísticos y formales de la obra ya no serán una envoltura exterior, un último residuo de aquella cadena causal, sino el eje mismo del proceso de comunicación. Escoger un lenguaje significa seleccionar a un destinatario que posea la competencia en aquél. Aquí, la estrategia del autor y la iniciativa del público encuentran su punto de equilibrio inestable; en la objetividad de su material lingüístico, que garantiza la permanencia ideal a través del tiempo, la obra lleva inscrita en sí la forma histórica de tal encuentro.

12. LA ENSEÑANZA

Es un afán cívico por excelencia que una comunidad nacional transmita, de generación en generación, un patrimonio literario que constituye la *pars magna* de su historia y de su identidad al margen de las variaciones del gusto y de los valores representados. La escuela desempeña, desde esta perspectiva, una función decisiva: sobre todo desde que se completó, tanto en España como en todos los países industriales, un proceso considerable de «escolarización de masas», que ha involucrado a grupos hasta ahora marginales al público literario. Aparte, su responsabilidad acaba de realzarse con otro fenómeno característico de las sociedades avanzadas, el surgimiento de una cultura específicamente «juvenil», típicamente orientada hacia la comunicación audiovisual más que a la escrita. En suma, gran parte de la actual población estudiantil vive su encuentro con la literatura casi exclusivamente en el aula, por el espacio de algunas horas semanales de clase. Esta responsabilidad acrecentada, no obstante, hace más delicadas las dificultades y contradicciones de la enseñanza literaria.

El placer estético se funda, por su naturaleza, en un acto de libre elección; responde a un deseo, a una necesidad, que cada uno de nosotros satisface cuando y como mejor cree. Por el contrario, la escuela tiene por finalidad convertir los derechos en deberes, y esto vale también para la literatura. Así, la escuela no puede tomar en consideración los gustos y las disposiciones circunstanciales que suelen guiar nuestras preferencias: si en tal día y tal hora tocan las *Rimas* de Bécquer, no queda más remedio que leer las *Rimas* o refugiarse en una distracción culpable. Se trata, repetimos, de una contradicción general, que afecta a la institución educativa y no específicamente a la enseñanza de la literatura y no resulta más lamentable aquí que en otra parte. Por lo demás, es una contradicción necesaria, a la que probablemente no cabe dar una solución; a lo sumo tener conciencia crítica.

Algunas dificultades, en cambio, son peculiares, pero también en gran medida objetivas, porque derivan de características propias de la literatura española. Todas las grandes lenguas nacionales europeas alcanzan su forma moderna entre los siglos XVI y XVII; el patrimonio literario correspondiente abarcará, así pues, un período de cinco siglos. Si se considera que la lengua castellana no experimenta solución de continuidad desde el siglo XII hasta el presente, el patrimonio literario que hay que transmitir a nuestros estudiantes abarca un período de ocho siglos. En segundo lugar, el mercado literario moderno se caracteriza, con toda evidencia, por el predominio de la novela y sus múltiples subgéneros; pero los estudiantes acabarán el bachillerato habiendo leído cierta cantidad de poesías, por lo general, líricas, algo de prosa de variada índole ensayística, y casi con certeza ninguna novela, aparte de *Don Quijote* y quizá alguna de Galdós o de Baroja.

Es un programa demasiado amplio, se podría sacar en conclusión, que al mismo tiempo corre peligro de fallar en un objetivo esencial: crear a un futuro lector, un ciudadano a título completo de la república de las letras. Añádanse, en fin, ciertos defectos típicos de nuestra cultura «humanística», que con excesiva generosidad ha promovido los estudios literarios a fundamento de la educación, pero también con demasiada frecuencia los ha empobrecido en significado, transformando la literatura en puro ejercicio de efusión verbal. Probablemente ningún país moderno como Italia atribuye a la enseñanza de la literatura, en el «currículum» escolar de sus jóvenes, un peso mayor que el previsto por los ordenamientos académicos. Pero no es casual, si, a pesar de ello, el consumo de libros en Italia resulta ser de los más bajos en las naciones desarrolladas.

No es tarea nuestra entrar aquí en otros detalles de la enseñanza literaria, sobre los que, por lo demás, se ha discutido mucho en estos últimos años. Por ejemplo, el hecho que el conjunto de obras seleccionado para su estudio sea muy reducido a causa de la marginación de los textos en otras lenguas del país, de los autores «menores», de las formas expresivas no canónicas, de los géneros «paraliterarios» (la novela policíaca, la novela rosa, el «comic», etc.). Tampoco entra dentro de nuestra competencia emitir juicios sobre el uso didáctico de la composición escrita o «redacción» o sobre los métodos y programas adoptados. Claro está que no se puede más que apoyar un juicio escéptico, ya muy extendido, sobre el empleo de la literatura como modelo de lenguaje (hablado o escrito), que el estudiante debería de algún modo imitar o aprender. De hecho, es ya opinión corriente que la lengua presenta niveles y registros demasiado complejos para que la literatura pueda constituir un instrumento adecuado y completo de adiestramiento en la comunicación verbal. Aun así, sería legítimo seguir atribuyéndole una función privilegiada en el plano de la educación moral o, más en general, cultural. Sentado esto, no obstante, la cuestión continúa abierta: ¿cuál es el modo mejor de facilitar el acceso a la literatura en cuanto experiencia estética?

En la república de las letras, el ejercicio de la soberanía se cifra en un gesto elemental: entrar en una librería y adquirir un libro. En este gesto, a su vez, se traduce un hábito, una disposición, una costumbre civil y social antes que intelectual; y la comunidad espera que la enseñanza de la literatura contribuya a hacer de ello un gesto «natural», a interiorizar su necesidad en el mayor número de destinatarios. Desde este punto de vista, la enseñanza de la literatura ya no se asimila a la enseñanza de la historia de la literatura. Esto podía bastar cuando la escuela era una institución de élite y los estudiantes adquirían este hábito «espontáneamente» dentro de su ambiente vital.

Hoy en día, el encuentro con los textos adquiere un relieve estratégico decisivo. Y determinante es la experiencia vivida por el estudiante en clase: si será juzgada como una experiencia digna de ser vivida, y por consiguiente, de ser imitada, o, por el contrario, como un simple ejercicio escolar, cuyo objeto no está muy claro y de cuya utilidad se puede razonablemente dudar (en vista de que la literatura, en cuanto institución social, no ofrece ni ricas prebendas ni ocupaciones seguras, sino, todo lo más, un prestigio ambiguo).

En esta perspectiva, parece necesario seguir al mismo tiempo dos líneas de conducta. En primer lugar, conviene procurar al estudiante los elementos fundamentales de una competencia literaria consciente; es decir, ponerle en disposición de leer un texto y de reconocer los rasgos estilíticos, el género, la técnica constructiva, etc. Tales operaciones son útiles tanto por razones metodológicas abstractas como en el mismo plano didáctico, ya que nos familiarizan con el texto; tienen un efecto orientativo y, por lo general, poseen la ventaja de poderse repetir, controlar, cuando no confrontar con otros textos.

En adelante, sin embargo, no hay que olvidar que la literatura sigue siendo una experiencia estética y que el lector aprenderá tanto más a moverse con independencia, cuanto más haya elaborado criterios de gusto, fundados no en el simple «me gusta o no me gusta», sino en una curiosidad más amplia y una apertura intelectual menos práctica. La experiencia estética involucra los niveles más diversos de la personalidad; produce resonancias psicológicas y existenciales, cuestiona valores de todo tipo, concita, por último, los resortes más subjetivos de quien la disfruta. Aun si tales aspectos no se prestan a una teoría explícita, en cualquier caso se han de resaltar y hacer percibir por la atención del estudiante, a fin de que pueda dominarlos mejor.

Al modo de Lotman, Terracini (1980) propone una solución distinta. A su parecer, existen dos tipos de cultura: las culturas tradicionales, basadas en la imitación de comportamientos presentados como simbólicos; la cultura moderna, que, en cambio, provee de reglas explícitas. Esta última no nos da un producto, invitándonos a reproducirlo a nuestra vez lo mejor posible, sino las reglas con las que ha sido obtenido y con las que podremos sacar una réplica. Las culturas tradicionales son culturas «textualizadas»: transmiten los «textos» (comportamientos o puros y simples objetos lingüísticos) que se deben imitar, no las «gramáticas» con las que se han construido. La cultura moderna, en cambio, es una cultura «gramaticalizada» y, en este sentido, crítica y científica. También la enseñanza de la literatura, por ello, debería «gramaticalizarse», concentrándose en aquellos aspectos del texto literario que son susceptibles de formalización explícita, por tanto, controlables conceptualmente tanto por el docente como por el discente, y evitando proponer comportamientos «ejemplares», sustancialmente no democráticos, ya que las reglas que los dictan no son conocidas: juicios basados en el gusto, lecturas inspiradas, arranques emotivos.

Se podría objetar que, si hay una actividad típicamente «textualizada» ésta es ciertamente la literatura. Pero quizá sea útil aclarar la cosa recurriendo a otra distinción. En el *conocimiento teórico* (por ejemplo, la física) se incluye también generalmente el conocimiento explícito de los instrumentos de medida que usamos. En el *conocimiento práctico*, en cambio, de forma característica nos servimos de nosotros mismos como instrumento de medida; y es obvio que nadie posee una teoría formal de sí mismo. No tiene nada de extraño ni de misterioso; también la ciencia concede amplio margen al conocimiento práctico en su metodología (§ 56). En este sentido, la lectura del texto es un ejemplo característico de «conocimiento práctico», en el que el lector puede y aun debe usarse a sí mismo como instrumento de medida. Esto no significa que se le invite al impresionismo desenfadado o al rapto estático. Aprendemos, en efecto, a servirnos de nosotros como instrumento lo mismo que aprendemos a manejar cualquier instrumento. Ciertamente, la literatura no se produce si no es de esta forma; sería autoritario quien pretendiera elevar a paradigma sus propias reacciones, pero no quien enseñe a tomar conciencia de ellas.

BIBLIOGRAFÍA. Se traza un panorama de la crítica moderna en la obra fundamental de Wellek (1955-65), mientras que para un cuadro de conjunto de la crítica contemporánea son útiles las recopilaciones de Bradbury y Palmer (1970) y Corti y Segre (1970). Sobre la metodología de la investigación científica, véanse los puntos de vista más recientes, expuestos por Lakatos (1970) y Howson (1976). Para una historia de las historias literarias, se aconseja Getto (1942); un enfoque problemático, que trata de reconstruir la posibilidad de una historia literaria sobre nuevas bases metodológicas (la estética de la recepción), aporta Jauss (1967); Asor Rosa (1982 y ss.) ha fundado su historia de la literatura italiana en un encuentro de historias especiales y métodos formales, teniendo en cuenta también el modelo de «geografía e historia» de la literatura propuesto por Dionisotti (1967: 25-54). Véase, además, Rico (1983) y Brioschi (1986). La teoría literaria moderna corresponde en gran medida a las escuelas formalista, estructuralista y semiológica: panoramas de conjunto se hallan en Yllera (1974), Scholes (1974), Fokkema y Kunne-Ibsch (1977), Selden (1985) y Pozuelo (1988b). Sigue siendo un clásico el manual de Wellek y Warren (1949), pero, para una posición más dúctil, puede verse Wehrli (1951) y Aguiar e Silva (1970); añádase últimamente el volumen colectivo preparado por Kibédi-Varga (1981) y la variedad de enfoques metodológicos en el estudio de la literatura, expuestos por especialistas dirigidos por Díez Borque (1985). Opiniones provocativas y estimulantes se hallan en Eagleton (1983); Rico (1982) ofrece en brevísimo espacio una notable definición teórica de lo literario. El problema de la enseñanza de la literatura se ha debatido ampliamente estos últimos años, a menudo en tonos polémicos: aparte de Terracini (1980), hay que citar, para el caso español, la encuesta realizada por Lázaro Carreter (1974), así como Enzensberger (1977) y la recopilación reunida por Acutis (1978). Para distinguir el conocimiento teórico del práctico, véase Putnam (1978: 83-94).

II
ESTILÍSTICA Y RETÓRICA

LENGUA Y LITERATURA

13. Variedades de lenguaje y géneros del discurso

Todas las lenguas cambian. Se dan variaciones diacrónicas, esto es, en el tiempo, que son los cambios que sufre una lengua, más o menos lentamente y por una serie de causas tanto internas como externas; y se dan variaciones en el plano sincrónico, observables en un momento preciso de la historia de la lengua y por ello simultáneas. Estas últimas variaciones son de dos clases: espaciales, que estudia la dialectología, y sociales, de las que se ocupa la sociolingüística. Las variaciones diacrónicas constituyen el objeto de la lingüística histórica.

Si nos referimos a un ejemplo familiar, la situación española, sabemos que en España se hablan varias lenguas y dialectos, aparte de la lengua oficial, el castellano. Dentro de éste, cabe distinguir variedades regionales que presentan características propias en la fonética, en el léxico, etc.; y, en fin, podríamos postular la existencia de una lengua estándar, carente de rasgos regionales, que, si bien como variedad escrita predomina relativamente, con toda probabilidad está menos extendida en el habla (es, para entendernos, el castellano «sin acento» de los presentadores profesionales de la radio y la televisión, sustituidos ahora en parte por periodistas con acentos regionales más o menos marcados). Pero ésta no es más que una clasificación sumaria, porque el número de variedades no es precisable: una lengua puede ser más o menos pura, un castellano regional más orientado hacia el dialecto que hacia la norma o viceversa, con todos los híbridos que se puedan imaginar entre los polos opuestos de la norma y el dialecto.

Junto a las variedades regionales, mejor dicho, superpuestas a ellas, hay variedades sociales, que están en relación con la condición social (educación, tipo de trabajo, nivel económico, etc., e indirectamente, edad, sexo, origen étnico) de los hablantes. La sociolingüística, disciplina que se ha venido desarrollando desde comienzos de los años sesenta, sobre todo por obra de

investigadores americanos, ha puesto en evidencia una estratifi-
cación vertical (social) de la lengua que se superpone a la
fragmentación horizontal (regional), a la vez que subraya implícita o explícitamente los prejuicios (sociales, culturales, raciales,
sexuales) vinculados con el uso de la lengua. Pero la sociolingüística también ha demostrado la variabilidad del lenguaje en el
mismo hablante, que se sabe adaptar, dentro de los límites de su
repertorio lingüístico, a las diferentes situaciones en que se sirve
de la lengua.

De hecho, hay toda una serie de factores que condicionan
nuestro lenguaje, según que escribamos o hablemos, dirijamos la
palabra a una o más personas, a personas de nuestro mismo sexo
o del sexo opuesto, de la misma edad o más o menos viejas que
nosotros, a un superior o a un subordinado, a un interlocutor
presente o por teléfono, en una situación formal o informal, etc.
En suma, la situación es la que determina nuestra selección de
un registro verbal. En un contexto bilingüe, por ejemplo (Cataluña, Gales, etc.), la elección afecta a la lengua ante todo (catalán
o castellano, galés o inglés); donde se habla un dialecto, habrá
que decidir entre lengua y dialecto, o siquiera, entre la variedad
regional y una variedad que se aproxima a la norma; y aun
distinto será nuestro comportamiento, si nos encontramos en un
lugar en el que no se habla nuestro dialecto o variedad regional.
Los sociolingüistas llaman conversión de código el paso por parte
de un mismo hablante de una a otra lengua o variedad regional.
Pero la conversión de código se aplica también al tipo de variedades sociales que son los registros de una misma lengua, esto
es, en suma, variedades en relación con la situación. En un
registro informal, por ejemplo, *hacer inglés* (pongamos que dicho
por un estudiante a un amigo) equivale a *estudiar lengua y
literatura inglesa* en un registro formal. Junto a los registros, se
podrían posteriormente distinguir los estilos. El término «estilo»,
observa Hymes (1974: 49-50), «implica una elección entre alternativas con referencia a una finalidad o marco común; de este
modo puede aplicarse a cualquier nivel de análisis. Una vez que
se hubieran identificado los códigos, las variedades, los registros
e incluso los estilos propios de la comunidad, se podría aún hablar
de estilos personales respecto a cada uno de aquéllos». Como
puede verse, en términos lingüísticos cabe hablar también de
estilos colectivos (como, por lo demás, también hablaba de «estilos», en plural, la teoría antigua y medieval de los estilos literarios); el estilo individual, de quien habla o escribe, en particular,
representa a su vez una elección entre estilos supraindividuales.

Cuando hablamos o escribimos, por tanto, continuamente elegimos entre códigos, variedades, registros, estilos. En algunos casos podremos servirnos de subcódigos o «lenguas especiales», es decir, lenguas que, con respecto al código lingüístico, disponen de un léxico particular (y suelen asociarse a registros y estilos particulares). Constituyen subcódigos las llamadas lenguas profesionales, los lenguajes técnicos, deportivos, burocráticos, las jergas o el argot, etc., que, aun sirviéndose de la misma gramática del código lingüístico, casi siempre resultan incomprensibles, especialmente en el léxico, a los no iniciados.

Registros y estilos, y en ciertos casos, también variedades y subcódigos (cuando éstos se presenten libres y no condicionados), forman en combinaciones diversas los géneros del discurso. Los géneros son categorías textuales (de textos orales y escritos) que tienen «características formales reconocidas tradicionalmente» (Hymes 1974: 51), como la conferencia, el cuento, el artículo de fondo, la lista de la compra, la carta, la llamada telefónica, el tratado científico, las instrucciones de uso, la inscripción en las paredes, la entrevista, la conversación, el chiste, la oración, la habladuría, etc. El hecho que la lista de los géneros del discurso pueda parecer interminable (o que admita subgéneros, como la carta de amor, o géneros compuestos, como la entrevista por teléfono) no ha de sugerir que sea imposible clasificar el caos de la producción lingüística. En realidad, sabemos cómo manejar un número bastante amplio de géneros dentro de los límites de nuestra competencia (obviamente, hay quien no sabe contar chistes o no sabe rezar, etc.) y de nuestro contexto cultural. Algunos géneros, como la conversación, admiten una amplia gama de registros y de estilos, e incluso de variedades y subcódigos; otros géneros, como la conferencia, comportan en cambio, como norma, un registro, un estilo y una variedad determinados; otros aun, como las instrucciones para el uso de una medicina, requieren también un subcódigo.

Hasta aquí, a grandes rasgos, las nociones que hemos de tener presentes para analizar un texto (sea oral o escrito, repetimos). Hemos visto que todo texto implica por parte del hablante o escritor continuas elecciones, siempre modificables, cuando sea el caso, con la conversión de código; y también nos hemos referido a una sumaria tipología textual, los géneros del discurso. Hay que ver ahora dónde y cómo puede encajar en cuadro semejante el discurso literario, si cuenta con propiedades que lo distinguen de la restante producción lingüística de una comunidad. En el párrafo siguiente, veremos cuáles son las respuestas que las principales teorías literarias han dado a esta cuestión; en el (§ 15), intentaremos proporcionar un enfoque distinto, relacionado con todo lo dicho en el presente párrafo.

14. La definición de la literatura

Uno de los problemas recurrentes en la teoría de la literatura del siglo xx es el de la definición de la literatura, o mejor dicho, de los caracteres específicos de la lengua literaria (o poética, aunque incluyendo en este término también la prosa). La cuestión fue planteada de manera explícita por los formalistas rusos —activos en Moscú y Leningrado en los años que van de 1915 a 1930—, para ser recogida más tarde por los estructuralistas del Círculo Lingüístico de Praga (en las *Tesis* de 1929 y en sucesivos escritos) y por cuantos hasta el presente han estado conectados, directa o indirectamente, con esta tradición de estudios, que ha dominado en el campo teórico, en razón a que otras corrientes de estudios literarios, como la marxista, a menudo han eludido las cuestiones de teoría y técnica literarias (aunque más de un estudioso marxista haya terminado por hacer propias las hipótesis fundamentales del formalismo). Rechazada la perspectiva estética, que en Italia, con Croce, había de desalentar la construcción de cualquier posible teoría literaria, los formalistas intentaron identificar en el mismo lenguaje de la obra literaria la impronta, la esencia de la literariedad: «el objeto de la ciencia de la literatura —escribía Jakobson en 1921 en un ensayo sobre la poesía rusa contemporánea— no es la literatura, sino la literariedad, que es lo que hace de una obra determinada una obra literaria» (1921: 15). Precisamente a Jakobson, uno de los padres del formalismo ruso, instalado después en Praga, y, desde 1942, emigrado a los Estados Unidos, se debe la formulación más madura y articulada de la teoría de lo específico literario.

En su famosa ponencia de 1960, Jakobson destaca, como ya se ha señalado (§ 4), los seis factores esenciales que intervienen en todo acto de comunicación verbal: el *emisor* dirige a un *destinatario* un *mensaje* que tiene por objeto cierto *contexto* (el asunto de que se habla); el mensaje se formula en un *código* (una lengua común al emisor y al destinatario) y se transmite mediante el *contacto*, esto es, a través de un canal (por ejemplo, las ondas sonoras o radio, el teléfono, la escritura, etc.). Sobre la base de estos seis factores, Jakobson indica otras tantas funciones del lenguaje, cada una de las cuales se caracteriza por «orientarse» hacía uno de los seis factores: la función *emotiva* se orienta hacia el emisor (exclamación, interjecciones, etc.); la *conativa* hacia el destinatario (vocativo, imperativo, etc.); la *referencial* hacia el contexto (una tercera persona, animada o inanimada); la *metalingüística* hacia el código (cuando hablamos de un lenguaje); la *fática* hacia el contacto (si comprobamos el canal, por ejemplo, con el «diga» al teléfono); la función *poética* consiste en el énfasis puesto en el mensaje como tal, como fin en sí mismo (1960: 358). Según Jakobson, las funciones casi nunca se presentan en estado puro; prevalecerá o predominará una función sobre las demás eventualmente presentes. Partiendo de esta predominancia, conseguiremos distinguir, pongamos por caso, entre un soneto de Garcilaso, en el que prevalecerá la función poética, y un eslogan publicitario rimado, en el que prevalecerá la función conativa («compra X») o la referencial («X es bueno, por tanto, cómpralo»).

La teoría de las funciones, en la versión jakobsoniana, constituye la formulación más elaborada de la oposición —anticipada ya por los primeros formalistas y los estructuralistas pragueses— entre lengua poética y lengua estándar, que, a su vez, se funda en la idea de la poesía como «desviación» de la norma. Las implicaciones de estos puntos de vista trascienden la estrechez de sus términos lingüísticos, ya que se apoyan en la concepción —ya atestada en el curso del siglo XIX y propugnada por los simbolistas franceses y luego los futuristas— de la literatura como actividad con un fin en sí misma, libre de todo condicionamiento o intención práctica, y, por tanto, como lenguaje no referencial, que no comunica nada más que a sí mismo. En 1960 Jakobson plantea la cuestión en términos más difusos: no existe una lengua poética diferente, sino una función poética que, aunque presente también en otros mensajes no poéticos —y, por tanto, también en la lengua cotidiana—, sin embargo, es «dominante» en poesía. Pero, como se verá en el siguiente párrafo, la percepción de la dominante no depende más que del destinatario.

No es diferente, a fin de cuentas, la posición de los que han recurrido a otros modelos para aprehender las «propiedades» del lenguaje poético. Uno de los modelos más afortunados fue proporcionado involuntariamente por el lingüista danés Hjelmslev, a quien se debe la noción de connotación, elaborada en un libro (1943), que es un clásico de la lingüística de nuestro siglo. Supuesto que una semiótica denotativa se articula en dos planos, expresión y contenido, una semiótica connotativa tiene como plano de la expresión una semiótica denotativa (con sus dos planos) y por contenido un contenido connotativo producido por los que Hjelmslev denomina connotadores. Muchos teóricos de la literatura han utilizado esta distinción para oponer la lengua poética (lengua de la connotación) a la lengua común (lengua de la denotación). Para poner un ejemplo elemental, «*Nel mezzo del cammin di nostra vita*» puede analizarse en su contenido literal (denotativo), pero, al margen de éste, presentará toda una serie de connotadores: en particular retóricos (la metáfora del «camino», el uso de «nuestra» en lugar de «mi», el significado del «medio del camino»), para no hablar de los connotadores métricos (esta especial secuencia de palabras «significa» un endecasílabo, que además, junto con los versos que siguen, contribuye a formar, a «significar» por medio de la rima cierto diseño estrófico), etc. El hecho es que, si todo eso es cierto, también lo es que ningún mensaje verbal se agota en su contenido denotativo. Si, pongamos por caso, tengo un acento dialectal o regional, puedo comunicarlo voluntaria e involuntariamente, incluso diciendo sólo *Hace buen día hoy*. Si tengo un acento estándar perfecto, es justamente esto lo que comunico, mi acento estándar. Para no hablar de las articuladas estrategias retóricas que todo hablante pone en práctica cada día y que pertenecen también al plano del contenido connotativo. En sustancia, por así decir, la connotación es una tercera dimensión del signo lingüístico: la expresión y el contenido de un mensaje (tanto de una palabra como de un discurso ilimitado) llevan siempre consigo contenidos añadidos que podrán ser más o menos intencionales o estar más o menos estructurados, pero que nunca faltan. La connotación, así pues, no es en realidad una marca de literariedad: afecta a toda manifestación lingüística. Los teóricos de la literatura que se han apresurado a aplicar en su campo esta noción —empezando por Barthes— simplemente han renovado el arsenal formalista, pero no han modificado la óptica del formalismo (dando a esta etiqueta una acepción amplia). De hecho, la hipótesis de que en el lenguaje poético se puedan distinguir rasgos específicos está aún por demostrar.

15. LA PRÁCTICA DE LA LITERATURA

Para poder afirmar que existen propiedades instrínsecas del objeto literario —y, por tanto, para «definir» la literatura—, se habría de demostrar que aquéllas son específicamente literarias, esto es, que aparecen —de una forma u otra y en una medida variable— en todos los textos única y exclusivamente literarios. Hemos visto que para Jakobson, la literariedad consistiría en el lenguaje que se refleja a sí mismo; el mensaje se pondría en evidencia principalmente mediante la repetición —o, mejor dicho, la repetición variada— de una misma figura fónica (1960: 363). Tal definición puede servir como clave interpretativa de la poesía, en particular, de la que se base en un sistema de versificación regular o libre, en el que la repetición (del número de las posiciones, los acentos, las rimas, etc.) desempeñe una función importante; pero difícilmente puede aplicarse a la poesía de tendencia prosística y aún menos a la prosa, en la que no es cómodo descubrir de qué manera se pone en primer plano el mensaje. Volvamos entonces a la noción jakobsoniana de dominante. Si se toma el eslogan rimado publicitario y la poesía de un poeta contemporáneo, en verdad el primero presentará una cantidad mayor de figuras fónicas (versos regulares, estrofas, rimas, etc.) que la segunda (que puede estar compuesta en versos libres, sin rima ni aliteración); pero subsiste el hecho para Jakobson de que en el eslogan la función poética es secundaria y no dominante, mientras que dominaría en la poesía de un poeta contemporáneo. En realidad, la identificación de la dominante queda siempre confiada al público. En una enciclopedia medieval en verso hoy podemos ver como dominante la función poética (porque no estamos habituados a buscar la ciencia en los textos en verso); para los contemporáneos del autor, en cambio, la función dominante sería la referencial (si no sencillamente la metalingüística, como en el caso de los tratados retórico-gramaticales, también en verso, que abundan en la Edad Media latina y romance). Del mismo modo, para alejarnos por un momento del ámbito literario, podemos colgar en la pared un viejo anuncio de la Coca-Cola, tomándolo como un objeto estético, «fin en sí mismo», aunque no bebamos Coca-Cola ni tratemos de difundir su consumo. Todo depende de cómo «usemos» los objetos y los textos con los que entremos en contacto: un objeto o un texto, adquiere una dimensión estética sólo desde el momento que se la atribuyamos, disponiéndonos a mirarlo de cierto modo, y esto, a veces, con independencia de las intenciones de quien lo produjo.

Téngase en cuenta que tal perspectiva sólo es imaginable desde la óptica del final del siglo xx, que las revoluciones artísticas y literarias de la segunda mitad del xix y del xx han ensanchado, casi hasta el infinito, las fronteras de lo estético, al infringir polémicamente los códigos consolidados y ganar para el arte lo que éste tradicionalmente rechaza (el

ruido en la nueva música, el objeto utilitario en las artes figurativas, toda
forma de producción lingüística en la literatura, etc.). Por otra parte, la
misma problemática de la especificidad literaria no tendría sentido en un
contexto cultural distinto del moderno. En la Edad Media y el Renacimiento, por ejemplo, la diferencia entre literario y no literario (si exten-
demos al pasado una terminología que en muchos aspectos resulta ina-
decuada) es relativamente neta: es literario un número restringido de
géneros, cada uno muy codificado, y por tanto ni siquiera se plantea la
cuestión de textos ambiguos, que hoy dudaríamos en considerar como
literatura o que se recuperan como literarios, cuando no eran reputados
tales en su origen. Es significativo un ejemplo aducido por Jakobson
(1933-34). Del poeta checo Mácha (1810-1836) se han conservado algunas
obras de inspiración romántica en las que se canta en tonos delicados
el amor por Lori; pero también se ha publicado póstumamente un diario
en el que se da cuenta de la misma historia de amor en términos mucho
más explícitos, con toda clase de detalles más bien íntimos acerca de sus
encuentros. Jakobson hace notar que una «obra» semejante habría sido
inconcebible en la época de Mácha; si luego ha sido posible recuperarla
y publicarla, por tanto, hacer de ella una obra literaria, es porque ha
cambiado, se ha dilatado, nuestra idea de la literatura, e incluso, si Mácha
hubiera sido un contemporáneo de Joyce o Lawrence (Jakobson escribía
en los años treinta, pero ahora podríamos aumentar el número de ejemplos), habría publicado el diario y dejado inéditos sus tiernos poemas
líricos. Según Jakobson, el diario de Mácha también es una obra de arte
con un «fin en sí misma» y por ello hoy podemos leerlo como literatura.
De hecho, como ya se ha dicho, podemos tomar como literatura también
cosas con mucha menor finalidad en sí mismas, basta abrir cualquier
historia de la literatura para convencerse; todo depende de qué disposición adoptemos ante el texto. De esta apertura virtualmente ilimitada
del campo literario, alcanzada en el siglo xx, surge la necesidad de establecer criterios intrínsecos de literariedad, para remediar así el derrum-
bamiento de los cánones.

Obviamente, eso no impide que la inmensa mayoría de los textos que
percibimos como literarios se hayan producido en origen como literarios
o, al menos, con referencias a géneros establecidos. En estos casos, el
escritor suele remitir explícitamente a los códigos, las tradiciones, las
convenciones (comprendida la violación de las normas), que a veces le
sirven de marcas típicas de literariedad y constituyen un patrimonio
lingüístico, retórico y cultural común a quien escribe y a quien lee. El
texto está así lleno de señales y orientado en cierta dirección; si esta
orientación y estas señales se integran en el horizonte de expectativas del
lector, la atribución del texto a la literatura resultará, por así decir,
«natural» y casi sustancial a la obra. De ahí una ilusión de objetividad
que, aun formando parte del proceso de la comunicación literaria, no
deja, con todo, de ser una ilusión.

Llegados a este punto, quedará claro que la cuestión se contempla de maneras diversas. El problema no estriba en distinguir

lo que hace literario un texto, porque esto es imposible y las teorías contemporáneas no han hecho al respecto más que amontonar contradicción sobre contradicción; se trata más bien de comprender cómo funciona un texto literario.

Como cualquier otra forma de discurso, el discurso literario se relaciona con un contexto determinado y se funda en un conjunto de reglas y convenciones compartidas por los participantes. Por ejemplo, en un texto en el que el autor emplea el vocativo y la segunda persona («Trae, Jarifa, trae tu mano...», escribe Espronceda), cualquier lector sabe que aquella segunda persona no va dirigida a él; como sabe que los contenidos de una novela pueden ser imaginarios, no referidos a hechos reales; o también, que no debe tomar un texto literario como fuente de información sobre la situación del mundo, porque un escritor no posee ninguna autoridad especial al respecto, etc. Estas convenciones pueden comportar también que, en ciertas culturas, se privilegie el mensaje «como tal», pero está claro, como subraya Mary Louise Pratt (1977: 88), que es el lector quien coloca el mensaje en un primer plano, no el mensaje a sí mismo. De este modo se explica por qué cabe tomar por literatura lo que no lo era en las intenciones del autor o también por no literario (aunque más raramente) un discurso concebido como literario. Una vez se ha efectuado la operación de reconocer un texto como literario, se le somete dentro de una comunidad a un tratamiento particular, que responde a determinadas condiciones simbólicas (§ 2) y pragmáticas (§ 3).

Es importante advertir que el reconocimiento de los textos literarios se produce en primer lugar dentro de las categorías que los abarcan, es decir, en géneros literarios enteros. Por géneros no habrá que entender sólo los institucionalizados, sino toda clase de géneros y subgéneros literarios individualizados por medio de las mismas técnicas empleadas para analizar el discurso extra-literario (por tanto, con atención a los contenidos, los estilos, la forma de realización, la situación, etc.). Un texto versificado, así pues, se presenta normalmente como literatura, pero no una carta personal. Sin embargo, es posible que una serie de factores, de variada naturaleza, interfieran en nuestras decisiones, haciéndonos trasladar un texto de una a otra categoría. Una poesía particularmente mala, por ejemplo, y que además aparezca en un contexto anómalo, por ejemplo, cantada en la radio, como podría ser el caso de un eslogan publicitario, no se considerará como literatura por motivos estéticos. Al revés, una carta personal, por ejemplo, de Quevedo o de Bécquer, o el diario de una niña, como

Ana Frank, se podrán ver como literatura a la par que una poesía de autor, también por los mismos criterios. Por otra parte, ante textos indiscutiblemente literarios, pero juzgados por consenso de la comunidad de los lectores poco o nada atractivos estéticamente, no tendemos a plantearnos este tipo de problemas, si constituyen documentos, por una u otra razón, venerables. Como se ve, el reconocimiento por géneros puede implicar derogaciones y cancelaciones, haciendo intervenir valoraciones de orden estético, histórico, lingüístico y, alguna vez, moral, político, etc. En resumidas cuentas, nos hallamos bien lejos de la literariedad entendida como cosa en sí.

La noción de literatura varía, por tanto, según las épocas y las culturas. De ahí la necesidad de estudiar las formas que en cada ocasión asume lo literario y de descubrir los modos de reconocer ciertos textos como literarios y las formas de ser tratados en la sociedad (§§ 1-12). De ahí, sobre todo, la importancia de enfrentarnos a los objetos literarios sin ignorar las categorías institucionales en las que durante siglos se ha organizado la producción literaria, pero, al mismo tiempo, sometiendo el *corpus* de los textos a un análisis según criterios en buena parte análogos a los propuestos —por la sociolingüística, la lingüística textual, la teoría de los actos lingüísticos— para el análisis del discurso en general. En suma, se trata de ver los textos literarios en relación con los demás textos literarios, esto es, insertos en una tradición, y en relación con un contexto histórico, social y cultural, en definitiva, con los demás textos no literarios.

BIBLIOGRAFÍA. Entre las numerosas introducciones a la sociolingüística, se recuerdan Berruto (1974) por sintético, Dittmar (1973), Marcellesi y Gardin (1974), Hymes (1974), Hudson (1980) y la recopilación preparada por Giglioli (1973); además, sobre los aspectos específicos del lenguaje hablado, véase Sornicola (1981). Sobre la lingüística textual han de tenerse en cuenta los ensayos recopilados en Conte (1977) y en Goldin (1981) (donde es importante para una tipología textual la contribución de Berruto), así como Lozano y otros (1982). El formalismo ruso está bien enmarcado históricamente por Erlich (1964) y expuesto por García Berrio (1973); la selección antológica más conocida ha sido reunida por Todorov (1970). Las *Tesis* de 1929 del Círculo Lingüístico de Praga son también accesibles en inglés en la antología de Garvin (1964) de escritos de estructuralistas praguenses. Para una discusión crítica de la tradición del formalismo, puede verse Di Girolamo (1978). El libro de Pratt (1977) representa uno de los raros intentos realizados hasta ahora —pero son precedentes importantes los ensayos de Ohmann (1971) y Fish (1973-1974)— de esbozar una teoría literaria sobre bases antiformalistas, recurriendo a la teoría de los actos lingüísticos, elaborada a partir de la posguerra en el marco de la filosofía inglesa del lenguaje (Austin, Searle, Grice, etc.; véanse, aparte del fundamental Austin [1962] y de Searle [1969], los ensayos reunidos en Sbisà [1978] y Mayoral [1987b]). En Italia, un punto de vista no sustancialista, sino orientado hacia el lector, ha sido adoptado por los propios autores de este libro (Di Girolamo [1978], Brioschi [1983]); con este punto de vista, presenta algunas coincidencias Pagnini (1980). En España, diversos estudios de Lázaro Carreter (1976 a, b y c) van, hasta cierto punto, en el sentido indicado, aclarando muchos aspectos de la teoría moderna.

LA RETÓRICA

Según una definición corriente aún hoy, la lógica sería el arte de pensar, la retórica el arte de decir. Evidentemente, se trata de una definición que hay que rechazar. La lógica no enseña a pensar; es un método para establecer formalmente si es válida una inferencia (y en particular, una deducción). El silogismo clásico, por ejemplo, permite afirmar que, si

(1) Todos los hombres son mortales; y si
(2) Sócrates es un hombre; entonces
(3) Sócrates es mortal.

Repárese bien en que la validez de una inferencia se distingue de la verdad de cada premisa o de la conclusión. Podría decir, supongamos, que

(4) Todos y únicamente los hombres son mortales;
(5) Sócrates no es un hombre; por tanto
(6) Sócrates no es mortal.

Ninguna de estas proposiciones es verdadera, pero el silogismo es válido, por cuanto la conclusión deriva lógicamente de las premisas; sería también verdadera, si lo fueran las premisas. Por el contrario, el siguiente silogismo presenta un caso de inferencia no válida:

(7) Todos los hombres son mortales;
(8) Sócrates no es un hombre; por tanto
(9) Sócrates no es mortal.

Este silogismo es erróneo no porque la premisa (8) sea falsa (podría ser verdadera, si *Sócrates* fuera el nombre de mi gato), sino porque Sócrates podría ser mortal sin ser un hombre. La conclusión no deriva lógicamente de las dos premisas (con independencia de su verdad o falsedad); y el razonamiento estaría equivocado, aunque por ventura fuese verdadera la conclusión. Se da el caso también que sean verdaderas las tres proposiciones, consideradas por separado, y sin embargo, el silogismo sea incorrecto. Por ejemplo:

(10) Algunos hombres son mortales;
(11) Sócrates es un hombre; por tanto
(12) Sócrates es mortal.

Si se dice que «algunos» hombres son mortales, no está determinado el destino de los demás; como no queda claro si Sócrates es uno de éstos o de aquéllos, la conclusión no se sigue necesariamente de las premisas. La lógica, en suma, es un cálculo que permite derivar de ciertas proposiciones otras que serán verdaderas si y sólo si *a*) la inferencia es válida lógicamente, *b*) las premisas son verdaderas. Todo ello, como se ve, tiene que ver con una parte muy pequeña de lo que llamamos «pensamiento». Por otro lado, una computadora (que por supuesto no piensa) sería capaz de construir silogismos válidos y en todas sus operaciones siempre respetará la lógica (porque no se podría programarla para hacer algo intraducible a un lenguaje formal).

La mayor parte de nuestros razonamientos no obtiene su fuerza de la necesidad lógica, sino de otros factores. No son *demostraciones*, sino *argumentaciones*. Nuestras decisiones y elecciones de ordinario están determinadas por la adhesión a ciertos valores u objetivos, de orden moral o utilitario, en función de los cuales un argumento dado será más o menos eficaz. Es sumamente razonable, por ejemplo, no fumar en lugares públicos, porque así no se daña la salud de los demás; pero si el respeto del prójimo no fuese en cierto modo un valor interiorizado por nosotros, ninguna estadística sobre los perjuicios del humo causados por los fumadores a los no fumadores nos induciría a pedir —con independencia de cualquier ley en vigor— el permiso para fumar en la casa en la que estemos invitados.

Precisamente, la retórica tiene que ver con la argumentación, en cualquiera de sus formas, incluso no verbales (existe una retórica de la imagen, del sonido, de los gestos, etc., e incluso el más simple de los *spots* publicitarios ofrece un ejemplo del uso simultáneo de «lenguajes» diversos, fuertemente orientado con vistas a su eficacia argumentativa). Siempre que una conclusión se derive de un cálculo lógico, sólo se logrará persuadir a un interlocutor de este modo: al tomar como punto de apoyo los valores que presumiblemente considera justo respetar, al mostrar las ventajas relativas de una solución en oposición a otras, al articular el discurso de la manera más conveniente para que capte emotivamente su atención, etc. Así como la demostración se dirige a una «audiencia universal», esto es, a cada uno de nosotros en tanto representantes del *homo sapiens*, una argumentación —señalan Perelman y Olbrechts-Tyteca (1958)— se dirige a un público real y circunscrito, determinado por las circunstancias concretas en las que tiene lugar la comunicación.

Naturalmente, la audiencia universal no siempre es más vasta que el público real al que se destina tal o cual mensaje retórico. Pocos de nosotros somos capaces de seguir la demostración de un teorema de topografía; no impide que su audiencia sea universal. Si un razonamiento puede formalizarse, permanece válido dentro de aquel sistema axiomático-deductivo para todos los sujetos. Por paradójico que parezca, ni siquiera hace falta que un sujeto lo repita en su cabeza, en vista de que asimismo una computadora también es capaz de alcanzar la misma conclusión.

Es esencial, además, distinguir la pareja demostración/ argumentación de otros conceptos o comportamientos intelectuales que estaríamos tentados instintivamente a considerar semejantes. La demostración, así por ejemplo, no coincide realmente con la ciencia. Aunque la lógica moderna sea muy diferente de la de Aristóteles, y mucho más poderosa, muy pocas partes de la ciencia se dejan traducir a operaciones lógicas. Ni siquiera las teorías axiomático-deductivas son enteramente formalizables: como demostró Gödel, siempre existirá en una teoría al menos una proposición que es verdadera para aquella teoría, pero que no es demostrable dentro de ésta. Con referencia sobre todo a las ciencias empíricas, la epistemología contemporánea ha resaltado con vigor el papel de la argumentación. El «método científico» no es una máquina imparable que produzca verdades una detrás de otra; fuera del campo restringido en el que opera la formalización, siempre entran en juego presupuestos, paradigmas, tradiciones de todo género. El descubrimiento habrá de justificarse mediante controles en ciertos aspectos objetivos; pero el «método científico» permite justificarlo, no realizarlo, y en cualquier caso, nunca se aportará una prueba concluyente, tan sólo una corroboración. Nos convenceremos de algo a falta de pruebas de lo contrario, a la espera de que una teoría mejor reemplace a la que de momento aceptamos.

Por el contrario, constituiría un grave error identificar la argumentación con la simple propaganda, con el capricho irracional o con la mentira interesada. Como escribe Popper (1958: 77): «La exigencia de pruebas racionales en la ciencia indica que no se comprende la diferencia entre el vasto ámbito de la racionalidad y el estrecho ámbito de la certeza racional.» A mayor abundamiento, estas palabras son válidas fuera del campo de la ciencia. Por lo general, sería irracional pretender un rigor imposible rehusando valorar los elementos a nuestra disposición por relativos y provisionales a la hora de tomar una decisión ponderada. A diferencia de la certeza racional, la racionalidad nos compromete también en el plano ético: nos demanda juicios honrados, la capacidad de superar los límites de nuestros intereses personales, la disponibilidad a tener en cuenta la opinión ajena, etc., y no por eso se deja de ser razonable. La arbitrariedad y la superchería propagandística no son una consecuencia necesaria del recurso a la argumentación, sino de una utilización particular no generalizada ni declarada. Si las reglas del juego son evidentes a todos y todos son capaces de advertir sus abusos, en la mayoría de los casos no existe otro método para llegar a una conclusión.

El «campo de la argumentación», por tanto, se identifica en la práctica con toda nuestra experiencia intelectual, excluido el «estrecho ámbito de la certeza racional». Cuando se comunica esta experiencia, la retórica le servirá de instrumento. Hay que insistir en esta generalidad, pese a que la retórica aparezca históricamente vinculada a unas actividades intelectuales y a unos objetos por encima de otros. El ámbito de la retórica no es únicamente jurídico o literario, ni su finalidad sólo la persuasión o el «embellecimiento» del discurso. Así pues, es preciso estudiarla tanto para aplicar de modo normativo sus preceptos como para comprender mejor lo que comunicamos o se nos comunica.

En lo que respecta más especialmente a la literatura, estas consideraciones tal vez sugieran que un análisis retórico no comporta necesariamente el reductivismo formalista que a menudo se le achaca y en el que en verdad a menudo incurre. Por el contrario, el análisis retórico puede y debe abordar aquellos aspectos cognoscitivos o morales que, a través de todas las mediaciones propias del fenómeno literario, concurren para constituir el significado de una obra. Sin olvidar, por lo demás, que el análisis retórico y la crítica literaria en el futuro podrán convertirse en ciencias empíricas; pero es presumible que seguirán perteneciendo al campo de la argumentación y no al de la demostración.

17. LAS PARTES DE LA RETÓRICA

Como es sabido, la retórica nace como una disciplina teórica en el mundo griego del siglo V a.C., y nace como arte, ciencia o técnica de la persuasión, que halla sus aplicaciones principales en el ámbito judicial y en el político. Por ello, se encuentra ligada a formas particulares de Estado, en las que existe la posibilidad de intervenir por medio de la palabra en la realidad, en las decisiones a tomar. En los sistemas en los que el poder ejecutivo y judicial se encuentra concentrado en las manos de unos pocos, como en la Roma imperial, la retórica pierde su razón de ser, se transforma en pura ejercitación o se reduce su ámbito de intervención, aunque sobreviva como parte integrante de la educación a todo lo largo de la Edad Media. Más exactamente, su dominio acaba por reducirse casi exclusivamente al ámbito de la literatura, en un proceso de progresiva «literaturización» que, como señala Florescu (1960), caracterizará el destino de la retórica prácticamente hasta nuestros días. Así, si muchas artes poéticas medievales no son en realidad más que, con significativa coincidencia, manuales de retórica, algo muy similar ha sucedido en el siglo xx, en el que el renacido interés por la poética —esto es, un estudio descriptivo, no normativo ni valorativo, de los textos literarios— se ha fundado en la recuperación de la retórica. Esta retórica a uso de los literatos, por otra parte, ha sido despojada de aspectos y dimensiones que originariamente distaban mucho de ser de índole secundaria, lo que ha empobrecido tanto sus contenidos y su alcance como la misma imagen de la literatura.

Véase, por ejemplo, cómo introdujo Aristóteles la primera gran repartición de la retórica (entendida propiamente como disciplina que se ocupa de todo discurso enderezado a la persuasión), o sea la distinción entre los tipos o géneros del discurso: «De la retórica se cuentan tres especies, pues otras tantas son precisamente las de oyentes de los discursos. Porque consta de tres cosas el discurso: el que habla, sobre lo que habla y a quién; y el fin se refiere a éste, es decir, al oyente. Forzosamente el oyente es o espectador o árbitro, y si árbitro, o bien de cosas sucedidas, o bien de futuras. Hay el que juzga acerca de cosas futuras, como miembro de la asamblea; y hay el que juzga acerca de cosas pasadas, como juez; otro hay que juzga de la habilidad, el espectador, de modo que necesariamente resultan tres géneros de discurso en retórica; deliberativo, judicial, demostrativo (o epidíctico).» Como se ve, para Aristóteles la retórica está bien lejos de reducirse a una teoría de las figuras. Más aún: su definición de los géneros no es nada formalista, por cuanto incluye de modo característico la referencia, fuera de los textos, a los interlocutores y a sus papeles (de jueces, de miembros de la asamblea o de espectadores).

Si, así pues, se tiene presente su posición originaria, se dirá entonces que la retórica distingue y examina: *a*) los géneros del discurso; *b*) las fases o partes de su elaboración; *c*) las virtudes del discurso. Por lo que respecta a los géneros, judicial, deliberativo y epidíctico, convendrá precisar que el discurso epidíctico era entendido antiguamente como el discurso de alabanza o de censura; pero, al ponerlo en correlación con un público de espectadores «que decide sobre el talento del orador», Aristóteles casi parece que sugiere una conexión con una dimensión que modernamente llamaríamos, *lato sensu*, estética. En este caso, la persuasión a la que se orienta el discurso epidíctico equivaldría al reconocimiento de un valor propiamente estético en la *performance* del orador.

Las partes de la retórica corresponden a las cinco fases de elaboración del discurso: la *inventio*, esto es, la búsqueda de las ideas procedentes en la memoria, entendida como un espacio en cuyos lugares (*loci* o *topoi*) se alojan tales ideas, que la mente evoca mediante oportunas preguntas (quién, qué, dónde, por qué medios, por qué, cómo, cuándo, etc.); la *dispositio*, esto es, la distribución ordenada de las ideas, por ejemplo, mediante un exordio (dirigido a establecer el contacto con el público), un núcleo central (proposición de la tesis, narración de los hechos en cuestión, argumentación de la tesis y refutación de las tesis contrarias), una conclusión (recapitulación del discurso, perorata, despedida); la *elocutio*, esto es, la expresión de las ideas en un ropaje lingüístico apropiado y según el estilo adecuado a las circunstancias; la *memoria*, esto es, la técnica de aprendizaje del discurso (a este propósito, se debe recordar la larga historia de la mnemotécnica en la Antigüedad y la Edad Media); la *actio* o *pronuntiatio*, esto es, la ejecución oral y gestual del discurso.

A propósito de la *dispositio*, el orden en que se distribuye la materia merece, para terminar, algún comentario. Por ejemplo, en una narración, una disposición eficaz puede prescindir de la sucesión cronológica de los acontecimientos (*ordo naturalis*), orientándose a una exposición diferente (*ordo artificialis*), que, supóngase, comience *in medias res* (como en la *Odisea*) o contenga *flash back*, anticipaciones, etc. Hay que mencionar además el *ductus* o táctica del discurso: el orador puede decir seria y simplemente lo que piensa o sostener irónicamente la tesis opuesta (como Marco Antonio en el célebre discurso del *Julius Caesar* de Shakespeare, «Bruto es un hombre honrado»), etc.

En cuanto a la *elocutio*, se recordará al menos la distinción de los tres estilos, *humile*, *mediocre* y *grave*, que la tradición medieval asocia luego con situaciones y contenidos concretos. Los tres estilos se ejemplifican con las tres obras de Virgilio; las *Bucólicas* (estilo bajo), las *Geórgicas* (medio), la *Eneida* (alto). El empleo del modelo virgiliano, según señala Faral (1924: 87-8), remonta ya a los antiguos comentaristas de Virgilio, pero lo que en su origen era una cuestión de estilos se convirtió en la Edad Media en un asunto de rango social de los personajes.

Las virtudes del discurso comprenden la pureza gramatical y, en el plano propiamente retórico, la *perspicuitas*, el ornato (esto es, el empleo de figuras y colores retóricos) y el *aptum* (o sea, la congruencia del discurso con la situación comunicativa y con los fines que persigue). Al tiempo que se remite al glosario retórico para tratar de las figuras (metáfora, sinécdoque, ironía, etc.), cabe sintetizar las diferentes divisiones de la retórica en los esquemas de las páginas siguientes:

A)

B)

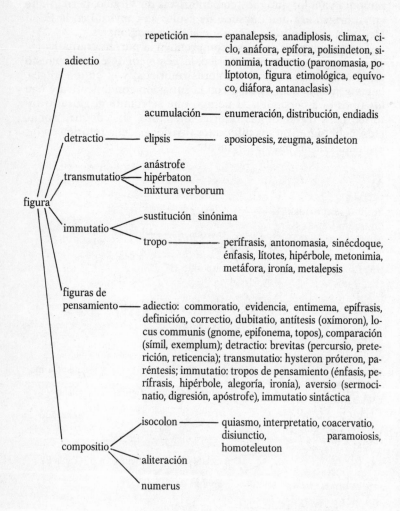

repetición —— epanalepsis, anadiplosis, climax, ciclo, anáfora, epífora, polisindeton, sinonimia, traductio (paronomasia, políptoton, figura etimológica, equívoco, diáfora, antanaclasis)

adiectio

acumulación—— enumeración, distribución, endiadis

detractio —— elipsis —— aposiopesis, zeugma, asíndeton

transmutatio — anástrofe / hipérbaton / mixtura verborum

figura

immutatio — sustitución sinónima

tropo —— perífrasis, antonomasia, sinécdoque, énfasis, lítotes, hipérbole, metonimia, metáfora, ironía, metalepsis

figuras de pensamiento—— adiectio: commoratio, evidencia, entimema, epífrasis, definición, correctio, dubitatio, antítesis (oxímoron), locus communis (gnome, epifonema, topos), comparación (símil, exemplum); detractio: brevitas (percursio, preterición, reticencia); transmutatio: hysteron próteron, paréntesis; immutatio: tropos de pensamiento (énfasis, perífrasis, hipérbole, alegoría, ironía), aversio (sermocinatio, digresión, apóstrofe), immutatio sintáctica

isocolon —— quiasmo, interpretatio, coacervatio, disiunctio, paramoiosis, homoteleuton

compositio — aliteración

numerus

18. Retórica y literatura

En el párrafo precedente se ha expuesto a grandes rasgos las divisiones tradicionales de la retórica, por así decir, su marco clásico de conceptos y de técnicas. Pero desde el principio hemos advertido que este aparato complicado y a veces farragoso ha tenido históricamente un campo de aplicación relativamente limitado y circunscrito a aquellos contextos sociales en los que la palabra desempeñaba un papel sustancial y determinante. Por supuesto, la historia de la oratoria no termina con la democracia ateniense o con la república romana; y existen tradiciones culturales o ámbitos profesionales específicos, en los que la técnica oratoria permanece viva, aunque probablemente se haya simplificado con respecto al modelo antiguo. En Gran Bretaña o en Estados Unidos, por ejemplo, es un requisito indispensable para un hombre político ser un buen orador, mientras que no parece serlo en España o Italia. Y es evidente que se sigue apreciando la oratoria en el área jurídica, por ejemplo, en el caso de un abogado, pese a que la especialización en esta profesión haya reducido considerablemente su importancia. Pero también es verdad que una retórica en sentido amplio no se puede escindir del lenguaje mismo; los primeros retóricos griegos ya encontraban abundantes ejemplos en Homero. Siempre que quien habla intenta convencer a quien escucha (un jurado, una asamblea, los fieles reunidos en una iglesia, los compradores potenciales de un producto comercial), evidentemente actualizará una serie de estrategias verbales que presenten mejor sus argumentos y los hagan más eficaces. Históricamente, sin embargo, como hemos dicho, la retórica se ha ido aproximando a las disciplinas literarias, para las que no había nacido en su origen, y alejándose de los ámbitos a los que estaba destinada sobre todo a servir. Este proceso ha traído consigo un desarrollo desmesurado de la *elocutio* en detrimento de las cuatro partes restantes en las que se articulaba la retórica antigua. De ser arte de la persuasión la retórica se ha transformado gradualmente en arte del decir, del hablar bien, así pues, en el arte de embellecer el discurso, y en primer lugar, del discurso literario. Simultáneamente, la vieja técnica de la persuasión caía en un descrédito creciente, a causa de la posibilidad de convencer de lo falso, peligro siempre presente en la retórica. Y no son pocas las culturas, orgullosas de sus propias verdades religiosas, filosóficas o políticas, que niegan que dentro de ellas haya lugar para un arte de persuadir.

La retórica hubo de esperar hasta bien entrado el siglo xx para alcanzar su revancha. Según se ha visto ya (§ 16), la obra del filósofo belga Perelman (Perelman y Olbrechts-Tyteca 1958; Perelman 1970) ha mostrado que un buen número de discursos que se presentan comúnmente como «demostraciones» no son otra cosa que argumentaciones, discursos «retóricos» en sentido estricto, en los que la conclusión no supone de hecho el punto de arribada lógico de unas premisas. En esta categoría entran los discursos judiciales, morales, filosóficos, políticos, etc., así como todos los tipos de discurso científico que no se configuren como sistemas axiomatizados. Se abre así un nuevo e inmenso territorio para la argumentación, al tiempo que se desenmascara el presunto carácter demostrativo de un gran número de empleos del lenguaje.

Por esta misma época, la retórica se ofrecía a la crítica estructuralista como un útil instrumento de análisis y como una importante referencia teórica. Mientras en los Estados Unidos e Inglaterra el *New Criticism* —y sobre todo Richards— había vuelto a introducir la retórica en el lenguaje crítico, en Europa desde los años veinte Jakobson insistía en la naturaleza esencial de dos figuras, la metáfora y la metonimia, asumidas como los polos opuestos en torno a los que se concentran dos tipos diferentes de discurso. Dado que desde Saussure en adelante se distinguen en el lenguaje dos tipos de relaciones, las paradigmáticas —de selección: *a* o *b* o *c*— y las sintagmáticas —de combinación: *a* con *b* con *c*—, la metáfora funciona sobre el eje paradigmático, procediendo por similaridad («Aquiles era un león», a partir de «Aquiles era fuerte, el león es fuerte»), la metonimia sobre el eje sintagmático, procediendo por contigüidad («tomar las armas» por «ir a la guerra»). En torno a estos dos polos, el metafórico y el metonímico, se puede agrupar la mayor parte de las figuras de la retórica tradicional. Por otra parte, según el lingüista ruso, la metáfora y la metonimia sirven para caracterizar dos orientaciones diferentes en la literatura.

Escribe Jakobson: «En poesía son varios los motivos que pueden determinar la elección entre estas posibilidades. La primacía del proceso metafórico en las escuelas literarias del romanticismo y del simbolismo se ha reconocido repetidas veces, pero todavía no se ha comprendido lo suficiente que en la base de la corriente llamada "realista", que pertenece a una etapa intermedia entre la decadencia del romanticismo y el auge del simbolismo y se opone a ambos, se halla, rigiéndola de hecho, el predominio de la metonimia. Siguiendo el camino de las relaciones de contigüidad, el autor realista pasa metonímicamente de la trama a la atmósfera y de los caracteres al encuadre espacio-temporal. Gusta de los detalles cuya función es la de una sinécdoque. En la escena del suicidio de Anna Karenina, la atención artística de Tolstoi se centra en el bolso de la heroína; y en *Guerra y paz*, el mismo autor emplea las sinécdoques "pelo en el labio superior" y "hombros desnudos" para referirse a los personajes femeninos a quienes pertenecen tales rasgos. La observación de que tales procesos predominan alternativamente no es únicamente válida para el arte verbal. Una idéntica oscilación se produce en sistemas de signos ajenos al lenguaje. Un destacado ejemplo de la historia de la pintura es la manifiesta orientación metonímica del cubismo, el cual transforma cualquier objeto en un conjunto de sinécdoques; los pintores surrealistas replicaron con una actitud decididamente metafórica. Desde las producciones de D. W. Griffith, el arte del cine, con su notable capacidad para cambiar el ángulo, la perspectiva y el enfoque de las tomas, ha roto con la tradición del teatro, consiguiendo una variedad sin precedentes de primeros planos en sinécdoque y, en general, de montajes metonímicos. En obras como las de Charlie Chaplin, estos métodos a su vez se han visto reemplazados por un nuevo montaje metafórico, con sus fundidos superpuestos, las comparaciones del cine» (1956: 97-8).

Como se ha visto, en Jakobson las nociones de metáfora y metonimia tienen una aplicación casi «metafórica»; pero tras Jakobson ha surgido una considerable serie de estudios en los que se ha intentado elevar la metáfora (o la metonimia, o ambas) a figura clave de toda la poética. En resumen, el desarrollo desmesurado de la *elocutio* en detrimento de otras partes de la retórica tiene su explicación en una concepción formalista del hecho literario, en la que, como ya se ha comprobado (§ 14), queda negada o muy disminuida la función referencial del mensaje. Tal función no parece ajena a un buen número de obras literarias tanto antiguas como modernas y, desde luego, es insoslayable en la retórica antigua: para convencer a alguien hace falta comunicar, y así el mensaje obtiene una finalidad práctica, modificar una determinada situación o las ideas del que escucha.

Hay que recordar, finalmente, que algunas ramas de la lingüística moderna (en especial, la lingüística textual) y la semiótica han hecho suya la herencia de la retórica en tanto que estudio de las estrategias comunicativas practicadas por los hablantes respecto a una situación y en tanto que estudio de sistemas connotativos.

BIBLIOGRAFÍA. Un buen manual de lógica, especialmente clásica, es el de Copi (1961), que, para mayor información sobre la lógica moderna, podrá completarse con Dalla Chiara Scabia (1974). Además de Perelman y Olbrechts-Tyteca (1958) y Perelman (1970), véase a Preti (1968) para un tratamiento distinto y en muchos aspectos opuesto. En Nagel y Newman (1958) se encontrará una discusión, marginal para nuestros fines, pero instructiva, sobre el teorema de Gödel. En lo referente a la historia de la retórica, podrá consultarse el breve pero sustancioso esbozo trazado por Florescu (1960). Entre los clásicos que han contribuido a la renovación de los estudios retóricos, se cuentan Richards (1936), Burke (1950), Wimsatt (1954). La neorretórica de inspiración formalista ha alcanzado en el volumen del Grupo µ de Lieja (1970) su síntesis más orgánica, pero en esta dirección, sobre todo en los años sesenta y en el área francesa, se ha acumulado una producción muy considerable. Es más crítica y en sustancia independiente la posición de Genette (1966); es de notar además Valesio (1986) y Pozuelo (1988a). Un instrumento de consulta indispensable son los manuales de Lausberg (1949; 1960); es útil —pero no está traducido al español— el pequeño léxico de Lanham (1968). Para el ámbito español, se dan definiciones y comentarios en Lázaro Carreter (1953), Fernández (1972), Spang (1979), y Marchese y Forradellas (1986).

FORMAS LITERARIAS

19. GÉNEROS LITERARIOS

El género literario se puede definir como una serie de relaciones, establecidas por convención entre el plano de la expresión y el del contenido, y además entre los varios componentes que forman cada plano. Por ejemplo, la forma de la canción cortés (plano de la expresión) se asocia con una materia (plano del contenido) elevada (amorosa, política, moral, filosófica); por otro lado, dentro del plano de la expresión, la elección del esquema estrófico de la canción implica rimas bastante rebuscadas, el empleo de ciertos versos y no otros, la posibilidad de enlazar las estrofas con expedientes de tipo variado, un lenguaje sostenido, etc.; dentro del plano del contenido, si se trata de una canción de amor, el personaje que dice *yo* es el poeta-amador, la dama será presentada, incluso en sus rasgos físicos, según modelos que admiten pocas variaciones, las situaciones descritas serán de cierto tipo, etc. El ejemplo aducido se presta bien a mostrar esta red de relaciones, aunque existen obviamente muchos otros géneros que siguen reglas mucho más elásticas. En cualquier caso, estas «reglas», estén o no codificadas por los tratadistas, pueden obtenerse de los propios textos. Todo texto se inscribe idealmente en una categoría textual que lo hace reconocible de inmediato para una audiencia, a cuyas expectativas responde aquél. De manera incluso más esquemática, lo mismo sucede con los géneros de la literatura popular y de masas, como la novela policíaca, la novela rosa, la pornográfica, etc.

Entendida en estos términos, la noción de género conserva toda su utilidad, incluso operativa, para el estudio y la teoría de la literatura y, de hecho, no se considera una embarazosa reliquia de las poéticas normativas clásicas y renacentistas. Por el contrario, en el plano descriptivo es donde se verifica su utilidad, a condición de no quedar prisioneros de las etiquetas tradicionales, que definen sólo algunos géneros —tragedia, comedia, lírica, etc.—, y de resaltar los rasgos de los géneros individuales en cada época o movimiento literario. Por encima de todo, gracias a esta noción, se puede medir la innovación literaria. En literatura, en realidad, lo nuevo suele introducirse mediante elaboración de algunos aspectos del género; por ejemplo, se suprimen ciertos elementos o se añaden otros nuevos o se toman prestados a géneros vecinos. Compárese, por ejemplo, el género canción cortés tal como es posible describirla sobre la base de los textos castellanos de los siglos xiv y xv con el género canción de los trovadores, que es su modelo. La canción provenzal tiene una estructura estrófica más libre que la castellana, está musicada, puede servirse a veces de una lengua que en Castilla habría sido admisible sólo en los géneros cómicos o realistas, contempla una variedad de situaciones en la relación amador-amada, impensable en la canción castellana. Esta última, respecto a su modelo, innova, añadiendo rasgos nuevos (por ejemplo, una organización estrófica más articulada) y suprimiendo otros (por ejemplo, muchos rasgos del contenido), elaborando otros géneros, como el decir o las preguntas y respuestas, en los que se dan contenidos amorosos, teológicos, morales, políticos, etc., mientras que para los trovadores los dos últimos temas se integraban en el género del sirventés (formalmente equivalente a la canción, pero construido con la métrica y melodía de una canción preexistente: la canción debía tener, en cambio, estructura estrófica y melódica original).

En otros casos, se puede dar vida a un género literario consolidado con un género del discurso (§ 13): es lo que sucedió con la novela epistolar, que es una narración construida con cartas presentadas como auténticas, con la novela-diario, con cierta poesía-*collage*, en la que se utilizan materiales verbales extraliterarios, etc. Habitualmente, la combinación involucra dos o más géneros literarios según un proceso de reducción (el poema caballeresco combina épica y novela cortés; una novela del siglo xx puede ser épica, tragedia o comedia, o incluso todo eso al mismo tiempo); o bien afecta a elementos del plano de la expresión y del plano del contenido (como, en un contexto contemporáneo, el empleo del verso para un relato o de la prosa para la lírica. La misma parodia o, si se prefiere, el macrogénero de la parodia, puede las más de las veces interpretarse como la utilización «fuera de lugar» del plano de la expresión, por ejemplo, si se emplea un lenguaje sublime para tratar de una materia trivial; o bien como la transgresión de algunas relaciones importantes entre los elementos del plano del contenido, si por ejemplo hacemos comparecer a personajes bajos en un contexto heroico o colocamos a personajes elevados en una situación cómica.

Si nos movemos en una perspectiva descriptiva, y no normativa, los géneros aparecen organizados en estructuras jerárquicas. Entre canción, lírica y poesía existen relaciones de inclusión de un término en otro: la canción ocupa un lugar en la casilla mayor de la lírica, que a su vez ocupa un lugar en la casilla mayor de la poesía. De ahí la noción de «subgénero», dotado de rasgos muy específicos que caracterizan, como una forma métrica particular, a cierto tipo de personajes o situaciones, o la noción de «macrogénero», que cubre varios géneros.

En el siglo XX, el proceso de reducción de los géneros literarios —excluidos naturalmente los de la literatura de masas— ha dejado con vida un número limitado de géneros, «novela», «cuento», «poesía», «teatro», con una articulación muy escasa en subgéneros, de problemática definición en ciertos casos: la noción de lírica, por ejemplo, difícilmente se puede relacionar con una parte de la producción poética contemporánea. La denominación de «novela» puede aplicarse a escritos en prosa en los que faltan los componentes más característicos del género (personajes, intriga y desenlace, etc.), como en las últimas novelas de Juan Goytisolo. Pero ésta es una situación de codificación débil (frente a situaciones de codificación fuerte, como las del Renacimiento o del siglo XVIII en España), que requiere procedimientos de análisis distintos de los empleados para otras épocas literarias, no una situación que excluya cualquier posibilidad de análisis genérico.

Por lo demás, la mezcla de los géneros es propia, en grados más modestos, de toda la literatura. En cualquier texto de cierta extensión no faltan de ordinario rasgos procedentes de géneros a veces lejanos: algunas formas líricas (como la serranilla medieval, o el idilio) contienen asomos narrativos, siquiera embrionarios; la novela presenta a menudo injertos líricos o dramáticos (los personajes se mueven en una «escena» y la narración a veces cede el lugar al diálogo); el teatro puede incluir amplias partes narrativas, confiadas a la voz de un personaje, etc.

20. Las categorías estéticas

Cada vez que hablamos de géneros literarios, nos referimos a aspectos diversos de la obra: temas y estructuras formales, tipos de destinatarios y modalidades de relación con el público, proyecto individual y tradición. Un género se deja reconocer en la encrucijada de todos estos factores, en un equilibrio lo bastante consolidado como para poder dar arranque a una clasificación de las obras según rasgos comunes fijados, en el plano histórico, por un fundador: la *Ilíada* y la *Odisea*, pongamos, para el poema épico, y así sucesivamente. Cabe hablar de los géneros, por otra parte, sólo como de formaciones inestables, que permiten la sustitución de unos rasgos por otros: muchas narraciones épicas incluyen temas próximos al cuento (como la *Odisea*); el paso de la transmisión oral a la escrita modifica profundamente la relación con el público; y sería muy difícil, en definitiva, hallar en *La Araucana* rasgos comunes con *La Eneida* que al mismo tiempo sean peculiares y no sólo «genéricos».

Al menos a nivel intuitivo, quizá sea útil introducir una distinción entre géneros y categorías. La literatura humorística, por ejemplo, es un sistema de géneros, distinto de los demás y, de ordinario, subordinado jerárquicamente: su dominio abarca de la sátira y el epigrama a las diferentes formas de poesía burlesca y de teatro cómico. Allí donde rige una codificación global de los géneros, con una separación rigurosa de los estilos, el humorismo literario tiende por lo general a replegarse en este dominio específico. Cuando, en cambio, el canon aún no está fijado de manera normativa o empieza a disolverse, mantiene una asidua comunicación con los demás géneros. Boccaccio, Cervantes, Shakespeare, ofrecen ejemplos ilustres de intercambios y contaminaciones en una variada gama, ya sea que tomen consistencia en una mezcla programática de los estilos, ya sea en la búsqueda de un registro «medio». Paralelamente, los géneros cómicos a veces escapan a la disciplina del arte, confundiéndose en último término con el folklore y el espectáculo.

Más en general, la distinción entre géneros y categorías permite reconocer y justificar un hecho incontrovertible: rara vez, si no jamás, una obra puede reducirse por entero, en todas sus partes, a un género único (§ 19); e incluso las categorías que por su mismo nombre —repárese en palabras como lírico, épico, trágico o cómico— parecen asociadas esencialmente a ciertos géneros, a menudo se aplican con provecho a partes o aspectos de una obra que pertenece a géneros distintos. El suceso representado por una tragedia puede ser «novelesco», «lírico» el carácter de un personaje y «dramático» el estado de conciencia reflejado en un soneto. Para no hablar, claro está, de los usos extraliterarios de tales términos.

Cabe trazar una breve lista de las categorías más frecuentes (aparte de las de trágico, lírico, épico, cómico): sublime, patético, sentimental, majestuoso, gracioso, idílico, elegíaco, agradable; por supuesto, claro, bello y feo. Y también: elegante, bufo, grotesco, grandioso, solemne. Se trata, con toda evidencia, de una lista abierta. Pero la verdadera dificultad no consiste en dar una lista completa, sino en definir los términos mismos y sus relaciones.

No podría darse en realidad lista más heterogénea: algunas palabras aluden al objeto representado, otras al modo de la representación (aunque ambos aspectos por norma son relevantes: usar un estilo grandilocuente para describir la guerra entre los ratones y las ranas significa obtener un efecto de parodia, como en la *Batracomiomaquia* seudo-homérica); algunos términos designan categorías, pero a menudo se usan también como juicio (bello y feo), y convendría evitar naturalmente cualquier confusión al respecto; algunos términos son compatibles mutuamente y suelen combinarse entre sí, otros, en cambio, se contraponen. En fin, por lo común remiten a la historia del sistema literario, que les atribuye significados diversos en el tiempo.

Aún es posible hacer algún comentario ilustrativo. Por ejemplo, la representación de lo feo se limita en las poéticas clasicistas a los géneros cómicos. Según la expresión feliz de Debenedetti (1977), la novela moderna experimenta, en cambio, una auténtica «invasión de los feos». De ordinario los nuevos ciudadanos del universo narrativo son, en definitiva, los hijos emancipados de aquellas clases sociales que la tradición confinaba precisamente a la novela corta burlesca o a la comedia bufa. Así pues, a veces aún se adivinan en sus rasgos fisonómicos las máscaras deformes con que sus no lejanos antepasados se asomaban a la escena literaria. Éste es sólo un ejemplo de cómo la historia de lo feo en el arte implica varios niveles de la obra. Así, lo patético afecta a las cualidades del objeto representado, lo sentimental, en cambio, a la actitud supuesta del sujeto que representa. Pero es evidente que la segunda categoría se halla estrechamente ligada a un acento totalmente moderno puesto en el autor individual y que enlaza con un comportamiento no menos moderno.

Siguiendo a Staiger (1946), podríamos invertir la cuestión: no son vagos o imprecisos estos términos, sino los objetos que con ellos pretendemos asir. «Para decirlo con palabras de Husserl, la "significación ideal" "lírico" puedo haberla experimentado ante un paisaje; lo épico, ante una masa de fugitivos; una disputa puede quizá sugerirme el sentido de lo dramático. Tales significaciones son indiscutibles. Como ha mostrado Husserl, no tiene sentido decir que estas significaciones pueden ser vacilantes. Lo que puede ser vacilante es el contenido de las creaciones poéticas que yo valoro con arreglo a esa idea. Lo individualmente considerado puede ser más o menos lírico, épico o dramático. [...] Pero la idea de lo "lírico", una vez que la he captado, es tan inconmovible como la idea del triángulo o como la idea del "rojo", es objetiva, independiente de mi capricho o antojo» (*ibid.*: 23).

Una hipótesis de tal tipo, por otro lado, acabaría por desplazar el análisis a un plano filosófico que no es el nuestro. «Sentimos» que la casualidad nunca es trágica y que lo trágico implica una idea de necesidad (aunque nunca hayamos oído hablar de ἀνάκυη). ¿Pero cómo se justifica una «sensación» tan impalpable? El camino mejor quizá es otro.

Volvamos por un momento al concepto de «ejemplificación» introducido más arriba (§ 2). Dijimos que un objeto, y en particular un objeto verbal, ejemplifica las propiedades que posee. Pues bien, cuando afirmamos «este cuadro es triste» o «los versos de *Llanto por Ignacio Sánchez Mejías* son solemnes», ¿qué entendemos? Se podría responder que el cuadro «expresa» tristeza o que los versos de García Lorca «expresan» solemnidad: pero, en suma, ¿qué significa «expresa»? ¿No estamos aludiendo simplemente a impresiones subjetivas e incontrolables? Quizá hay un modo de dar un sentido preciso a «expresar», reduciéndolo al área de la ejemplificación. Decimos que un cuadro es literalmente verde y, por tanto, *ejemplifica* el predicado «verde». Desde luego, el cuadro no es triste y por tanto no puede ejemplificar realmente la tristeza; podemos, sin embargo, usar legítimamente el predicado «triste» como un predicado metafórico y entender la tristeza como una propiedad poseída no literal, sino metafóricamente. El cuadro ejemplifica «verde», pero *expresa* tristeza.

En el plano conceptual, ese procedimiento parece bastante lógico. Se objetará que el recurso a la metáfora nos lleva bastante lejos de la posibilidad de controles claros. ¿Cómo voy a establecer si el predicado «triste» es cierto? Tal dificultad, sin embargo, resulta más aparente que real. Cualquiera puede fácilmente comprobar que también en el orden metafórico, y no sólo en el literal, existen criterios de verdad: el enunciado «el abedul (o bien, la acacia) es la muchacha de los bosques» es, en *cierto* sentido, verdadero, mientras que sería falso el enunciado «el abedul es la matrona de los bosques». No es necesario que los criterios de la verdad sean totalmente claros, porque tampoco lo son los criterios de la verdad literal: lo importante es que exista algún criterio. Puedo decir que en el *Llanto* el verso de Lorca expresa solemnidad, pero no brío o desenvoltura maliciosa.

El verdadero problema, por consiguiente, no es tanto un problema de definición, como de relevancia. Los predicados o las categorías que uso deberán ser significativos, revelar, iluminar; en especial, deberán hacerme descubrir propiedades algo más complejas que la simple «tristeza». Pero esta dificultad hace interesante la interpretación de una obra. Si nos limitásemos a aplicar los predicados que convengan sólo literalmente, nuestra lectura se empobrecería hasta aparecer casi vacía. Es decisivo, por ejemplo, poder establecer que el *Adagio* del Concierto K 216 para violín y orquesta de Mozart expresa «dulzura» mientras que el *Adagio* del Concierto K 488 para piano y orquesta expresa «tristeza»: si no advierto la diversidad de intenciones emotivas, desconozco toda la exploración mozartiana más allá del convencionalismo sentimental del que arranca. Y la costumbre de usar correctamente las categorías estéticas es más necesaria que nunca hoy, en que nuestra cultura de las letras (§ 19) casi ha abandonado (al menos en muchas de sus formas) la división en géneros que, en cierto modo, la organizaba en una jerarquía preestablecida de relaciones.

21. GRAMÁTICA Y ESTILO

Una gramática fija las reglas sintácticas de combinación entre los símbolos de una lengua y nos proporciona las instrucciones para asignar a esos símbolos y sus combinaciones los correspondientes significados denotativos. Cuando escucho o me siento ante un texto literario (por supuesto, no sólo literario), la primera operación que me dispongo a realizar es su desciframiento (o descodificación) sobre la base de tal gramática.

A medida que el texto toma forma ante mis ojos, revistiendo dimensiones y profundidad más allá de la sucesión lineal de letras y sonidos, se van manifestando, como vimos más arriba (§§ 2, 20), significados de otro orden, ejemplificados o expresados por el texto, cuyo papel en la comunicación será más o menos evidente, pero en todo caso no de poco relieve.

No hace falta decir que estos dos momentos se hallan estrechamente imbricados entre sí. Se ha dicho, además, que los aspectos más propiamente lingüísticos del texto no siempre son derivables de la gramática de un modo mecánico; incluso cuando nos limitásemos a descodificar el mensaje, sin interpretarlo en otros planos (§ 54), muchas decisiones podrían tomarse sólo en relación con el contexto discursivo o simplemente circunstancial. Hay que añadir que cada mensaje, por encima de su sentido gramatical, se califica además como una acción. Será una invitación, una orden, una petición, una promesa, una amenaza, una afirmación o una pregunta; y no siempre su forma lingüística determina de forma inequívoca el tipo de acción desarrollado por el mensaje («Hace frío en esta habitación» puede no ser una afirmación, sino una incitación educada a cerrar la ventana). La lingüística contemporánea, de Saussure a Chomsky, ha analizado sobre todo el mensaje en términos gramaticales —como «acto locutivo»—; pero hoy cada vez se concede más importancia a estos aspectos del mensaje —considerado como «acto ilocutivo»—: véanse los desarrollos recientes de la lingüística del texto y de la pragmática de la comunicación, que por lo demás deben mucho a las perspectivas sugeridas por la filosofía del lenguaje (§ 15).

Si el ideal de la gramática como cálculo (§ 53), común tanto a la teoría estructural como a la generativa, encuentra graves obstáculos empíricos (cfr., por ejemplo, las consideraciones de Lo Piparo 1974, y De Mauro 1982), con mayor razón la pura y simple práctica interpretativa, en su conjunto, se entrega a operaciones de difícil recomposición en un cuadro de reglas formalizadas. Ello no impide, por otra parte, que muchas referencias ejemplificativas o expresivas se gobiernen a su vez por sistemas institucionales, comparables a gramáticas: pensemos, por ejemplo, en la métrica o las convenciones del *bel canto* en la ópera, donde podríamos hablar legítimamente de códigos y de descodificación.

En el plano teórico, la noción de estilo no implica en modo alguno la de separación o desvío de la norma. Por el contrario, hasta la época moderna por «estilo» siempre se ha entendido la adecuación a normas públicas, tradicionales, que según los casos lo definían como humilde, mediocre, grave (§ 17). Estas normas, a su vez, no presuponían ninguna violación del código lingüístico; si acaso, se agregaban a éste como un «código» suplementario: un sistema de restricciones, por tanto, más que de desvíos. Así, un verso como «Escrito está en mi alma vuestro gesto» es una frase producida por la gramática de la lengua española al mismo título que cualquier otra: verdad es que hablar o escribir en endecasílabos no constituye la norma en la práctica lingüística corriente y que en este sentido se puede hablar de desvío. Pero el uso del verso se caracteriza desde luego por el respeto a preceptos restrictivos, no por el hecho de ser más raro, del mismo modo que los números primos se diferencian de los demás números porque sólo son divisibles por la unidad y por sí mismos, no por el hecho de violar alguna norma o ser más raros que los demás.

Naturalmente, las poéticas románticas nos han acostumbrado a una acepción totalmente distinta de estilo: tiene valor estilístico la coloración original, idiosincracia, a través de la cual se manifiestan la creatividad personal del escritor, su gusto, su visión general del mundo o la peculiaridad de un sentimiento profundamente vivido. Se hace hincapié ahora, más que en el sistema o en el código, en la individualidad irrepetible de las realizaciones singulares. También aquí, sin embargo, sería totalmente improcedente hablar de desvío: «verme morir entre memorias tristes» es un verso que reconocemos casi a primera vista como de modo inconfundible garcilasiano, pero no se desvía en modo alguno de la norma del endecasílabo; si no percibiéramos el respeto de las reglas métricas, tampoco podríamos captar aquello que lo singulariza.

Cabe matizar todo ello distinguiendo (§ 53) las reglas que, por ejemplo, conforman el endecasílabo como tal, de otros tipos de reglas que, simplemente, gobiernan la práctica de la versificación dotándola, por uno u otro ideal estético, de armonía y coherencia entre las partes o de intensificación expresionista de la materia verbal, de naturaleza clásica o de autenticidad patética, de noble *concinnitas* («elegancia») o de manipulación lúdica de la lengua. La elección de una opción contrapuesta al ideal a la sazón dominante podrá considerarse entonces como un desvío respecto a este segundo tipo de normas.
    También el primer tipo de normas, sin embargo, puede violarse. Pero eso será precisamente un comportamiento deliberado propio de las vanguardias modernas: el verso libre (§ 30), por ejemplo, representa una violación consciente de un sistema de normas seculares; y la desviación podrá afectar a las estructuras mismas de la lengua, perturbando hasta la raíz la comunicación habitual (§ 23). Este desarrollo, que tiende a caracterizar la literatura como «otro» discurso, o simplemente, «no comunicante», se valora en relación con el contexto histórico que lo ha promovido y le confiere un sentido bien determinado. Si, en cambio, se hubiera proyectado de modo indiscriminado hacia el pasado, la poética del desvío daría resultados paradójicos aboliendo cualquier distinción no sólo entre épocas y contextos diversos, sino entre las obras mismas: cualquier obra, en cuanto desviada de la norma, sería en realidad intercambiable con cualquier otra; en vez de leerse por sí misma, en su autónoma legalidad estética (§ 55), se reduciría a mero ejemplo de una teoría.

Decimos, por otra parte, que cuando un sistema de referencias ejemplificativas o expresivas se ha institucionalizado, se cesa de percibir su presencia como un valor estilístico. En sí mismo, el hecho de que un texto poético del siglo XVI esté escrito en endecasílabos nos parece casi carente de «significado» particular (del mismo modo, al fin y al cabo, toda frase española ejemplifica «lengua española», pero esto nos parece tener bien poco que ver con la noción de estilo). Viceversa, cuando Lorca o Alberti recuperan las estrofas y la métrica tradicional española, la cosa adquiere de inmediato un sentido connotativo (y lo mismo sucede cuando Dante escribe en provenzal, Aldana en italiano o un poeta de vanguardia introduce en sus textos citas en lengua extranjera).

Desde este punto de vista, la dinámica de lo antiguo y lo nuevo puede considerarse consustancial al hecho literario. Pero, por supuesto, se han de valorar adecuadamente los dos momentos: lo mismo la necesidad de que la obra remita a códigos y convenciones de reconocimiento entre autor y público, que la necesidad de «resemantizar» esta referencia para evitar la mengua de la comunicación.

En el plano del análisis, sin embargo, quizá resultan más interesantes los intentos realizados en la dirección de una fenomenología histórica de los estilos: la extraordinaria síntesis de Auerbach (1946), por ejemplo, centrada en el doble modelo de la separación y la amalgama de los estilos; o la no menos sugestiva investigación sobre la «carnavalización» de la literatura conducida por Bajtín (1929; 1965).

El principio de la división de los estilos se remonta a «la teoría antigua del nivel en la representación literaria, teoría que fue readoptada posteriormente por toda corriente clásica»; según esta teoría, «lo real cotidiano y práctico sólo puede encontrar su lugar en la literatura dentro del marco de un género estilístico bajo o mediano, es decir, como cómico-grotesco, o como entretenimiento agradable, ligero, pintoresco y elegante» (Auerbach 1946: 522). A esa teoría se ha venido contraponiendo el realismo moderno: «Al convertir Stendhal y Balzac a personas cualesquiera de la vida diaria, en su condicionalidad por las circunstancias históricas de su tiempo, en objetos de representación seria, problemática y hasta trágica, aniquilaron la regla clásica de la diferenciación de niveles» (*ibid.*). Tal revolución, no obstante, tiene un precedente no menos importante: «los límites que los románticos y los realistas derribaron entonces habían sido levantados hacia fines del siglo XVI y en el siglo XVII por los partidarios de la imitación estricta de la literatura antigua. Antes, lo mismo durante toda la Edad Media que durante el Renacimiento, hubo también un realismo serio; había sido posible representar los episodios más corrientes de la realidad bajo un aspecto serio e importante, tanto en la poesía como en el arte plástico: la regla de los niveles no tenía validez universal». Esta primera brecha en la teoría clásica se remonta propiamente al final del mundo antiguo y tiene su origen en la difusión del Evangelio: «había sido la historia de Cristo, con su mezcla radical de cotidiana realidad y de tragedia la más elevada y sublime, la que había derribado la antigua barrera estilística» (*ibid.*: 522-3).

Para Auerbach, se distingue el realismo medieval del moderno por la noción capital de «figura», según la cual «un episodio que haya tenido lugar sobre la tierra, sin perjuicio de su fuerza real concreta "aquí y ahora", no sólo se implica a sí mismo, sino también a otro, al que anuncia o repite corroborándolo». Así, por ejemplo, en la exégesis cristiana Adán es una «figura» de Cristo y Eva, de la Iglesia; para Dante, el Imperio universal de Roma será «figura» del reino de Dios, etc.: «La conexión entre episodios no es imputada a una evolución temporal o causal, sino que se considera como la unidad dentro del plan divino, cuyos miembros y reflejos son todos episodios; su unión terrenal inmediata y recíproca tiene escasa significación, y su conocimiento es muchas veces ocioso para la interpretación» (*ibid.*: 523). Desde este punto de vista, el realismo moderno se contrapone tanto a la jerarquía clásica de los géneros como a la concepción figural del medievo literario, sumiendo la representación en el tiempo y en las relaciones causales propias de nuestra experiencia del mundo.

Si Auerbach desarrolla de modo original las premisas del método de la crítica estilística, Bajtín arranca, en cambio, del análisis morfológico de los formalistas rusos. Su punto de partida lo constituye, sin embargo, un fenómeno de carácter no literario, sino de índole antropológico-social: el carnaval. «El carnaval es un espectáculo sin escenario ni división en actores y espectadores. En el carnaval, todos participan, todo el mundo comulga en la acción. El carnaval no se contempla ni tampoco se representa, sino que se *vive* en él según sus leyes mientras éstas permanecen actuales, es decir, se vive la *vida carnavalesca*. Ésta es una vida desviada de su curso *normal*, es, en cierta medida, la «vida al revés», el «mundo al revés» (*monde à l'envers*). Las leyes, prohibiciones y limitaciones que determinan el curso y el orden de la vida normal, o sea, de la vida no carnavalesca, se cancelan durante el carnaval: antes que nada, se suprimen las jerarquías y las formas de miedo, etiqueta, etc., relacionadas con ellas, es decir, se elimina todo lo determinado por la desigualdad jerárquica social o por cualquier otra desigualdad (incluyendo la de edades) de los hombres» (Batjín, 1929: 172-173).

Las categorías carnavalescas —la abolición de la distancia en beneficio del contacto libre y familiar, la conducta excéntrica, la combinación insólita de lo sagrado y lo profano, de lo alto y lo bajo, la profanación paródica— se han trasplantado en el curso de los siglos al interior de la literatura a través de géneros particulares (la sátira menipea y el diálogo socrático), así como de todas las formas de lo cómico. En la época moderna, sobre todo, la carnavalización se refleja en la novela (§ 46), sin contar todas aquellas experiencias que efectúan la mezcla de los estilos, de los niveles, de los géneros, al oponer a la tradición «monológica», jerárquica, subordinada a un único punto de vista, que caracteriza a la literatura oficial, la naturaleza «dialógica», la pluralidad, la disparidad.

Se ha subrayado, sin embargo, que las categorías carnavalescas no son menos rituales y convencionales que las que rigen el mundo de la realidad: aquéllas representan una suspensión provisional, acotada por límites precisos, que corrobora en negativo las leyes normales. En suma, es la «fiesta» que en todas las sociedades arcaicas permite la liberación de las tensiones acumuladas, con la intención de confirmar y regresar luego a las jerarquías preexistentes. Así, en la parodia, la inversión toma su forma de lo que derriba; y no por eso son los equivalentes literarios del carnaval menos «literarios» que otras formas. Es verdad que, tras citar algunas manifestaciones ejemplares de la literatura carnavalesca (como es el caso de Rabelais), Bajtín hace el esbozo de una cultura popular sumergida, radicalmente laica, vinculada a la reivindicación de lo «bajo», del «cuerpo», de la vitalidad elemental. Pero si, en cierta medida, el proceso de carnavalización se relaciona con la emancipación de las clases inferiores que caracteriza a la historia europea después del ocaso de la civilización aristocrática, su signo no es necesariamente eufórico y optimista. Por el contrario, puede ser el signo de lo problemático, del desgarro existencial (es el caso, por ejemplo, de Dostoievski) y no excluye la interferencia de otras complejas evoluciones culturales (§ 47).

El ritmo casi hegeliano a que Auerbach reduce todas las vicisitudes de la literatura occidental, así como cierto énfasis populista, en Bajtín, que a veces puede engañar al lector, quedan de manifiesto ciertamente en un balance de sus obras. Pero esas generalizaciones poseen el valor de lograr crear un nexo luminoso entre el dato individual y las categorías formales. La capacidad de intensificar la vida del texto, colocándolo en una dimensión paradigmática, justifica tales modelos y los hace aun hoy insuperables.

BIBLIOGRAFÍA. Trata bien la problemática de los géneros literarios Corti (1976: 151-81), al que cabe añadir Segre (1985: 268-96) y, desde la perspectiva comparatista, Guillén (1985: 141-181); pero también son relevantes los ensayos de Jauss (1970a), Stempel (1970-71), los libros de Hempfer (1973), Dubrow (1982) y Fowler (1982) y la recopilación crítica reunida por Garrido (1988). Acerca de los géneros narrativos medievales, se remite a las antologías críticas preparadas por Picone (1985) para el cuento, Limentani y Infurna (1986) para la épica y Meneghetti (1987) para la novela. Versan sobre aspectos especiales de la teoría de los géneros Frye (1957) y Genette (1979); véase finalmente Di Girolamo (1978: 98-113). Sobre la cuestión de las categorías estéticas, además de Staiger (1946), hay que indicar Mattioli (1976); para un tratamiento más técnico de la metáfora y de la expresión, Goodman (1968: 88-108). Entre los estudios de crítica estilística son fundamentales los de Spitzer (1948), Auerbach (1946; 1958), Alonso (1950) y, complementando a éste, Bousoño (1952); entre los representantes de la Stilkritik italiana, recordemos sobre todo los nombres de Devoto, Fubini, Contini. Aún sobre estilística, hay que añadir el tratamiento histórico y teórico de Terracini (1966) y finalmente Avalle (1970). Frente a las concepciones de la estilística, una visión fenomenológica en Martínez Bonati (1960). Para una historia de la tradición literaria han de tenerse en cuenta ante todo obras clásicas como Curtius (1948) y nuevamente Auerbach (1946); sobre una cuestión particular, pero capital en el estudio de la literatura, las fuentes, puede verse la colección de estudios reunida por Di Girolamo y Paccagnella (1982); sobre la influencia de la tradición, además, Bloom (1973).

EJECUCIÓN, DESTINACIÓN, PROYECTO

22. ORALIDAD Y ESCRITURA

La historia de la poesía, y por tanto, de la literatura, comienza con la poesía oral. Y en efecto, cabría preguntarse si la mayor parte de las técnicas y características de la poesía (metro, rima, paralelismo gramatical, etc.), incluso de la poesía contemporánea, no son más que fósiles en los textos destinados a la lectura silenciosa; en el origen, en la poesía oral estaban condicionadas por la peculiar forma de existencia puramente oral del texto. Ciertamente, la civilización literaria de la escritura ha elaborado aspectos propios originales, por ejemplo, dando relevancia a la grafía y haciendo del libro, primero manuscrito y luego impreso, un objeto estético además de un mero instrumento o canal de comunicación; pero subsiste el hecho que los elementos de base de la poesía, empezando por el verso, hunden sus raíces en la oralidad.

Según la brillante definición de uno de los mayores especialistas, Albert B. Lord, la poesía oral «es poesía compuesta durante su ejecución por gente que no sabe leer ni escribir» (1965: 591).

«Esta definición —continúa Lord— *excluye* la poesía compuesta *para* la presentación oral, así como la poesía que es pura improvisación fuera de las pautas tradicionales. Toda la poesía oral se canta o, al menos, se canturrea. [...] El rasgo más distintivo de la poesía oral es la fluidez del texto. [...] La fluidez del texto, o, para decirlo al revés, la ausencia de un texto definitivo, deriva de la técnica de composición oral, que el poeta aprende durante largos años de aprendizaje. [...] Se trata de una técnica de improvisación por medio de "formulas", esto es, frases que dicen lo que el poeta quiere y necesita decir, adecuadas a las diversas condiciones métricas de su tradición. Esos sintagmas "estereotipados" se han entendido a menudo como ladrillos con los que los poetas construyen sus versos. A decir verdad, probablemente son menos estereotipados de lo que se pensó al principio. Para empezar, las "fórmulas" invaden toda la poesía: en la poesía oral cada verso y cada parte de éste son "formulares". [...] Los sintagmas más a menudo usados, los que el cantor o el poeta oye con más frecuencia cuando aprende y por tanto aprende antes, establecen los módulos de la poesía, las peculiares formas y configuraciones sintácticas, rítmicas, métricas y acústicas. [...] Cuando el aprendiz de poeta se haya vuelto un experto en pensar según las pautas tradicionales, [...] será completamente dueño de su arte. Compondrá con naturalidad en las formas de su tradición, inconscientemente, y a menudo a una velocidad muy sostenida» (Lord 1965: 591-92).

Como aún recalca Lord, los otros dos rasgos principales de la poesía oral son el paralelismo y la parataxis. El paralelismo gramatical consiste en la correspondencia, o si se prefiere, en la repetición con ligeras variantes de la misma construcción sintáctica; pero existen otras formas de paralelismo, como el paralelismo rítmico (entre un verso y otro), el fónico (aliteraciones, la misma rima), etc. Una forma muy elemental de paralelismo gramatical está ilustrada en el *Ecclesiastés*, 3:

> Omnia tempus habent,
> et momentum suum cuique negotio sub caelo:
> tempus nascendi et tempus moriendi,
> tempus plantandi et tempus evellendi, quod plantatum est,
> tempus occidendi et tempus sanandi,
> [...]

Más complejo es el paralelismo del *Pater noster* (Mateo, 6, 9-13):

> Pater noster, qui es in caelis,
> sanctificetur nomen tuum,
> adveniat regnum tuum,
> fiat voluntas tua
> sicut in caelo et in terra.

> Panem nostrum supersubstantialem da nobis hodie;
> et dimitte nobis debita nostra,
> sicut et nos dimittimus debitoribus nostris;
> et ne inducas nos in tentationem,
> sed libera nos a Malo.

Se observará cómo el primer período se caracteriza por el recurso a la tercera persona singular y por la repetición del pronombre personal; el segundo por la insistencia en el imperativo seguido del objeto y de la correspondencia entre los dativos. Las dos muestras bíblicas propuestas aquí (es ocioso advertir que no son poesía oral en el sentido de Lord) proporcionan también un ejemplo de parataxis, es decir, una trama sintáctica que se sirve principalmente de la coordinación, a diferencia de la hipotaxis, basada en la subordinación. Una consecuencia de la parataxis en la poesía oral es que el encabalgamiento (§ 27) es una práctica excepcional o muy rara: casi cada verso podría, así pues, terminar con un punto, desde la perspectiva sintáctica, y, hecho aún más notable, verso y frase se controlan recíprocamente.

La falta de distinción entre composición y ejecución hace que el texto no sea nunca el mismo en cada ejecución; por eso tendremos tantas «variantes» como veces se ejecuten, sin que, no obstante, puedan contrastarse las variantes con un original que, por definición, no existe. Las variantes pueden diferenciarse especialmente por ampliación, agregación o supresión de partes, de episodios, etc., y quizá por la actualización de los contenidos de acuerdo con los cambios en las condiciones sociales, en las contingencias históricas, en las creencias religiosas de una comunidad determinada. Pero el mero acto de la transcripción de un texto oral, o mejor dicho, de una variante, conduce a modificar sustancialmente su naturaleza: si la tradición oral de aquel texto decae, será la transcripción, realizada por un poeta culto o por un recopilador la que constituirá el «original», y se entra así en los procesos que regulan la transmisión manuscrita (§ 7), complicados tal vez por virtuales contaminaciones con una tradición oral aún viva.

La teoría de Lord, inspirada en los estudios de su maestro Milman Parry, se refiere principalmente a los poemas homéricos y ha sido comprobada en vivo en la poesía oral yugoslava. Por lo que respecta a la *Ilíada* y la *Odisea*, la hipótesis de Lord (1960: 156) es que Homero fue un poeta oral y por consiguiente los poemas homéricos se transcribieron probablemente antes del 700 a.C., por iniciativa de un grupo ciertamente ajeno al ambiente de los cantores orales, quizá bajo el influjo de las civilizaciones judaica y asiria, en las que ya desde mucho tiempo atrás se solían copiar textos religiosos, mágicos, épicos. La tesis de Parry y Lord, que para los textos antiguos, que no cabe recoger y estudiar en vivo, descansa fundamentalmente en la identificación de fórmulas en una obra, se ha extendido con éxito a la épica medieval, comprendida la épica románica, aunque el porcentaje de versos formularios, esto es, que contienen epítetos o sintagmas recurrentes en más de una ocasión (si es que la repetición no afecta al verso entero), es sensiblemente inferior a la de los poemas homéricos, en los que alcanza el 80-90 %; no faltan tampoco objeciones de otro tipo (la estrecha relación de la épica románica y la cultura latina medieval, que obviamente es la cultura *literata* por excelencia).

A pesar de esas dificultades, la teoría de Parry y Lord representa la primera y más orgánica aproximación científica a la poesía oral. Algunas correcciones han sido sugeridas recientemente por Finnegan (1977), que ha observado cómo junto a la ejecución-composición se revaloriza el viejo concepto de la memorización y cómo entre la poesía oral y la escrita hay continuos intercambios (hasta el punto que poetas cultos pueden servirse intencionadamente de fórmulas tradicionales), de modo que sería erróneo verlas como realidades irreconciliables.

Pero entre oralidad y escritura existen también otras clases de relación, si se piensa que la propia poesía escrita, de autor, a menudo se ha servido del vehículo oral como medio, a veces exclusivo, de difusión y, por tanto, de «publicación». Éste es el caso, por ejemplo, de la lírica provenzal, francesa, alemana, galaicoportuguesa, y, dejando a un lado la épica, de la narrativa breve francesa en la Edad Media, como también de los cantares italianos en octavas de los siglos XIV y XV y las composiciones cancioneriles castellanas, textos todos que se confiaban a la ejecución de un juglar. En las poesías líricas, condicionantes también desde el punto de vista vocal-musical, el respeto por el original debía de ser considerable. Pero muy de otro modo debía de suceder con los textos narrativos, que se destinaban a una audiencia abigarrada, lo mismo al público de corte que a los transeúntes casuales de la plaza del mercado: un juglar que se hallaba en trance de recitar, por ejemplo, un *fabliau*, un relato en verso de argumento chistoso o cómico, tenía que adecuarse a sus receptores, cargando, según los casos, la mano en el componente obsceno o en el «cortés», ampliando o condensando, etc. Los juglares, a diferencia de los copleros ambulantes, no eran analfabetos, podían por ello tener bajo mano un texto escrito; su ejecución no cabe entenderla como una ejecución-composición, aunque seguramente quedaba un margen para la improvisación. Lo que, sin embargo, se aprecia es que esos textos tuvieron, paralela o alternativamente, una doble forma de existencia: primero escrita, luego oral o escrita y oral al mismo tiempo, en fin, nueva y definitivamente, escrita. No cabe, así pues, excluir que entre uno y otro eslabón de la tradición manuscrita se interponga una fase de transmisión oral, aunque casi nunca pueda demostrarla o advertirla el editor del texto, que sólo reconstruirá la historia manuscrita a través de los testimonios de que dispone.

Tanto si las intervenciones innovadoras se imputan, al menos en parte, a una fase de transmisión oral, como si dependen exclusivamente del trabajo de los refundidores, el resultado es que de muchas obras narrativas medievales nos quedan redacciones, o si se quiere «variantes», que se diferencian sustancialmente entre sí por extensión, estilo, ordenación del contenido, etc. Para los cantares, por ejemplo, la tradición «tiene carácter típico de redacción y reelaboración, porque se verifica durante la transmisión escrita algo similar a lo que sucede en el acto de la recitación, cuando el cantor adapta el texto a las circunstancias y exigencias del público, introduce variantes y digresiones, renueva e intercala, suple con *topoi* (o "lugares comunes") y con recursos de la improvisación "de asunto" los fallos de la memoria» (Brambilla Ageno 1975: 234). Ahí se ve que también al texto descrito se aplican procedimientos y técnicas usadas en la ejecución oral.

Según Lord (1965: 591), la poesía oral está condenada a desaparecer en un mundo fundado en la escritura y hoy, más en general, en el registro y la conservación, a través de la película o la cinta magnética, de la imagen o la palabra hablada, por más que no falten ejemplos circunscritos de una tradición oral aún viva. La poesía oral, insiste Finnegan (1977: 272), en cierto sentido está alrededor de nosotros, en las retahílas infantiles, en las baladas populares, en algunas formas, propias sobre todo de la cultura negroamericana, de canciones improvisadas. Según Zumthor (1983), se han abierto espacios a la oralidad gracias a la difusión de los medios de comunicación de masas; y la dimensión oral, la viva voz, aún es capital en la civilización de la escritura. En este sentido, el patrimonio folklórico no constituye más que un aspecto —desde luego, el más considerable, pero no el único— de un fenómeno que convive, de manera a veces invisible, con la palabra escrita.

A este respecto, es útil la tipología esbozada por Zumthor, que distingue: «*a*) una oralidad *primaria* e inmediata, o *pura*, sin contacto con la "escritura" —y con este último término me refiero a todo sistema visual de simbolización codificado con exactitud y traducible a la lengua—; una oralidad coexistente con la escritura, que, según las modalidades de tal coexistencia, puede funcionar de dos maneras: *b*) como oralidad *mixta*, cuando la influencia del escrito es externa, parcial y retardada (como es el caso de las masas analfabetas del Tercer Mundo, en nuestros días); o *c*) como oralidad *secundaria*, que se recompone a partir de la escritura y en el seno de un ambiente en el que esta última predomina sobre los valores de la voz en el uso y en lo imaginario; invirtiendo el punto de vista, se puede afirmar que la oralidad mixta se debe a la existencia de una cultura "escrita" (es decir, "en posesión de una escritura") y que la oralidad secundaria se debe a la existencia de una cultura "letrada" (en la que toda expresión está marcada por la presencia de lo escrito); finalmente, *d*) una oralidad *mediatizada* mecánicamente, por tanto diferida en el tiempo y/o en el espacio» (1983: 36). Zumthor invita a superar la neta oposición erigida entre oralidad y escritura y a captar el *continuum* que une las varias formas de expresión artística.

23. TRADICIÓN Y VANGUARDIA

Un lector inexperto podría asombrarse de encontrar entre los destinatarios de las cartas de Francesco Petrarca a Marco Tulio Cicerón, que vivió más de un milenio antes, y a una indeterminada «posteridad», que abarca idealmente a todas las generaciones futuras. Al margen de sus motivaciones específicas, esas cartas testimonian una idea que conviene subrayar aquí: Petrarca concibe la literatura como una institución que permanece por los siglos idéntica a sí misma. La incuria de los hombres podrá dejarla deshabitada y descuidar sus leyes; pero, si el escritor quiere serlo, los instrumentos son los que la tradición ha transmitido y aquél debe hacer propios, rescatándolos del olvido y plegándolos a las normas inmutables de la belleza, la proporción, la propiedad armoniosa.

Es por lo menos dudoso que la literatura haya llegado realmente a ser alguna vez una institución unitaria. La división clasicista de los géneros nunca ha absorbido en un equilibrio estable las diferenciaciones concretas del público y la diversidad real de los circuitos que las antinomias alto y/o bajo, serio y/o cómico, tendían a regularizar. La misma dialéctica entre imitación de los modelos e iniciativa innovadora, inherente a toda producción creativa (§ 53), ha modificado sin cesar los aspectos visibles y menos visibles de la institución literaria. Además, aquella pretensión tenía un fundamento: las reglas del arte reflejan el modo de ser de la naturaleza. Por debajo de la superficie desordenada de los fenómenos, existe un ritmo, un orden ideal, que la realidad ya contiene en sí y que la obra manifiesta o refleja, si el autor ha elaborado su material siguiendo una intención artística.

Algunos ejemplos ilustrativos, no sólo de índole literaria, quizá puedan aclarar ese punto capital. Cuando nace la moderna música tonal, uno de sus primeros teóricos, Bonaventura Zarlino, sostiene en las *Istituzioni harmoniche* del 1558 (remitiéndose a un famoso mito pitagórico) que la música de las esferas celestes es música tonal; y hasta el siglo XIX se seguirá creyendo que las leyes de la armonía se inscriben en la física del sonido. Así, en pintura, las leyes de la perspectiva lineal se justifican con la referencia a la geometría óptica. Y en literatura la división de los estilos, la jerarquía de los géneros, las mismas leyes de la métrica, tienen un fundamento natural: la idea de una relación necesaria entre forma de la representación y objeto representado, o la existencia de un norma innata de la proporción y de lo bello. Entre las reglas del arte, la estructura de nuestra percepción y las virtualidades contenidas en la materia elaborada por el artista, en suma, se establece un nexo de correspondencia que sanciona la íntima «verdad» de la obra, su valor mimético.

Esa confianza es sacudida fuertemente, ante todo, por la revolución de la Ilustración y del Romanticismo. La naturaleza empieza a concebirse más como vitalidad espontánea que como un orden cíclico, de formas perennes. El proverbial jardín de Rousseau no es ya un jardín a la italiana, sino a la inglesa: «imita», se puede decir, no las esencias geométricas que se ocultan tras los rostros mudables de las cosas, sino el ímpetu, el impulso creativo que palpita bajo su superficie, su traza exterior. A esta palpitación nos acerca la espontaneidad del corazón, no el cálculo de la reflexión; el abandono a la inspiración, no el respeto estudioso de cánones venerables.

Semejante concepción modifica, en primer lugar, la propia imagen de los clásicos. Más cercanos a la naturaleza, los poetas antiguos nos parecen «ingenuos»: «sentían con naturalidad», escribe Schiller en el ensayo *De la poesía ingenua y sentimental* (1800); nosotros, por el contrario, «sentimos la naturaleza». Separados y escindidos de la unidad del ser, prisioneros de la civilización, de las satisfacciones artificiales, de la conciencia indirecta, sólo podemos mirar la naturaleza con nostalgia, vivirla como sueño y no como realidad. Esa contraposición, que será propia, por ejemplo, del joven Leopardi, dramatiza fuertemente la condición moderna de la literatura, poniendo en duda la posibilidad misma de su supervivencia.

Por oposición al clasicismo preceptista o por la imposibilidad de recuperar la ingenuidad de los clásicos, la literatura «moderna» se concibe así como diferente y separada de la del pasado. Es una primera fractura, de índole temporal, entre antiguo y moderno. Y esa fractura ya supera en cualquier caso la dialéctica entre código y realización individual, respeto a la norma y originalidad, que ni siquiera las escuelas literarias más cohesionadas (como el petrarquismo en el siglo XVI) podían ni intentaban abolir y que, como se dijo, forma parte inevitable de la actividad creadora como tal.

La divergencia se ahonda posteriormente en el momento en que se constituyen las auténticas vanguardias. A lo que se contrapone la vanguardia es sólo a primera vista la tradición, el pasado, lo antiguo: todas esas cosas son desde luego su blanco de ataque, pero en la medida que siguen existiendo, fosilizadas, inertes, opresivas, en el presente. Ese blanco ni siquiera es sólo de orden literario: se confunde primariamente con la mezquindad de la vida «burguesa», con el utilitarismo mercantil, con la cerrada obsesión por las normas morales, con el conformismo de los comportamientos intersubjetivos. De ahí viene, justamente, la afirmación exasperada de la autonomía del arte, llamado a liberarnos de este presente y juntamente a liberarse de sí mismo, de lo que, en el curso de su búsqueda ininterrumpida, ya se ha hecho propio de los hábitos y de las expectativas consolidadas (evidentemente, para no hablar de aquellas formas seudoartísticas que desde el principio se han hecho cómplices de la *bêtisse*, degradándose en mercancía).

La multitud y la variedad de las vanguardias, tanto del siglo XIX como del XX, se prestan muy poco a una descripción de conjunto. Es evidente, no obstante, el alcance no sólo destructivo, sino también autodestructivo de tales premisas. Las vanguardias casi siempre se caracterizan por un núcleo prácticamente constante de contradicciones: la polémica antirracionalista va acompañada de un predominio paradójico de los programas sobre los resultados, de las declaraciones de intenciones sobre las obras que justamente son su ilustración; la exaltación de la individualidad anticonformista junto a la tendencia al agrupamiento organizado y coordinado estratégicamente; la relación conflictiva, provocativa, con el público junto a una espectacularidad explícita del acto creativo; la celosa defensa del arte junto a su abolición como institución, en el intento de absorberlo y disolverlo en una forma integral de vida que haga superflua la producción de obras. En fin, la vanguardia parece destrozar las normas de la «competencia artística», haciendo con ello posible a todos el ejercicio de la creación estética y valorando el carácter estético diluido en todo objeto o comportamiento. En realidad, sólo quien conoce y ha asimilado aquellas normas puede apreciar o proyectar su violación conscientemente; de ahí proviene la circulación irremediablemente minoritaria de sus productos.

Estas contradicciones remiten a un malestar «sociológico» profundo, que ataca globalmente a las capas intelectuales de la sociedad ante las gigantescas transformaciones del mundo moderno. La modernidad se sigue e imita en la predilección por lo nuevo, pero a la vez se vilipendia y rechaza en la idolatría de una creación absoluta, capaz de conservar de modo fragmentario el eco de la integridad perdida. La vanguardia es tecnocrática o intuitiva, cínica o superromántica, de izquierdas o de derechas, sin que en unas u otras opciones se reconozca una relación de implicación.

Cierto es que, desde un punto de vista literario, la noción de desvío de la norma adquiere un significado concreto sólo en este cuadro histórico, porque sólo en éste se manifiesta la paradoja peculiar a la que se enfrenta. La imposibilidad de repetir la transgresión, una vez infringida la regla, resulta de hecho evidente, porque una vez más el objeto de la polémica es primariamente extraliterario, esto es, la lengua «de la tribu», como decía Mallarmé. Si la razón de una obra radica en el rechazo de comunicar (como teorizarán finalmente las neovanguardias de los años sesenta), entonces aquélla se puede perfectamente sustituir por cualquier otra obra que manifieste el mismo rechazo. Así, tras evitar la comunicación, o en otras palabras, un «mercado» lingüístico dominado por las convenciones meramente funcionales del intercambio (a imagen y semejanza del mercado capitalista o neocapitalista, reflejo de la alienación producida por la civilización industrial), la vanguardia se descubre ahora «posmoderna». Recupera las convenciones, los parámetros, las leyes del pasado, que manipula, cita, relativiza, con una conciencia irónica de sus mecanismos, sin olvidar, al mismo tiempo, echar una ojeada a las listas clasificadas de ventas. Después de haber marcado más de un siglo de literatura con algunas de las obras maestras más intensas e inquietantes de cuantas hayamos encontrado en el curso de nuestras lecturas, el itinerario dramático de la vanguardia concluye con una reconciliación. Ningún mal hay en ello, por supuesto. Aquí también habremos de juzgar caso por caso: está por ver todo lo que nos reserva el futuro.

24. LITERATURA DE ELITE, POPULAR, DE MASAS

De modos diferentes se plasma una obra según sean las modalidades de ejecución (§ 22), la manera en que se planea en relación con la tradición (§ 23) y, finalmente, el público al que se dirige: aristocrático o popular, adulto o infantil, y quizá (no faltan ejemplos) masculino o femenino. Todo este abanico de posibilidades interfiere, como es obvio, en la constitución y el reconocimiento de los géneros (§ 19). La destinación de la obra es, en suma, un factor activo, incluso y sobre todo en el plano formal.

En muchos aspectos, la literatura institucionalizada ha sido siempre asunto de minorías, y no sólo porque únicamente una minoría estaba capacitada para participar activamente en una cultura diversificada. La regularización en torno a pautas definidas y duraderas implicaba asimismo la atribución de una función particular a un círculo de «detentadores del gusto», a quienes se reconocía y delegaba una autoridad normativa. Generalmente, ese mecanismo presuponía a su vez un orden social estable, una jerarquía y una división del trabajo intelectual ya organizada.

Por otra parte, aunque los detentadores del gusto sancionaban con su propia elección lo que más o menos oficialmente debía o no considerarse literario, rara vez los límites de la literatura coincidían realmente con el patrimonio así legitimado. En torno a un núcleo por lo común fuertemente restrictivo de modelos —piénsese en el canon fijado por Pietro Bembo en el siglo xvi— quedaba un resto consistente de obras inadecuadas para ser imitadas, pero que difícilmente podían rechazarse en verdad —todavía según el canon de Bembo, la *Divina Comedia*, y según el de Juan de Valdés, *El laberinto de la Fortuna*—. Y, mientras, las tradiciones informales que quedaron excluidas de la normalización por lo general seguían sobreviviendo, quizá en los lindes del folklore, pero siempre con una calificación estética reconocida —plenamente admitida por Valdés, por ejemplo—: cantares, literatura devota, fabulística, teatro de títeres, etc. A este propósito, cabría hablar de literatura marginal, disfrutada por las clases que no participaban en el circuito de la literatura llamada oficial. No merece la pena aclarar que esta polarización siempre se ha manifestado de modo intermitente en el transcurso de los siglos, que los intercambios recíprocos han representado la regla más que la excepción y que, en realidad, no han faltado obras capaces de unificar en circunstancias especiales al público literario. Además, se entrelazan con todo ello las oscilaciones de la literatura entre una exclusiva funcionalidad estética y una funcionalidad extraestética (moral, pedagógica, etc.).

La existencia de una literatura marginal no ha constituido nunca un problema para quien consideraba que la única y verdadera literatura era la otra, la oficial, y que la misma etiqueta de literatura ni siquiera era aplicable a textos tan incultos, desechos toscos y degradados de una cultura superior. Aunque evidentemente ya no es el nuestro —entre otras cosas, porque ha variado nuestra terminología—, ese punto de vista, sin embargo, aseguraba una vez más la representación de la literatura como un cuerpo idealmente unitario, tanto en la diacronía (§ 23) como en la sincronía.

Cuando las grandes revoluciones burguesas colocaron al escritor ante un público potencial de dimensiones inéditas, en el que se introducían como protagonistas clases hasta entonces excluidas de la alta cultura, el sistema literario por entero resultó radicalmente modificado. Nace la empresa editorial moderna (§ 6), la jerarquía de los géneros es trastornada por el triunfo de la novela (§ 46), y la misma profesión intelectual se define de formas totalmente nuevas en relación a un mercado tanto del libro como de las publicaciones periódicas (para no hablar de los grandes aparatos burocráticos, académicos o, desde luego, editoriales, en donde las competencias de las clases cultas hallan acomodo dentro de las estructuras y de la especialización funcional de una sociedad moderna).

Con toda seguridad, se trata de un desafío total. Y a éste logran responder los escritores, en muchos casos, con valor y sin prejuicios. Abandonados los preceptos venerables de la tradición, se exploran modalidades inéditas de comunicación y creación: por ejemplo, las novelas publicadas por entregas en los periódicos o incluso en parte subarrendadas a «negros», como tuvo ocasión de hacer Balzac. Y entre las muchas consignas a las que se obedece destaca significativamente la de la «popularidad».

Naturalmente, es ocioso advertir que el término «pueblo» se emplea en el siglo XIX de un modo bien distinto del nuestro. Las afirmaciones de Berchet en la *Carta semiseria* (1816), a pesar de las muchas matizaciones que serían necesarias, poseen una validez en definitiva bastante general. El nuevo escritor no tiene intención de dirigirse ni a los «parisinos», herederos aristocráticos de un gusto refinado y remilgado, ni a los «hotentotes», representantes de clases totalmente excluidas del placer literario (también por el obvio motivo de que no saben leer ni escribir). Entre unos y otros se perfila justamente el «pueblo», el mundo articulado de las clases medias y superiores: un público activo y concreto, liberado de las necesidades primarias, que espera una representación reconocible de los propios ideales, sentimientos y problemas, para satisfacer el deseo de una moderada evasión por lo imaginario.

El ideal de una reunificación del público en torno a esa consigna no está destinado a resistir mucho. Ya el mismo Romanticismo incluye posturas polémicas de huida y oposición a la sociedad moderna. De formas distintas y divergentes, a todo lo largo del siglo XIX, posiciones análogas nutren una literatura que reivindica para sí el ejercicio auténtico del arte y condena como instrumentalización condescendiente con los gustos de las «masas» toda creación que no esté dictada por un ideal estético de pureza inmaculada y sin compromisos (§ 23). Al otro extremo, desde el principio se perfilan en la producción editorial, según una tradición por lo demás antigua (§ 6), sectores declaradamente «bajos», más que por los temas o la calidad, por el aspecto externo del producto; la impresión descuidada y poco clara, el papel inferior, no dejan dudas sobre sus destinatarios: es el equivalente de la antigua literatura marginal. Entre tanto, poco a poco se constituye una nueva tradición «popular», también dirigida a las clases inferiores: novelas sentimentales y lacrimógenas, *feuilletons* al mismo tiempo edificantes y ricos en estremecimientos prohibidos, ciclos interminables de aventuras seudohistóricas. Si *Los misterios de París* de Eugène Sue para los lectores de la época pertenecía a la misma categoría que *Los miserables* de Victor Hugo, a finales del siglo XIX se ha consumado la separación: *La pimpinela escarlata* de la baronesa de Orczy, *Rocambole* de Ponson du Terrail o *El beso de una muerta* de Carolina Invernizio ya pertenecen irremediablemente a una literatura «inferior», en parte aún destinada a clases pequeñoburguesas, en parte comparable sin más a la literatura marginal del pasado (hoy sus herederos pueden encontrarse en *comics* como *Diabolik, Goldrake*, o en el vasto e inexplorado continente de las fotonovelas).

Totalmente distinta de la llamada «literatura popular» debe considerarse en cambio la verdadera literatura de masas. Así como la primera se dirige típicamente a clases bajas o periféricas, la segunda, en general, a un público interclasista: es en definitiva el moderno *best-seller* de la sociedad industrial avanzada, que tiende a una renovada unificación de los lectores en torno a productos ampliamente accesibles, pero caracterizados por un digno nivel de escritura y una profesionalidad a menudo nada trivial.

A la sociedad de masas, sin embargo, es intrínseca una tendencia no sólo a la homogeneidad de los comportamientos, sino también al mismo tiempo a la diferenciación dinámica de grupos, de funciones, de circuitos particulares. Por eso, desde el punto de vista de la destinación el panorama se presenta hoy, como nunca, abigarrado. Junto a la literatura de élite, ahora sede privilegiada de las experimentaciones de vanguardia, conviene introducir por lo menos una vasta franja que podríamos llamar «literatura institucional»: escritores empeñados en un proyecto inequívoco «de arte», pero dentro de una relación positiva —no por eso conservadora— con las estructuras tradicionales, que les garantizan el diálogo con un público a veces bastante vasto de lectores no profesionales; escritores como Cela, Delibes, Marsé o Vargas Llosa, para dar algunos nombres. Bajo esa franja colocaríamos la literatura de «entretenimiento»: escritores como

Eduardo Mendoza, Vázquez Montalbán, Le Carré (como autores de novelas policíacas de calidad). En fin, la que hemos llamado literatura marginal, sobre todo en sus nuevas formas «mixtas» (*comics* y fotonovelas), así como una franja residual de consumo propiamente popular.

Se entiende que todas esas clasificaciones no cuentan con límites claros y funcionan más bien como indicaciones aproximativas. Tampoco se descuidan en el panorama general que las diferencias funcionales de los géneros (policíaco, de ciencia-ficción, rosa e incluso cierta ensayística, por ejemplo, Savater, Alberoni o Racionero) sólo en parte están ligadas a diferencias de público. De todos modos, a esos niveles corresponden órdenes distintos de valores. Hay obras de vanguardia no sólo feas, sino también totalmente repetitivas; por otra parte, abundan ejemplos de buenos *best-sellers*, ricos en inventiva original. El criterio de demarcación se revela si acaso en los niveles de competencia que las obras exigen a sus lectores. Descender la escala es fácil, y por lo demás, para suerte suya, el lector de élite rara vez será exclusivamente un lector de obras superliterarias. Las divisiones del público se manifiestan, en cambio, en la capacidad o incapacidad de acceder a los niveles «superiores». Por eso conviene mirar la moderna producción literaria, en su heterogénea multiplicidad, sin prejuicios ni moralismos; pero no hace falta decir que una auténtica democracia cultural requiere evidentemente que todos tengan a su disposición los instrumentos para realizar libremente sus propias elecciones.

BIBLIOGRAFÍA.   Sobre la poesía oral son fundamentales los libros de Lord (1960), de Finnegan (1977), y ahora los de Zumthor (1983; 1987), a los que se ha de añadir el de Vansina (1961) sobre las fuentes orales en la documentación histórica, cuyo interés, sin embargo, rebasa el ámbito estrictamente historiográfico. Abordan aspectos importantes de la relación oralidad-escritura los estudios de Chaytor (1945), McLuhan (1962) y Ong (1967). Dentro de la bibliografía inmensa sobre la vanguardia, nos limitamos a señalar algunas posturas individuales fuertemente caracterizadas, como Caillois (1948), Fortini (1966), Berardinelli (1983); para un punto de vista simpatizante, véase Eco (1962). Sobre las vanguardias históricas siguen siendo clásicas las opiniones de Benjamin recogidas en los volúmenes españoles de 1971, 1973 y 1975; al menos añádanse, sobre los rasgos originales de la literatura contemporánea, Friedrich (1956), Wilson (1931), Raymond (1947). Sobre los aspectos de la literatura de masas, una revisión crítica de conjunto ha sido preparada por Petronio (1979); se encontrará además un tratamiento del conjunto de los niveles del sistema literario en Spinazzola (1984), que aquí hemos seguido extensamente.

III

LA VERSIFICACIÓN

EL SISTEMA MÉTRICO*

25. Poesía y prosa

No hace falta acudir a las famosas *Cartas a una mujer* de Gustavo Adolfo Bécquer, en donde el poeta da respuestas interesantes a la pregunta: «¿Qué es poesía?» En los coetáneos, aunque menos famosos, *Cuentos campesinos* (1860) de Antonio Trueba hay un relato-ensayo, cuyo título evoca la cuestión de la que toman pie las *Cartas* becquerianas: *Lo que es poesía*. A una mujer que, «ingenuamente», gradúa de poeta a cierto Banderillas por el mero hecho de que «cae en copla lo que dice o escribe», replica «doctamente» el protagonista-narrador que «puede haber en un libro versos y no haber poesía, y puede haber poesía y no haber versos». Desconcertada en su convicción —la de que la poesía equivale al verso—, la mujer pregunta qué es entonces la poesía. El protagonista-narrador se encargará de explicarle, en el transcurso del cuento, qué es poesía: una mesa bellamente dispuesta con «las florecillas frescas, los frutos hermosos y los manteles blancos»; un apasionado relato de guerra de un viejo que había tomado parte en la batalla de Bailén; un cuadro que representa un paisaje; y, finalmente, la música de una «barcarola de Arrieta». De todas esas cosas dirá: «¡Eso es poesía!».

Al leer hoy esas páginas de Trueba, nadie podría negarnos la razón por caer en la tentación de invertir la perspectiva con la que está construido el relato y por juzgar, en consecuencia, «ingenuo» al protagonista-narrador y «docta» a la mujer. Pero hemos de percatarnos de que la concepción de la poesía de la que se hace portavoz el protagonista masculino no es ajena a la conciencia de los hombres de hoy. Sin ir más lejos, tenemos un testimonio en algunos modos de hablar. En realidad, ¿cuántas veces no habremos oído decir de una novela o de cualquier composición en prosa, si no de un paisaje o de un fragmento musical, que es «poético»? Aunque sólo fuese por esas expresiones, habríamos de admitir que la concepción romántica de la poesía —porque de eso se trata— goza aún hoy de cierta vitalidad. Si del cuento de Trueba nos remontamos a los textos mucho más

---

* Los párrafos 25 a 30 son de Antonio Gargano.

importantes de los fundadores del pensamiento romántico, hallamos una análoga concepción de la poesía formulada por Federico Schlegel, por ejemplo, en su *Diálogo sobre la poesía*, que fue publicado en la revista romántica más prestigiosa, el *Athenaeum*, justo al principio del siglo pasado. Después que uno de los interlocutores del diálogo, Andreas, ha dado fin a la lectura de su manuscrito sobre las «Épocas de la poesía», se abre la discusión y leemos lo siguiente:

LOTARIO: Cuando Vd. mencionó a Platón como poeta, ha hablado del paso de la poesía a la filosofía y viceversa, lo que la musa le premie, esperaba yo más adelante el nombre de Tácito. [...]

AMALIA: De continuar así, vamos a convertir en poesía todas las actividades del espíritu. ¿Es que todo es poesía?

LOTARIO: Todo arte y toda ciencia que opera con el lenguaje, si son ejercidos gratuitamente, como arte, y alcanzan un grado de perfección máxima, pueden ser considerados como poesía.

LUDOVICO: Incluso yo diría que todas las artes, incluso aquellas que no hacen uso de la palabra, poseen un núcleo poético.

Hoy nos sentimos más inclinados a compartir las perplejidades de Amalia frente a Lotario y aún más frente a Ludovico y a rechazar una concepción de la poesía, según la cual «vamos a convertir en poesía todas las actividades del espíritu». Para evitar ese peligro, hay que liberarse de cualquier prejuicio residual romántico e idealista y estar de acuerdo en identificar métrico con poético, entendiendo por métrico, con accepción amplia, cualquier texto en verso (sea regular, sea libre). La diferencia principal entre poesía y prosa radica, por tanto, en un claro dato técnico: la oposición versificado/no versificado.

Por consiguiente, habrá que aceptar que no existen contenidos «naturalmente» destinados a la poesía ni contenidos «naturalmente» destinados a la prosa. El hecho que algunos géneros literarios adopten el verso y otros la prosa depende de una convención literaria limitada a una cultura determinada, que, aun dentro de una misma cultura, admite variaciones en el tiempo.

Tómense sólo dos ejemplos: la lírica y la narrativa. Parecería que el discurso lírico halla en el verso su expresión ideal. Pero a partir de la segunda mitad del siglo XIX, en ocasiones la lírica ha empleado como vehículo también la prosa: no hay más que pensar en los *Petits Poèmes en prose* (publicados póstumos en 1869) de Baudelaire o *Platero y yo* (1917) de Juan Ramón Jiménez, para no hablar de los paréntesis «líricos» reconocibles en la narrativa de cualquier época, desde *La Celestina* a las *Leyendas* de Bécquer o a *Tiempo de silencio* de Martín Santos. Por otra parte, la novela y el cuento, que nos parecen los géneros en prosa por excelencia, tienen su origen en géneros medievales versificados (§ 38); y en épocas recientes (siglos XIX y XX) no faltan poemas narrativos o cuentos en verso. Así pues, es cuestión de usos de escritura o, como decíamos, de una convención literaria. Y si la poesía tiene sus reglas, mejor dicho, un conjunto de reglas que constituyen el sistema métrico, no menos rígidas son las reglas de la prosa. Según Frye (1965), la poesía estaría más próxima a la lengua hablada de los incultos y de los niños que la prosa, que representa una forma racionalmente construida de discurso.

En la prosa clásica, la parte final de los períodos estaba regulada por la prosodia, de manera que también se cuidaba el aspecto fónico-rítmico. Pero, si se toman muestras de prosa y se contraponen a muestras poéticas coetáneas (don Juan Manuel respecto a Juan Ruiz, *De los nombres de Cristo* y la poesía de fray Luis, las *Leyendas* y las *Cartas* y las *Rimas* de Bécquer, Valle-Inclán y Juan Ramón Jiménez), no se puede negar que la prosa presenta un grado particular de complejidad, cualitativamente distinto, pero no inferior cuantitativamente, respecto a la poesía. En la prosa, por ejemplo, se suelen evitar excesivas aliteraciones, rimas, repeticiones de palabras: la repetición por quince veces, en una estructura paralelística, del adverbio *mientras* en los treinta y seis versos de la Rima IV de Bécquer habría parecido inadmisible al propio autor en un contexto en prosa. Es conocida la anécdota sobre Flaubert, que se desmayó al descubrir una rima llamativa en la primera página de *Madame Bovary*, ya impreso el libro, tras años de exasperante elaboración formal. Si la poesía posee sus restricciones, no se ha de pensar que la prosa esté más cerca del habla o de una mítica lengua «natural», porque, en realidad, no existe ningún modo natural de decir las cosas.

Por largo tiempo se ha buscado, para la poesía y para la prosa, una definición que sobrepasara el dato técnico inmediato, que para la poesía es obviamente el verso y para la prosa, en cambio, la no recurrencia, el no ser verso.

Poesía deriva, como es sabido, del latín POĒSIS, que a su vez proviene del griego ποίησις, de ποιεῖν, «hacer». La etimología de la palabra, así pues, remite a un verbo extremadamente genérico, débil semánticamente. Lo mismo vale para *obra*, otro término asociado al objeto literario, que es el producto de un «trabajo», de cualquier trabajo, tanto el del poeta como el del artesano.

Mayor interés poseen las etimologías de *verso* y *prosa*, términos estrechamente emparentados. *Verso* viene de VERSUS, de VERTERE, «regresar, volver atrás». El verso gira sobre sí mismo, no tanto en el sentido de volver a empezar como en el de repetir, con variaciones, la misma figura métrico-rítmica. El verso es, pues, repetición: repetición del mismo esquema métrico, por ejemplo, en una serie de endecasílabos libres; o repetición ordenada de varios esquemas métricos dentro de una serie de estrofas, por ejemplo, del género de la canción (§ 32); o repetición variada de más de un esquema métrico, por ejemplo, en la canción libre. Pero la repetición afecta también a la rima (§ 31) o a.figuras opcionales, como la aliteración. Por otra parte, rara vez la repetición consiste en la sucesión de lo idéntico: repetición y variación, simetría y asimetría, parecen marchar juntas en el verso. Así, en el hexámetro cada dáctilo, excepto el penúltimo, es sustituible por un espondeo; en el endecasílabo se dan dos posibilidades de cesura y numerosas subclases rítmicas (§ 28): una forma como el soneto juega con la relación asimétrica entre los dos cuartetos (*fronte*) y los dos tercetos (*sirima*), con una «mezcla ingeniosa de simetrías y disimetrías y en particular de estructuras binarias y de estructuras ternarias al nivel de las relaciones entre estrofas» (Jakobson y Valesio 1966: 34). Con razón Jakobson señalaba, junto con Hopkins, que el verso consiste en la repetición de la misma figura fónica (1960: 363), que será dada por la sucesión de sílabas largas y breves, por el ritmo y el número de las posiciones, por la aliteración, por la alternancia de los tonos en las lenguas tonales, etc.

Etimológicamente, *prosa* es lo opuesto de verso. En latín era en realidad un adjetivo, que significaba «que va derecho adelante sin interrumpirse»: la prosa procede hacia adelante, mientras que el verso gira sobre sí mismo.

Al margen de estas etimologías tan instructivas, el problema de desvincular la definición de la poesía, y por tanto la de la prosa, de la noción de verso, se ha presentado repetidas veces en la estética y la teoría literaria. «Cualitativamente», ¿por qué se ha de diferenciar entre la Rima LXXVI («En la imponente nave») y el fragmento en prosa *La mujer de piedra* o la leyenda *El beso* de Bécquer? ¿O entre «*The Raven*» y «*Eleonora*» de Poe? ¿O entre *Espadas como labios* y *Pasión de la tierra* de Aleixandre? Según Maria Corti, por ejemplo, habría que rechazar «la antigua y simplificadora distinción entre textos en verso y no en verso. Debe tomarse, en cambio, en consideración aquella aparente prosa, llamada poética o prosa artística, cuya característica estriba en conceder paridad de derechos, igualdad absoluta, al sonido y al sentido, a los significantes como a los significados, lo que no corresponde a las características de la prosa como tal» (1976: 97). El problema es que existen formas de poesía en las que los derechos concedidos al sonido y al significante no son mayores que en la prosa: cabe aducir cierta poesía contemporánea, que nadie se atreverá a considerar ajena a la categoría de los objetos poéticos, por ejemplo, estos versos de José Agustín Goytisolo:

(1)   Cuando llega el otoño las gentes de esta bendita ciudad
          comienzan a telefonearse rápidamente
          organizan tremendas fiestas y se besan y se saludan
          hola qué tal cuánto tiempo te quiero mucho llámame.

          Entonces yo me afeito con cuidado
          pongo una de mis caras más miserables
          guardo un par de Alka-Seltz en el bolsillo
          e inauguro mi vida social.

          Algunas veces aterrizo en blandas casas
          en donde me reciben con aparente sorpresa
          y después de saludar a los anfitriones
          tomo una vodka con hielo y comienzo a decir estupideces
          a fin de aterrorizar a la concurrencia.
          [...]

J. A. Goytisolo, «Sobre la temporada en Barcelona»,
en *Del tiempo y del olvido*

Por otra parte, Corti se siente obligada a distinguir entre «textos formalmente poéticos», como por ejemplo los de la publicidad, que hacen «un uso grande y consciente de la función poética de la lengua», pero en los que «no hay poesía», y el «texto poético verdadero» (1976: 107). Se ve claramente que aquí se replantea la cuestión en términos de valor estético: ¿cómo es posible que la tonadilla publicitaria más trivial se ponga al lado de un soneto de Garcilaso y, en cambio, haya que considerar aparte los ejemplos más insignes de prosa lírica y «artística»?

Desde nuestro punto de vista, sin embargo, eso no nos parece escandaloso ni que plantee dificultades insuperables. Si lo estético no es exclusivo de los textos literarios, lo bello y lo feo pueden aparecer tanto en el dominio literario como extraliterario. Y si por literatura entendemos aquello que como tal reconoce un público, es muy posible que la tonadilla publicitaria no lo sea, pero técnicamente sigue siendo verso y poesía, a no ser que no queramos reservar el término «poesía», como quería la estética neoidealista, a ciertos productos lingüísticos a los que se aplica el juicio de bello; pero de ese modo no hacemos más que desplazar la cuestión, con escasas ventajas. Una definición formal de la poesía que prescinda del verso ha de considerar éste y aquélla como dos formas autónomas de expresión, que responden cada una a sus propias normas y convenciones.

Las convenciones métricas se hallan en el *corpus* de reglas que constituirán el objeto de gran parte de este capítulo. Pero, aunque hablemos de reglas, no se debe pensar en la métrica como algo «sustancial» o «intrínseco», como algo «objetivamente» presente en la lengua del texto que tengamos delante; hay que insistir más bien en el carácter convencional de la métrica.

Un verso como

(2)   y el passo ya cerrado y la hüida

Garcilaso, Canción IV, 112

por ejemplo, es un endecasílabo sólo si aplicamos las licencias métricas pertinentes: la dialefa (§ 28) en *passo ya* y la diéresis (§ 28) en *hüida.* Si aplicásemos sólo la dialefa o sólo la diéresis, sería un decasílabo; y sería un eneasílabo si, en cambio, aplicásemos una sinalefa y una sinéresis. Las tres interpretaciones —que, por lo demás, no son las únicas posibles: cabría también ver una dialefa, excepcional, en *y el*— son todas compatibles con el estilo garcilasiano, pero el verso evidentemente es un endecasílabo, pues sólo de endecasílabos y heptasílabos está compuesta tal canción. Al leer el verso, estamos obligados a valernos de las licencias apropiadas para que sea un endecasílabo y no otra cosa; de hecho, «colaboramos» con el autor, ayudados por el contexto —es decir, el conjunto de versos en que aparece un verso—, el cual impone su fuerza y sugiere la interpretación justa. Lo mismo vale para otros aspectos de la versificación, que logramos captar sólo si, en cierto modo, los esperamos.

En cambio, un verso puede resultar inadvertido si aparece en prosa, fuera de su contexto natural; por ejemplo, ningún lector tal vez haya reparado en que en este momento tiene ante sí unos endecasílabos:

(3)   En cambio, un verso puede resultar
                    inadvertido si aparece en prosa,
                    fuera de su contexto natural;
                    por ejemplo, ningún lector tal vez
                    haya advertido que en este momento
                    tiene ante sí unos endecasílabos

justamente porque nadie se esperaría encontrar en este contexto unos versos. Como se ve, la dimensión métrica incluso puede hallarse al alcance de la mano y pasar desapercibida, si no se orienta oportunamente al lector y no se participa en la descodificación. Igualmente sucede si nos hallamos ante un texto cuya lengua conozcamos, pero cuyo metro ignoremos: nuestra incompetencia hace que una parte del mensaje se pierda. Al revés, un poeta podría versificar prosa trivial; lo ha hecho, por ejemplo, un poeta italiano, Elio Pagliarani, con un manual de mecanografía y con otros escritos (periodísticos, políticos, científicos, etc.). En la versificación libre, basta pasar a otra línea para transformar una secuencia de palabras en un verso.

Hay que considerar aparte el caso, nada infrecuente, del empleo de versos, o de modelos rítmicos recurrentes, en la prosa de arte, que, cuando alcanza niveles cuantitativamente significativos, puede asumir una función en el escritor (en lo que no derive de procesos mnemotécnicos o inconscientes). La utilización de versos o de módulos rítmicos en la prosa no la transforma evidentemente en poesía o en una cuasi-poesía, ya que se trata más bien de estructuras complementarias y subyacentes al discurso y no se espera que sean «reconocidas» por el lector: la técnica se integra más bien en el enfoque retórico —nunca ausente— de la forma del mensaje, el cual se realiza en algunos textos mediante el equilibrio y la correspondencia de los miembros sintácticos, en otros también con atención a las estructuras rítmicas.

En conclusión, justamente por presentarse como el componente literario más técnico y en apariencia más objetivo, la métrica constituye quizá el mejor ejemplo de que un texto es inerte en sí mismo y sólo cobra vida por la intervención activa del lector.

26. Tipología e historia de los sistemas métricos

En el párrafo anterior hemos mostrado cómo, para ser «activada», la versificación requiere la participación del destinatario o, para ser más exactos, su competencia métrica. Pero también se ha dicho que, a su vez, ésta debe basarse en una previa competencia lingüística del idioma en que está escrito el texto. Con ello se toca el problema de la relación entre sistema métrico y sistema lingüístico, es decir, del uso que cada tipo de versificación hace de los rasgos y de los elementos constitutivos de la lengua. En las lenguas que, por ejemplo, conocen la oposición entre sílabas largas y sílabas breves, como el griego y el latín, la cantidad puede representar un factor pertinente en la métrica; lo mismo sucede con las lenguas que, como el español y el italiano, tienen un fuerte acento de intensidad; o con las lenguas que, como el chino, distinguen varias clases de tonos. Desde el punto de vista de una tipología general de los sistemas de versificación resulta, así pues, evidente que la métrica selecciona sus rasgos pertinentes de entre los fenómenos pertinentes de una lengua, aunque se deba precisar en seguida que no todos éstos se convierten en pertinentes para la métrica: en inglés, por ejemplo, la longitud de las vocales es un rasgo pertinente fonológicamente, pero carece de relevancia en el sistema métrico (a lo más, sirve como recurso estilístico). A la inversa, la versificación puede atribuir funciones a meros accidentes fonéticos, como la aliteración y la rima, o hacer pertinentes fenómenos prosódicos que no desempeñan ningún papel en la lengua, como, por ejemplo, el acento secundario en español y en italiano. El hecho de que el sistema métrico «derive» del lingüístico no impide que el primero pueda modificar en sentido activo la relación originaria de utilización pasiva.

Viene a complicar el cuadro la particular persistencia de los sistemas métricos en el transcurso del tiempo. La fuerza y el peso de una tradición modelizante puede prolongar la supervivencia de tipos de versificación incluso después de desaparecer de la lengua elementos sobre los que originalmente se había constituido la métrica. El caso que nos toca más de cerca se da en el paso de la versificación latina clásica a la de las lenguas modernas a través de la versificación rítmica latino-medieval.

Como es sabido, la métrica latina, cuyo modelo era la griega, estaba basada en la oposición entre sílabas largas y sílabas breves, agrupadas en pies, al tiempo que no desempeñaban ningún papel ni el acento, que en latín, por lo demás, tenía un carácter musical, no de intensidad, ni el número de las sílabas: el hexámetro, aun admitida la permutabilidad de los pies, tenía un número de sílabas variable, aunque presentase el mismo número de *morae* (1 breve = 1 *morae*, 1 larga = 2 *morae*). El carácter métrico de un verso latino era así dado por la sucesión fija o variada, según reglas específicas, de las sílabas largas y breves. A comienzos de los primeros siglos de nuestra era, sin embargo, se pierde en latín la oposición entre largas y breves —a la vez que el acento también sufre profundas modificaciones—, con consecuencias desastrosas en el plano de la versificación. Los poetas, de hecho, seguían poniendo uno tras otro pies que para sus oídos, estaban ya desprovistos de cualquier valor métrico; para hacerlo habían de basarse en conocimientos académicos, es decir, en el uso de los poetas de la edad de oro latina. Durante siglos aún se seguirá escribiendo en versos clásicos, pero el número de errores métricos de los poetas de la Baja Latinidad y de la Alta Edad Media crece con el paso del tiempo y en relación con el grado de cultura de esos literatos. A su vez, los maestros de escuela se hallaban en la embarazosa situación de tener que enseñar un sistema métrico en el que, ellos los primeros, no tenían ya la menor competencia lingüística: como ahora nosotros, eran incapaces de «sentir» el carácter métrico de un hexámetro de Virgilio, aun conociendo perfectamente sus reglas. Fueron precisamente los maestros del Bajo Imperio quienes introdujeron una solución de compromiso, conservada hasta hoy día en la denominada «lectura métrica» de los clásicos: sustituir el sistema cuantitativo por uno acentual, atribuyendo a determinadas posiciones del verso —los tiempos fuertes de la escansión musical— un acento de intensidad que era totalmente ajeno al latín clásico y que violenta los acentos naturales de las palabras: «*Títyre, tú patulaé recubáns sub tégmine fági*» Por mucho que este tipo de lectura hubiera hecho revolverse en sus tumbas a los poetas antiguos y por más ridícula que aún hoy resulte aquélla, de ese modo se recuperaba, o mejor dicho, se creaba un «ritmo», es decir, una nueva forma de metrificar, en sustitución de la originaria, perdida irremediablemente (todos sabemos en teoría qué son una sílaba larga y una sílaba breve en latín, pero nadie es capaz de reproducirlas o siquiera imaginarlas).

Pero esto que, en su origen, no era más que un expediente inventado para dar algún sentido métrico a los clásicos (los estudiantes de la Edad Media estaban, por otro lado, obligados a aprender de memoria decenas de millares de versos, y, como se sabe, la métrica ayuda a memorizar) tuvo consecuencias de gran relieve para el nacimiento de un sistema completamente nuevo, en el que se gestó la versificación moderna. La idea de sustituir la cantidad por el ritmo fue aceptada por los poetas, sobre todo, por aquellos que, como los autores cristianos, estaban menos ligados a la tradición literaria clásica y que comenzaron a componer versos rítmicos, esto es, versos que en sustancia y con mayor o menor fidelidad sonaban como los versos clásicos en la lectura de las escuelas, pero conservando en su lugar los acentos de la palabra: así, por ejemplo, el verso «*Príor sémper mánet altérque mórte finítur*» (*Aenigmata hexastica*, siglo VIII) es un hexámetro «rítmico», en tanto que los pies cuantitativos del hexámetro (dísticos y espondeos) han sido reemplazados por los pies rítmicos (sílabas acentuadas seguidas por una o por dos sílabas átonas) sin ningún cuidado por la cantidad. Lo propio sucede con otros varios tipos de versos. La historia de la poesía latina medieval es una serie de continuas experimentaciones sobre la base de tipos métricos heredados de la tradición clásica y alternativamente modificados, elaborados, escindidos o combinados de nuevas maneras hasta dar vida a los versos de las literaturas modernas. En este pasaje, hemos asistido al nacimiento de uno de los elementos constitutivos de sistemas como el español: el acento de intensidad. Otro rasgo no menos importante es el del principio numérico: la equivalencia de los tiempos (de las *morae*) es sustituida por la equivalencia silábica o el número de las posiciones (§ 27), con preferencia por aquellos metros clásicos que, a diferencia del hexámetro, ya tenían un número constante de sílabas, por efecto de determinadas sucesiones de pies cuantitativos. En la versificación rítmica medieval, por tanto, están ya presentes —aun con todas las excepciones y vacilaciones—

los dos principios que se hallan en la base de los sistemas métricos románicos, incluidos en el tipo llamado silábico-acentuativo.

La breve historia que muy sumariamente hemos trazado de la transformación de un sistema cuantitativo en un sistema basado en el principio numérico y en el ritmo muestra con bastante claridad aquella adherencia que decíamos de la versificación. La historia de la métrica está compuesta más de adaptaciones, de enmascaramientos, de combinaciones híbridas que de fundaciones *ex novo* de los principios de base. Las revoluciones métricas emprendidas por poetas, movimientos o tradiciones literarias afectan sobre todo a elementos, que, como las estrofas, la invención de formas nuevas o el uso de la rima, no son ciertamente secundarias, pero que casi nunca hacen mella en la relación establecida por el sistema métrico con el sistema lingüístico.

Cualquier tipología métrica, por tanto, no se moverá nunca en un plano exclusivamente sincrónico o descriptivo; ha de tomar necesariamente en consideración los aspectos históricos del sistema y sus vínculos con los sistemas anteriores o con los modelos contemporáneos en que ha podido inspirarse: éste es el caso de la versificación inglesa, que sigue ampliamente el modelo de la continental.

Esto no es óbice para que nos planteemos la cuestión de cuáles son, en general y con respecto a la historia de la versificación en su conjunto, los rasgos que distinguen a un texto versificado. Si nos situamos en un nivel suficientemente elevado de abstracción, observaremos que las unidades de la poesía, los versos, están claramente señalados:

a) por un artificio fónico (rima, asonancia, aliteración) o rítmico (en algunos sistemas sólo el final del verso está sujeto a una regulación rítmica); y/o

b) por el modelo rítmico (recurrencia de un cierto número de *ictus*, a intervalos fijos o variables, cf. § 27); en los metros tonales, el esquema prescribe la sucesión de clases tonales; y/o

c) por el modelo métrico (número de las posiciones, cf. § 27 en los sistemas cuantitativos, el número de los pies); y/o

d) por una especial estructura sintáctica, normalmente regida por la técnica del paralelismo (§ 34), que supone la coincidencia de la unidad sintáctica (frase o sintagma) con la métrica (verso o hemistiquio); y/o

e) por la disposición gráfica.

En toda la poesía moderna sólo el elemento *e)* sería suficiente para garantizar su naturaleza métrica; pero es raro que uno de estos datos aparezca solo (salvo en algunos tipos de verso libre, donde hay que admitir que es determinante la disposición gráfica, cf. § 30); como norma, un texto se califica como métrico con una abundante proporción de redundancia. A cualquier soneto de Garcilaso, por ejemplo, se aplican al menos cuatro de las cinco condiciones arriba señaladas.

27. Metro y ritmo

Los elementos constitutivos del verso español son la posición (o sílaba métrica) y el ictus (o acento métrico). El número de las posiciones determina la estructura métrica, de la que se distingue sólo en abstracto la estructura rítmica, que se produce por la presencia de ictus en ciertas sílabas según un esquema fijo y dentro de unos límites variables. Distinguimos entre posiciones tónicas, marcadas por un ictus (P^+), y átonas (P^-). Por ejemplo, en un verso como

(4)   Tus claros ojos ¿a quien los volviste?

Garcilaso, Égloga I, 128.

se reconoce la siguiente estructura métrico-rítmica:

(a) $P_1^- \ P_2^+ \ P_3^- \ P_4^+ \ P_5^- \ P_6^- \ P_7^- \ P_8^+ \ P_9^- \ P_{10}^+$

En (4), cada posición coincide con una sílaba fonológica, y cada ictus con un acento. Las nociones de posición y de ictus, sin embargo, no son enteramente asimilables a las de sílaba fonológica y acento. Las llamadas «licencias» o «figuras métricas», codificadas por la tratadística, regulan la división silábica del verso, al tiempo que otros fenómenos rítmicos intervienen en la configuración prosódica, esto es, en la distribución de los acentos.

Las figuras métricas en sentido estricto son la diéresis y la sinéresis, la dialefa y la sinalefa.

Dos vocales adyacentes en una palabra pueden contar como dos sílabas (vi-o-la, su-a-ve), y en este caso se produce diéresis, o bien como una única sílaba (vio-la, sua-ve), y se da entonces sinéresis. La diéresis (que los editores modernos a menudo señalan con dos puntos sobre la primera vocal: *vïola, süave*) debe cumplir, no obstante, una serie de requisitos lingüísticos. Por norma, las dos vocales han de aparecer como tales ya en la palabra latina de la que deriva la española: la diéresis, por tanto, se excluye en los diptongos romances *ie* y *ue* (*pie* < PEDEM; *bueno* < BONUM); en el diptongo latino *au* que no ha evolucionado a *o* (*causa* < CAUSAM); en *gu* + voc. < QU o GU + voc. (*agua* < AQUA; *lengua* < LINGUA); en *u* cuando es un puro grafema para indicar la consonante velar o gutural (*querer, guerra*); y en otros casos secundarios. Al revés, no se puede dar sinéresis (y por tanto, es obligatoria la diéresis) cuando sigue a *a, e* u *o* una vocal tónica (*leal, raíz, poeta*).

La dialefa y la sinalefa regulan los contactos vocálicos entre palabras. Si la vocal final de una palabra y la vocal inicial de la palabra siguiente pertenecen a dos posiciones distintas, tenemos una dialefa (*toda*ᵛ *esperanza*); si, por el contrario, constituyen una misma posición, se produce sinalefa (*divino*ᴧ *amor*). Puede haber sinalefa entre más de dos vocales (*vía*ᴧ *espantosa*) y entre más de dos palabras (*despertando*ᴧ *a*ᴧ *Elisa*). Algunas restricciones, aunque no categóricas, al empleo de la dialefa o de la sinalefa se dan por la situación del acento en las palabras involucradas. Por ejemplo, la sinalefa normalmente se evita en el contacto de dos vocales tónicas (de ahí que haya dialefa en *yo*ᵛ *ame*), mientras que la dialefa se da raramente entre dos átonas (la ya citada *toda*ᵛ *esperanza*, en F. de Herrera, *P*, I, *El.* 6, v. 110) y es excepcional después de palabra esdrújula (*Bética*ᵛ *excelente*, Santillana, Son. XXXII, 4). Hay que precisar que de Imperial a Santillana, de Boscán a Góngora, el empleo de la dialefa experimenta fuertes limitaciones y su abuso hubo de percibirse bien pronto como técnica arcaica o al menos extraña al canon establecido.

Como se puede ver, las licencias métricas intervienen decisivamente en la división silábica, si una posición se compone de varias sílabas o de ninguna. Éste es el caso de algunas diéresis que, aunque etimológicamente justificadas, obligan a silabear de un modo lingüísticamente inadmisible. En *pïedad*, como se encuentra en Herrera, por ejemplo, el diptongo *ie* es etimológico, pero en español se confunde con el diptongo románico derivado de *e* abierta en sílaba tónica. Una posición, por otro lado, se constituye en lugar de una sílaba cero en los versos acéfalos o catalépticos de la versificación anisosilábica de los orígenes.

Diéresis o sinéresis, dialefa o sinalefa son, así pues, figuras de signo opuesto, cuyo empleo varía según las costumbres métricas de cada época y según los estilos individuales; y si algunos poetas siguen criterios relativamente rígidos, otros admiten amplias oscilaciones. En

(5)   No las francesas armas odïosas

Garcilaso, Soneto XVI, 1

(6)   respuesta tan azeda y tan odiosa

Garcilaso, Égloga II, 403

por ejemplo, la misma palabra, *odiosa*, contiene sea diéresis (5), sea sinéresis (6). A veces estas incongruencias se explican dentro de la categoría de «memoria rítmica» (Contini 1965, y luego, entre otros, Beccaria 1975 y Beltrami 1981), si la misma figura métrica aparece asociada a ciertos sintagmas recurrentes. Pero el hecho es que la oscilación entre una figura y su contraria forma parte, aun dentro de ciertos límites, del mismo código métrico: sólo el entendimiento entre el poeta y su lector es lo que permite a un verso serlo.

Las denominaciones tradicionales de los versos españoles, formadas por el numeral griego + *sílabo* (octosílabo, decasílabo, etc.), aluden al número de «sílabas» en el verso con terminación llana, esto es, acabado en palabra paroxítona, como en el ejemplo (4), que es un endecasílabo. Pero también son endecasílabos:

(7)   de los árboles altos la colgábamos

Garcilaso, Égloga II, 210

(8)   Amor, amor un hábito vestí

Garcilaso, Soneto XXVII, 1

aunque el primero tenga una sílaba de más al final (endecasílabo esdrújulo o proparoxítono) y el segundo una sílaba de menos (endecasílabo agudo u oxítono). La estructura métrica del verso sigue en realidad sin variar, cualquiera que sea la terminación. Para que un verso sea endecasílabo, es preciso que la 10.ª posición esté marcada por un ictus: lo que siga (una o dos sílabas) es opcional, es decir, no es determinante para la constitución de la estructura métrica.

Efectivamente, los nombres de los versos españoles hacen referencia al tipo llano o paroxítono porque es el tipo de verso más común por razones primeramente lingüísticas, al estar formado el léxico español en buena medida por palabras llanas. En otras tradiciones métricas, como por ejemplo la francesa, en la que son más comunes los versos con final llamado «masculino» (terminados en sílaba acentuada; se llaman «femeninas» las terminaciones en *-e* o *-e* átona), la cuenta se detiene en la última sílaba tónica. El *décasyllabe* francés y el endecasílabo español, por tanto, son versos con igual número de posiciones.

La estructura métrica del endecasílabo se representará, así pues, con el siguiente esquema general (del que el esquema (a) ofrecía una realización particular):

(b) $\quad \# \; P_1^{\pm} \; P_2^{\pm} \; P_3^{\pm} \; P_4^{\pm} \; P_5^{\pm} \; P_6^{\pm} \; P_7^{\pm} \; P_8^{\pm} \; P_9^{-} \; P_{10}^{\pm} \; \# \; (s(s))$

en el que #...# señalan los límites métricos y los paréntesis encierran elementos opcionales (s significa aquí sílaba fonológica) que pueden seguir a la 10.ª posición.

En gran medida es una cuestión filosófica si se han de considerar llanos o agudos los versos terminados en vocal tónica + átona (vía) y llanos o esdrújulos los versos terminados en vocal átona + otra átona (noticia): en resumen, si se ha de aplicar o no la diéresis en final de verso. Desde un punto de vista teórico, el problema ni siquiera se plantea, porque no tiene sentido aplicar una figura reguladora del número de posiciones métricas a elementos extraestructurales, que en ningún caso inciden en el metro del verso. Hablar de diéresis o de sinéresis en estos casos tendría el mismo sentido que en el caso de la prosa o del verso libre.

La presencia de ictus en ciertas posiciones determina, según decíamos, la estructura rítmica de un verso. En el ejemplo (4), cada ictus coincide con un acento, pero no siempre cabe establecer esta identidad. Para entender cuáles son los mecanismos prosódicos que operan en un verso, habrá que recordar brevemente algunos rasgos del sistema prosódico español.

En español se distinguen dos acentos: el acento primario (´) y el acento secundario (`). Este último es un fenómeno rítmico que se observa en palabras de al menos tres sílabas y está separado del acento primario por un mínimo de una sílaba y un máximo de dos: crítica, aparéce; criticaré, aparición. Las palabras, sin embargo, no se consideran aisladamente, porque la verdadera unidad fonética de una lengua no es la palabra, sino el grupo fonético, es decir, un pequeño conjunto de palabras «estrechamente ligadas por el sentido y la estructura morfosintáctica» (Canepari 1979: 96). En el grupo, como en la palabra, se puede tener un mínimo de una o un máximo de dos sílabas sin acento. En consecuencia, en el grupo fonético los acentos primarios de la palabra pueden transformarse en acentos secundarios o desaparecer del todo, por lo común en beneficio del último acento del grupo, que se conserva fuerte. Compárese, por ejemplo, lo hè mirádo y lò he vísto: en el primer caso he tiene un acento secundario (o incluso primario: hé), en el segundo no tiene ningún acento (mientras que lo adquiere un acento secundario).

Fenómenos parecidos se producen en el verso o en sus subunidades. Se llama «frase rítmica» al equivalente métrico del grupo fonético, esto es, una secuencia delimitada a derecha e izquierda por pausas métricas (cesura o límites del verso). En analogía con lo que se ha visto para el grupo fonético, no son admisibles en una frase rítmica dos o más ictus consecutivos ni más de dos posiciones carentes de ictus. El ictus, por tanto, se define como un fenómeno prosódico que resalta algunas posiciones (fuertes o semifuertes) en perjuicio de otras (débiles). El ictus caerá exclusivamente sobre una posición: a) que esté precedida o seguida por al menos una o sólo dos posiciones átonas: o, b) que esté precedida por al menos una y no más de dos posiciones débiles y seguida por una pausa métrica (cesura o final de verso); o c) que esté seguida por al menos una y no más de dos posiciones débiles y precedida por una pausa métrica (cesura o principio de verso).

En métrica, únicamente las pausas métricas distinguen la frase rítmica, no las pausas que delimitan el grupo fonético, ni mucho menos las pausas lógicas y sintácticas. Es del todo normal, de hecho, que el final del verso, o la cesura, caiga dentro de una secuencia de palabras que, en un contexto no métrico, formaría un grupo fonético (§ 34). En

(9)   Dios no es el mar, está en el mar, riela
        como luna en el agua, o aparece
        como una blanca vela;
        en el mar se despierta o se adormece.
        Creó la mar y nace
        de la mar cual la nube y la tormenta; [...]

                                        A. Machado, «Profesión de fe,» 1-6

las frases rítmicas (versos, para los heptasílabos, y partes de verso, para los endecasílabos) no coinciden en absoluto con una teórica segmentación en grupos fonéticos:

(10)   Dios no es el mar,
        está en el mar,
        riela como luna en el agua,
        o aparece como una blanca vela;
        en el mar se despierta o se adormece.
        Creó la mar
        y nace de la mar
        cual la nube y la tormenta; [...]

En algunos casos, el desajuste entre grupo fónico y frase rítmica produce auténticas perturbaciones prosódicas del enunciado.

Como fenómeno prosódico, el ictus no se diferencia del acento fonético; como en éste, se distinguirá un ictus primario (´´) de uno secundario (``). Los ictus secundarios desempeñan un papel importante en la textura rítmica de un verso, y en algunos casos, en ellos reside propiamente el carácter métrico de un verso. Por ejemplo,

(11)   descójolos, y de un dolor tamaño

Garcilaso, Égloga I, 355

(12)   juntándolos, con un cordón los ato

Ibid., 363

se analiza como endecasílabos con cesura después del acento secundario en 4.ª: *descŏjolŏs/y de un dolŏr tamăño; juntăndolŏs,/cŏn un cordŏn los ăto.*

Si la interpretación de un verso depende de la correcta aplicación de las licencias métricas y las reglas rítmicas pertinentes, también se da el caso que muchos versos presenten un ritmo o una métrica ambigua. Por ejemplo,

(13)   y con tal arteficio la pintura

Garcilaso, Égloga II, 1.229

indistintamente se analizará como un endecasílabo con ictus en 1.ª (*y*), 3.ª (*tal*), 6.ª, 8.ª y 10.ª, o bien en 2.ª (*con*), 4.ª (*ar-*), 6.ª, 8.ª y 10.ª. En

(14)   y alababa la muerte gloriosa

Ibid., 1236

hay que decidir, en cambio, si se da en *y alababa* una dialefa o una sinalefa: en el primer caso en *gloriosa* habrá sinéresis, en el segundo, diéresis. La elección influirá en la interpretación rítmica del verso (acento en 2.ª, 4.ª, 7.ª, 10.ª; o en 1.ª, 3.ª, 6.ª, 8.ª, 10.ª). Ambas interpretaciones son a primera vista plenamente legítimas, aunque los hábitos métricos de Garcilaso, además de que sólo muy excepcionalmente admitiría la dialefa en *y alababa*, no consienten *gloriosa* con sinéresis (en *Egl.* I, 37, *Egl.* II, 1.694 y 1.759, siempre con diéresis). Por tanto, el análisis correcto del verso distinguirá una sinalefa en *y alababa* y una diéresis en *glorïosa*, con los resultados rítmicos consecuentes.

No todos los casos de ambigüedad métrico-rítmica pueden resolverse. En el ejemplo arriba discutido, nos ha ayudado el hecho que la poesía de Garcilaso constituye uno de los no numerosos casos en los que la ecdótica o crítica textual más y mejor se ha aplicado; por ello, se dispone de concordancias que facilitan el cotejo de todas las ocurrencias de una palabra, así como de buenos estudios sobre el empleo de las figuras o licencias métricas. Pero no siempre se tiene tanta suerte. Otros poetas admiten, como ya se ha dicho, oscilaciones que hacen incierta cualquier decisión. Así, dos lecturas pueden ser equivalentes o aceptables por igual, con tal que constituyan variantes métrico-rítmicas documentadas en otros lugares de la obra de un autor determinado.

BIBLIOGRAFÍA. La relación de poesía y prosa entra de lleno en la definición del verso; ha sido objeto de la reiterada atención de la poética contemporánea, desde los formalistas eslavos a Jakobson (1960), Frye (1963; 1965), Cohen (1966), Lotman (1970: 123-135), Avalle (1974: 12-23), etc.; véase también Di Girolamo (1976: 87-116) y Devoto (1980 y 1982). Para una clasificación de la métrica, véase el artículo de Lotz (1960). Sobre los orígenes de la versificación moderna es útil Avalle (1979), pero sobre la complicada, y en muchos aspectos sin resolver, cuestión del paso de la métrica cuantitativa a la rítmica en la Edad Media, Norberg (1958) trata su problemática. La teoría métrica a la que se hace referencia aquí se expone de modo más completo en Di Girolamo (1976). Importantes contribuciones teóricas, así como analíticas, han ofrecido Bertinetto (1973), Beccaria (1975), Beltrami (1981), Brioschi (1983: 57-114, 233-53); añádase a éstos la antología preparada por Cremante y Pazzaglia (1973) y, en el ámbito español, Balbín (1968). A la antología mencionada y a Di Girolamo (1976), se remite también para amplias indicaciones bibliográficas sobre las teorías métricas contemporáneas; por añadidura, señalemos sólo dos aportaciones recientes del ámbito francés: Cornulier (1982) y Meschonnic (1982).

EL VERSO

28. Clases de versos

Los versos españoles se clasifican en tres tipos principales: *a*) versos sin cesura; *b*) versos con cesura fija, o versos dobles; *c*) versos con cesura móvil (este tipo se reduce en la práctica sólo al endecasílabo). Por separado, además, se examinarán la versificación anisosilábica (§ 29) y el verso libre (§ 30).

Por cesura se entiende una pausa métrica, en ciertos aspectos asimilable a la pausa de final de verso, que desempeña una función a menudo determinante en la definición de la estructura métrico-rítmica del verso. Cuando lo requiera la configuración del verso, una cesura en el plano fonético quedará marcada aparte por una pausa propiamente dicha, por una inflexión melódica o por un ligero alargamiento de la vocal final; pero la cesura no se confunde con las pausas sintácticas eventualmente presentes en el verso. En

(15)   albano, agora buelto a la otra parte

Garcilaso, Égloga I, 12

a pesar de la intensa pausa sintáctica tras *albano*; la cesura cae después de *agora: albano* o de *buelto*.

a) *Versos sin cesura*

En la *Gramática de la lengua castellana* (II, 8), Nebrija incluye sobre todo versos parisílabos en los seis géneros a que reduce la variedad de los versos españoles («cuantos yo he visto en el buen uso de la lengua castellana»). Habrá que esperar aún algunos decenios para poder leer una explícita afirmación de superioridad de un verso imparisílabo —el endecasílabo del soneto y la combinación de éste con el heptasílabo en la canción— sobre todos los demás versos: «este género de trobas [...] es dino, no solamente de ser recebido de una lengua tan buena, como es la castellana, mas aun de *ser en ella preferido a todos los versos vulgares*» (Boscán, *Carta a la duquesa de Soma*). Casi todos los antiguos tratados de métrica, comprendida la larga «Epístola séptima» de la *Philosophia antigua poética* del Pinciano, suelen empezar por el cuatrisílabo. En realidad, el bisílabo, # P^+ # (s(s)), antes de ser empleado por los poetas románticos independientemente o en composiciones polimétricas, tuvo un uso muy reducido, en particular en el género del *eco*, cuyo primer ejemplo en castellano es de Juan del Encina:

(16)   Aunque yo triste me seco,
                                    eco
                         retumba por mar y tierra;
                                    yerra,
                         que a todo el mundo importuna;
                                    una
                         es la causa sola de ello.

Cancionero General

También el trisílabo, # P^- P^+ # (s(s)), se emplea escasamente, excepto en su uso como verso de combinación en el *ovillejo*, género poético por primera vez atestiguado en el *Quijote* (I, 27). Como verso autónomo fue usado a partir de los poetas neoclásicos y gozó de cierta popularidad en la época romántica:

(17)   Tan dulce
                             suspira
                             la lira
                             que hirió
                             en blando
                             concento
                             del viento
                             la voz

Espronceda, *El estudiante de Salamanca*, 1.670-77

Es diferente el caso del cuatrisílabo: # P^+ P^- # (s(s)). De modo aislado aparece ya en el *Auto de los Reyes Magos* (*ca.* 1200) y luego en las *coplas caudatas* de la profecía de Cassandra en la *Historia troyana* (*ca.* 1270). Más frecuente es, en cambio, en los dos géneros poéticos de las *coplas caudatas* y del *discor*, de los que se encuentran buenos ejemplos en el *Cancionero de Baena*. Pero la importancia del cuatrisílabo se debe sobre todo a su presencia, en combinación con el octosílabo, en la *copla de pie quebrado*, cuyas primeras muestras se remontan a Juan Ruiz y cuyo desarrollo llega hasta la estrofa manriqueña:

(18)   Recuerde el alma dormida
                        abive el seso e despierte
                        contemplando
                        cómo se pasa la vida,
                        cómo se viene la muerte
                        tan callando

                        J. Manrique, *Coplas en la muerte de su padre*, 1-6

Como verso autónomo, se comenzó a usar sólo en la época neoclásica (en algunas fábulas de Iriarte, por ejemplo), aunque alcanzó su máxima difusión con los poetas románticos (en las composiciones polimétricas, «El mendigo» y la «Canción del pirata», de Espronceda, para no dar más que dos ejemplos famosos). Tras el Romanticismo el empleo del cuatrisílabo se hizo más raro.

El pentasílabo, con sus dos variantes rítmicas, # P$^+$ P$^-$ P$^-$ P$^+$ # (s(s)) y # P$^-$ P$^+$ P$^-$ P$^+$ # (s(s)), fue usado sobre todo como verso en combinación con heptasílabos y endecasílabos. En una primera fase, empleado como hemistiquio del verso de *arte mayor* y como *pie quebrado*, silábicamente excedente del octosílabo (en lugar del cuatrisílabo, que fue utilizado como tal de una forma permanente sólo en el siglo XV), aparece como verso autónomo por primera vez en torno a 1443, en una *endecha* por la muerte de Guillén Peraza:

(19)   Llorad las damas

Desde entonces siguió siendo empleado en los dos géneros de la *endecha* y de la *seguidilla*, alcanzando el período de mayor difusión en la época neoclásica. A partir del Romanticismo su uso decreció considerablemente.

El hexasílabo también presenta dos variantes rítmicas: # P$^+$ P$^-$ P$^+$ P$^-$ P$^+$ # (s(s)) y # P$^-$ P$^+$ P$^-$ P$^-$ P$^+$ # (s(s)) . Lo usó por primera vez Juan Ruiz en algunas composiciones insertas en el *Libro de buen amor*:

(20)   Cerca la Tablada

                        Juan Ruiz, *Libro de buen amor*, 4.194

Junto con el octosílabo y el *verso de arte mayor*, resulta ser el verso más utilizado en el siglo XV, en géneros como la *serranilla* (recuérdese la «de la vaquera de la Finojosa» del marqués de Santillana), el *discor* y el *villancico*. Cuando, en los dos siglos siguientes, la mayoría de los géneros mencionados cayó en desuso, el hexasílabo no sufrió la misma suerte, ya que siguió siendo un verso ampliamente difundido en los géneros vitales del *romancillo*, del *villancico*, de la *letrilla* y de la *endecha* culta. En época romántica y en las sucesivas, aunque reformado, su uso ha continuado.

Aparte de algunos usos anteriores aislados (jarchas, poemas juglarescos del siglo XIII, *Historia troyana polimétrica*), el heptasílabo # P± P± P± P⁻ P⁺ # (s(s)), se afirma como verso autónomo en el siglo XIV, cuando se utiliza en algunas máximas contenidas en *El Conde Lucanor*, en algunas estrofas del *Libro de buen amor*, pero sobre todo en los *Proverbios morales* de Sem Tob:

(21)   Pues trabajo me mengua

                                        Sem Tob, *Proverbios morales*

Ya desde la segunda mitad del siglo, el heptasílabo cae en desuso, para reaparecer alrededor de dos siglos después como verso en combinación con el endecasílabo en la canción petrarquista, desde Boscán en adelante. La primera composición de sólo heptasílabos es quizá la «Anacreóntica» de Gutierre de Cetina, anterior a 1554:

(22)   De tus rubios cabellos

                                        Gutierre de Cetina, «Anacreóntica», 1

En la época barroca, se encuentra el heptasílabo en algunos poemas de Góngora, en las anacreónticas de Villegas y en las llamadas «barquillas» de Lope. Después de haber sido el verso más usado por los poetas neoclásicos, pasa por un período de declive parcial durante el Romanticismo, para ser luego adoptado por los modernistas y, con mayor impulso, por los poetas de la generación del 27.

El octosílabo, también llamado *verso de arte menor*, tiene una estructura rítmica variable: # P± P± P± P± P± P⁻ P⁺ # (s(s)). Sin duda alguna, es el verso más difundido de la métrica española: el verso «propio y natural de España», como lo definió Argote de Molina. Empleado desde las jarchas a los poetas contemporáneos, no hay género poético al que no se haya adaptado, y las grandes renovaciones métricas (la italianizante de la primera mitad del siglo xv, por ejemplo) nunca han logrado mermar su vitalidad. En los primeros cuatro versos del siguiente romance:

(23)
> Gerineldo Gerineldo
> paje del rey más querido
> quisiera hablarte esta noche
> en este jardín florido

están presentes las cuatro variantes rítmicas más frecuentes del octosílabo español. El primero constituye la variante trocaica (basada en la cláusula + ⌒), con ictus en las posiciones impares; el segundo es de tipo dactílico (basado en la cláusula + ⌒⌒), con ictus en primera, cuarta y séptima posición; el tercero con ictus en segunda, cuarta y séptima posición; y, finalmente, el cuarto con ictus en segunda, quinta y séptima. A diferencia de Francia e Italia, en donde la variante trocaica se afianzó con neto predominio sobre las otras tres, en España la historia del octosílabo es mucho más compleja. Si en una primera fase, en sustancia coincidente con la versificación anisosilábica, las variantes no trocaicas prevalecieron, se invirtió la situación a partir, aproximadamente, de la *Historia troyana* (*ca.* 1270), que ofrece un claro predominio de la variante trocaica. Para que se produzca un nuevo giro, hay que esperar hasta la poesía cancioneril del siglo xv, un momento decisivo en la historia del verso, ya que el octosílabo alcanzó a la sazón la plena regularidad silábica y el equilibrio en el empleo de las cuatro variedades. Esto último se mantuvo en las épocas sucesivas y llegó a su máximo grado de perfección con los poetas románticos, que tendían a resaltar el tipo trocaico en la poesía lírica y los otros tres tipos en la poesía narrativa y dramática. Sólo con los poetas modernistas, con su predilección por los versos largos, el uso del octosílabo sufrió cierto declive; pero hay que tener en cuenta las dos significativas excepciones de A. Machado y Unamuno. Los poetas posteriores lo han empleado escasamente, y sustancialmente vinculado al género del *romance:* la mención de García Lorca es obligada.

El eneasílabo, # $P^{\pm}$ $P^{\pm}$ $P^{\pm}$ $P^{\pm}$ $P^{\pm}$ $P^{\pm}$ P^{-} P^{+} # (s(s)), que ya fue usado en varias antiguas composiciones juglarescas (*Razón de amor con los denuestos del agua y del vino*, etc.), ha estado ininterrumpidamente presente en la poesía de tipo popular desde comienzos del siglo xiv hasta el xviii; pero ha existido totalmente al margen de la poesía culta, con la excepción del teatro del xvii, en el que autores como Lope y Tirso lo emplearon a veces. Se hizo mucho más frecuente en las épocas neoclásica y romántica, aunque los poetas modernistas le dieron la máxima difusión, en particular en su variante trocaica:

(24)   En el castillo, fresca, linda

R. Darío, «El clavicordio de la abuela», 1

El decasílabo, # P$^\pm$ P$^\pm$ P$^\pm$ P$^\pm$ P$^\pm$ P$^\pm$ P$^\pm$ P$^-$ P$^+$ # (s(s)), poco frecuente en la antigua poesía española, aunque no falten ejemplos, comenzó a ser utilizado a partir del siglo XVIII. El decasílabo con estructura rítmica dactílica o también anapéstica, según diferentes estudios, constituye con mucho la variante más empleada:

(25)   Cuando miro de noche en el fondo

G. A. Bécquer, *Rima*, VIII, 10

b)   *Versos con cesura fija*

Tienen cesura fija los versos dobles o compuestos. A diferencia del endecasílabo, en estos versos no se admite, por norma, la sinalefa en la cesura. A continuación, se dan ejemplos de dobles pentasílabos (26), hexasílabos (27), heptasílabos (28), octosílabos (29), eneasílabos (30):

(26)   Yo soy un sueño,/ un imposible,
                vano fantasma/ de niebla y luz
                soy incorpórea/ soy intangible
                no puedo amarte./—¡Oh ven, ven tú!

G. A. Bécquer, *Rima*, XI, 9-12

(27)   Fue una clara tarde,/ triste y soñolienta
                tarde de verano./ La hiedra asomaba
                al muro del parque,/ negra y polvorienta...

A. Machado, *Soledades*, VI, 1-3

(28)   La princesa está triste/¿qué tendrá la princesa?
            Los suspiros se escapan/de su boca de fresa
            que ha perdido la risa,/ que ha perdido el color.

R. Darío, «Sonatina», 1-3, en *Prosas profanas y otros poemas*

(29)   Girando en torno a la torre/ y al caserón solitario
            ya las golondrinas chillan./ Pasaron del blanco invierno
            de nevascas y ventiscas/ los crudos soplos de infierno

A. Machado, «Orillas del Duero», 2-4, en *Soledades*

(30)   Su ciega y loca fantasía/ corrió arrastrada por el vértigo
            tal como arrastra las arenas/ el huracán por el desierto

R. de Castro, *En las orillas del Sar*

Salvo el hexasílabo y el heptasílabo dobles, sobre los que volveremos en seguida, se trata de versos que tuvieron su mayor fortuna en el siglo XIX y entre éste y el XX.

El hexasílabo doble o dodecasílabo, más conocido como *verso de arte mayor*, ha tenido una historia compleja que podemos resumir en tres fases. Aparecido en la poesía española en el siglo XIV, se vuelve frecuente en el siglo siguiente, alcanzando su máxima difusión alrededor de la mitad del siglo XV: en el *Cancionero de Baena*, en el *Laberinto de la Fortuna* de Juan de Mena y en varias composiciones del marqués de Santillana. En esta fase es todavía un verso sujeto a las reglas del anisosilabismo (§ 29). Con la introducción del endecasílabo y la renovación métrica de los primeros decenios del siglo XVI, el dodecasílabo cae en una etapa de casi completo desuso, que dura cerca de dos siglos. Adoptado de nuevo en el siglo XVIII, aunque ahora como verso de absoluta regularidad silábica, fue luego empleado con cierta frecuencia por los poetas románticos y modernistas, que, junto con las formas del dodecasílabo clásico (hexasílabo doble), introdujeron formas innovadoras como el dodecasílabo ternario:

(31)   que coronan/ con castillos/ argentinos

R. Darío, «Canción de los osos», 18, en *Canto a la
Argentina y otros poemas*

o adoptaron formas tradicionales, como el dodecasílabo compuesto por un heptasílabo y un pentasílabo, típico de la *seguidilla:*

(32)   desde en los suaves labios/ de las princesas

R. Darío, 3, «Elogio de la seguidilla»

El heptasílabo doble o alejandrino (el *alexandrin* francés, en la Edad Media verso principal de la épica y la literatura religiosa) tuvo en España su máxima difusión en el *mester de clerecía* de los siglos XIII y XIV, a partir del *Libro de Alexandre*. Estaba organizado en estrofas de cuatro versos monorrimos, la llamada *cuaderna vía*. Tal como se presenta en la época de mayor rigor

formal, o sea en el siglo XIII, sobre todo en las obras de Gonzalo
de Berceo, estaba constituido regularmente por dos hemistiquios
heptasílabos, con acento fijo en la sexta sílaba de ambos, con
cesura obligatoria entre ellos, y con dialefa totalmente prohi-
bida:

(33)   Porque fo sienpre casto,/ de bona pacïencia,
              umilloso e manso,/ amó obedïencia,
              en dicho o en fecho/ se guardó de fallencia,
              avié Dios contra elli/ sobra grand bienquerencia

                    Gonzalo de Berceo, *Vida de Santo Domingo*, estr. 224

En el siglo siguiente, sin embargo, las reglas del alejandrino
se vuelven menos rígidas. De estos dos versos del *Libro de buen
amor:*

(34)   Ya vo razonar con ella,/ quiero dezir mi quexura,
              porque por la mi fabla/ venga a fazer mesura

                    J. Ruiz, *Libro de buen amor*, 652ab

el primero se compone de dos hemistiquios octosílabos, mientras
que el segundo, de dos heptasílabos con sinalefa: *venga a.* Por tres
siglos, del final del XV al final del XVIII, el alejandrino no se usó
de hecho. A partir del último cuarto de siglo XVIII disfrutó de un
nuevo florecimiento, especialmente entre los poetas románticos
y modernistas. A estos últimos, además de la adopción del viejo
alejandrino del *mester de clerecía*, con total regularidad silábica,
se deben varias innovaciones, como en este verso:

(35)   Y tu paloma arru-/ lladora y montañera

                    R. Darío, «Allá lejos», 10, en *Cantos de vida y esperanza*

en el que la cesura cae entre las sílabas de una palabra.

c) *Endecasílabo*

El endecasílabo, uno de los versos más variados y complejos
de la versificación española, deriva del *décasyllabe* francés y
provenzal, que a su vez, tienen su origen en una matriz latina
medieval (Avalle 1963). En su forma primitiva, el *décasyllabe*
resulta de la unión de dos miembros, el primero de cuatro posiciones y el segundo de seis. El final del primer miembro podía
ser indiferentemente masculino (36) o femenino (37) (§ 32):

(36)   ço sent Rollant / que la mort il est pres

Chanson de Roland, 2.259

(37)   Sur l'erbe verte / li quens Rollant se pasmet

Ibid., 2.273

En este último caso, se habla de cesura épica: la sílaba que sigue a la cuarta sílaba (-*te*) se considera superflua o ajena a la estructura métrica. *Décasyllabes* con cesura épica aparecen también entre los trovadores provenzales, que, por su parte, experimentaron con la inversión del orden de los dos miembros, con la anticipación del miembro de seis sílabas respecto al de cuatro:

(38)   e non ai enemic / tan sobrancier

Peire Vidal, «Dragoman senher», 10

Si se prescinde de varias máximas en *El conde Lucanor,* los primeros testimonios del endecasílabo en la poesía castellana se remontan al siglo xv, y aun entonces tuvo un uso escaso, limitándose sustancialmente a varias composiciones de Fernán Pérez de Guzmán, al *Decir a las siete virtudes* de Francisco Imperial y, sobre todo, a los cuarenta y dos *Sonetos al itálico modo* del marqués de Santillana. Sólo con la renovación métrica efectuada por Boscán y Garcilaso, a ejemplo de la métrica italiana, en la primera mitad del siglo xvi, se difundirá el endecasílabo en España y en adelante se convertirá en el verso más importante de la lírica culta. Sentado esto, resulta fácil entender que ya en los primeros endecasílabos españoles se realiza plenamente la fusión de los dos miembros del *décasyllabe* francés en una única unidad verbal, salvo esporádicas excepciones de endecasílabos con la arcaica cesura épica:

(39)   ¡O sacra esposa / del Espíritu Santo

F. Pérez de Guzmán, «A nuestra señora»

El endecasílabo, por tanto, es el resultado de la yuxtaposición de un pentasílabo + un heptasílabo (endecasílabo *a minore*) o viceversa (endecasílabo *a maiore*), a condición de que el primer miembro sea agudo (entendido aquí, terminado en vocal tónica

+ átona) o que entre el primero y el segundo miembro se forme sinalefa.

(40)   mas tal estoy / que con la muerte al lado

Garcilaso, Soneto VI, 5

(41)   Cuando me paro / a contemplar mi 'stado

Id., Soneto I, 1

(42)   seré contra mi ser / cuanto parece

Id., Soneto XXXIV, 11

(43)   mirad hasta do llega / el mal de ausencia

Id., Soneto XXXVII, 11

En estos ejemplos, (40) y (41) son endecasílabos *a minore*; (42) y (43) *a maiore*. En (40) y (42) el primer miembro es agudo; en (41) y (43) los dos miembros están ligados por sinalefa.

Si el primer miembro no es agudo o no se da posibilidad de sinalefa en el enlace de los dos miembros, el segundo no será ya un heptasílabo o un pentasílabo, sino un hexasílabo en el *a minore*, y, según los casos, un tetrasílabo o incluso un trisílabo en el *a maiore*. Se evita, a pesar de algún ejemplo contrario en el siglo XV, la cesura tras pentasílabo esdrújulo, que da lugar a una especie de pentasílabo doble:

(44)   ¡O dulces prendas / por mi mal halladas

Garcilaso, Soneto X, 1

(45)   de relucientes piedras / fabricadas

Id, Soneto XI, 3

(46)   el agua con un ímpetu / furioso

Id., Soneto XXIX, 4

(47)   e plango e quéxome / de su crudeza

Santillana, Soneto I, 8

Endecasílabos de este tipo no resultan ya de la unión, sin importar el orden, de un pentasílabo y un heptasílabo, pero se consideran totalmente regulares, si, con la excepción de la variante poco apreciada que comienza por pentasílabo esdrújulo, aparecen con absoluta normalidad en los poetas más refinados en la métrica del siglo XVI en adelante.

Ya se ha señalado en este mismo párrafo la ambigüedad métrica y rítmica. También puede ser ambigua la cesura. En (15), por ejemplo, la cesura viene indiferentemente tras *agora* o tras *buelto*. Y el problema no surge siquiera al escandir, porque no se precisa ninguna pausa entre los dos miembros. La pausa, o como se decía, una inflexión melódica, sólo se requiere cuando en 4a/5a o en 6a/7a se da un conflicto de ictus: para poder atribuir un acento a dos sílabas adyacentes, hay que diferenciar los dos grupos rítmicos, lo que no sucede en (15).

En lo que respecta a la estructura rítmica del endecasílabo, se cuentan no menos de doce tipos, si se prescinde del factor cesura y de la distinción de ictus primarios y secundarios. En la práctica, poseen siempre ictus, además de la 10.ª posición: en el *a minore*, la 4.ª; en el *a maiore*, la 6.ª. Son siempre posiciones débiles, además de la 9.ª, por preceder al acento de 10.ª: en el *a minore*, la 3.ª, por anterior al acento de 4.ª; en el *a maiore*, la 5.ª, por preceder al de 6.ª. Las posiciones libres, en las que puede recaer o no el ictus son: en el *a minore*, la 1.ª, 2.ª, 5.ª, 6.ª, 7.ª, 8.ª; en el *a maiore*, la 1.ª, 2.ª, 3.ª, 4.ª, 7.ª, 8.ª. Aplicando las reglas rítmicas expuestas al comienzo del párrafo (nunca dos ictus consecutivos, a menos que no estén separados por la cesura; nunca más de dos posiciones débiles consecutivas), tendremos que los ictus del endecasílabo oscilan entre un mínimo de cuatro —como por ejemplo en (4)— y un máximo de cinco —como por ejemplo en (5)—, en donde se entiende por ictus rítmico, no hay que olvidarlo, también el ictus débil (estructuralmente idénticos, aunque estilísticamente muy diferentes):

(48)   *desnŭdo 'spĭrtu o hŏmbre en cărne y huĕso*

Garcilaso, Soneto IV, 14

(49)   *con tănta mănsedŭmbre el crĭstalĭno*

Id., Égloga III, 65

ambos con ictus en 2.ª, 4.ª, 6.ª, 8.ª, todos primarios en (48), dos secundarios y sólo tres primarios en (49).

29. ANISOSILABISMO

Se entiende por anisosilabismo la desigualdad en el número de sílabas de los versos de una composición sin que se deba a un esquema estrófico ni evidentemente se pueda imputar a los deterioros de la tradición manuscrita. Esta técnica de versificación supone una mesurada flexibilidad de los esquemas estróficos básicos y una serie de figuras métricas, que son el fundamento del texto anisosilábico. En general, en el anisosilabismo de la poesía románica y ya en la versificación latina medieval, se dan las figuras siguientes: la anacrusis móvil, en la que se añaden una o incluso dos sílabas átonas al principio del verso o del segundo hemistiquio; la acefalia, en la que se acorta el verso al comienzo, sin que perjudique la andadura rítmica de la línea; un tiempo vacío dentro del verso. La anacrusis puede pasar desapercibida si el verso con una sílaba de más empieza por vocal, creando así sinafía, esto es, sinalefa entre esta sílaba y la última del verso precedente.

En España, el anisosilabismo caracteriza gran parte de la producción poética medieval y sólo en el siglo XV cede definitivamente el campo a la versificación de tipo isosilábico. En realidad, el anisosilabismo es propio de la producción épica y, dicho más en general, de la producción juglaresca de los comienzos; aunque no muy frecuente, caracteriza además el verso de los *romances;* y no faltan ejemplos importantes de anisosilabismo incluso en el ámbito de la poesía culta y en la propia lírica cortesana.

Empecemos por el verso épico del *Cantar de Mio Cid.* Según Menéndez Pidal, el verso del *Cid* oscila de diez a veinte sílabas, siendo los más frecuentes los versos de 14, 15 y 16 sílabas. En cuanto a los hemistiquios, Menéndez Pidal calculó diez clases, con una oscilación de cuatro a trece sílabas. Esta variedad de hemistiquios da origen a 52 tipos de combinaciones, de las que son las más frecuentes: 7+7; 6+7; 7+8. Frente a una variación tan grande resulta extremadamente difícil poder hablar de versificación anisosilábica. Y, de hecho, Menéndez Pidal afirmaba: «Hemos de concluir que tanto el juglar del siglo XII, como los refundidores del XIII, no fundaban su versificación en el cuento regular de las sílabas en los hemistiquios, sino que seguían un procedimiento amétrico, que sin duda era el popular» (1944:84). Sin embargo, no han faltado intentos de incluir el verso del *Cid* en la técnica anisosilábica. En un importante estudio, por ejemplo, Giorgio Chiarini ha partido del siguiente criterio: «en la investigación de los influjos franceses en la versificación del *Cantar de Mio Cid* es desde luego lícito operar sobre la base de dos esquemas fundamentales coincidentes en el tiempo [...] derivados del *décasyllabe* y del *dodécasyllabe*» (1970:19-20), en que estaban escritas las *chansons* francesas. De este modo, se comprueba que un buen número de las combinaciones de hemistiquios halladas por Menéndez Pidal en el *Cid* se pueden reducir al *décasyllabe* y al *dodécasyllabe* franceses con sus variantes; se ha de tener en cuenta que, cuando se trasladan a una lengua en la que no rige la oxitonía propia de la francesa, estos esquemas experimentan un aumento silábico debido al predominio de las palabras llanas. Si a eso se añade que en la versificación anisosilábica se permite una pequeña fluctuación en la medida del hemistiquio, que produce la variante aritmética por exceso de una unidad, habrá que admitir entonces que el procedimiento seguido por el juglar del *Cid* no es tan amétrico como pretendía Menéndez Pidal, sino regulado por las leyes del anisosilabismo sobre la base de los dos versos de la épica francesa. En realidad, sumando los hemistiquios a los que sobra una sílaba en anacrusis con los versos que reproducen las variantes del decasílabo y del dodecasílabo franceses, Chiarini calcula que sólo el 20 % de los versos del *Cid* escapa a las reglas de la versificación anisosilábica. Se trata ciertamente de una cantidad relevante, aunque no tanto como para permitirnos incluir el *Cid* entre los textos poéticos totalmente «amétricos», especialmente si se considera que aquel porcentaje es susceptible de sufrir aún una reducción, por lo menos en el caso de los versos enmendables con los criterios ordinarios de la crítica del texto.

Menos complicado, aunque no desprovisto de problemas, es el caso de los poemitas juglarescos del siglo XIII, como la *Vida de Santa María Egipciaca*, *Elena y María*, la *Razón de amor*, que presentan una versificación anisosilábica sobre la base del octosílabo o del eneasílabo, según los casos. En el siglo siguiente, en una obra como el *Libro de buen amor*, en la parte narrativa en cuartetos monorrimos de alejandrinos (no exentos de oscilaciones métricas) se intercalan composiciones líricas anisosilábicas con oscilaciones de octo/eneasílabo, hepta/octosílabo y hexa/heptasílabo. Aunque en proporciones mucho más reducidas, también puede considerarse anisosilábico el verso de los *romances*, en los que el octosílabo alterna a veces con versos mayores o menores en una unidad. Sólo a partir de la segunda mitad del siglo XV, el octosílabo del romancero se vuelve completamente isosilábico.

Totalmente distinto es el caso del *verso de arte mayor*, que —como ya hemos visto— es un dodecasílabo dividido en dos hemistiquios por una fuerte cesura. Cada hemistiquio podía oscilar notablemente en el número de las sílabas: de cuatro a siete. En teoría, pues, el *verso de arte mayor* presentaba un mínimo de ocho sílabas y un máximo de dieciséis, en el caso de dos hemistiquios heptasílabos esdrújulos. En la práctica, no todas las posibilidades se verifican, aunque sea considerable el número de las variantes que en realidad existen. A ello se añade que la cantidad de las variantes se redujo posteriormente de manera notable en el *Laberinto* de Mena y aún más en Santillana. Sin embargo, se habla impropiamente de anisosilabismo a propósito de este verso, ya que lo pertinente en la definición del *verso de arte mayor* no es la estructura métrica, sino su rígida estructura rítmica. Cada hemistiquio, en realidad, se basa en un núcleo rítmico representable del modo siguiente: $\acute{-}--\acute{-}$, a lo que puede añadirse una o dos posiciones desprovistas de ictus antes y después de las dos únicas posiciones con ictus. Veamos los ejemplos de las dos variantes más frecuentes en el *Laberinto* de Mena (por sí solas representan el 80 % del poema):

(50)   suplíco me dígas / de dónde veníste

22f

(51)   fíz de mi dúbda / complída palábra

57f

Naturalmente, en este tipo de verso basado en la estructura rítmica, hay que prever algunos casos en los que no coinciden acento prosódico e ictus métrico, como en este verso sacado también del *Laberinto:*

(52)   *tus grándes discórdias,* / tus fírmezas pócas

2c

Respecto al *verso de arte mayor*, por tanto, no cabe hablar de verso anisosilábico, aunque presente oscilaciones métricas; debemos hablar de verso rítmico.

30. EL VERSO LIBRE

Bajo esta denominación, a decir verdad genérica y algo ambigua, se comprende toda forma de versificación que no responda a los principios del isosilabismo. El verso libre se consolidó hacia el final del siglo xix y a través de Francia pasó a las principales literaturas occidentales; pero importantes precedentes son el verso de Walt Whitman (1819-1892) y el *sprung rhythm* ('ritmo sacudido') basado en la intensidad de los ictus más que en la cantidad silábica, de Gerard Manley Hopkins (1844-1889).

En realidad, tienen cabida en la hospitalaria categoría del verso libre tipos bastante diferentes y separados entre sí. Procedamos por ejemplos, con la advertencia de que el orden de la exposición no implica una progresión cronológica.

a) *Polimetría*

(53)
    El sol dora de miel
    el campo malva y verde
    —roca y viña, fresca y llano—.
    La brisa rinde, fresca y blanda,
    la flor azul de los vallados cárdenos.
    Nadie ya, o todavía,
    en el inmenso campo preparado,
    que con cristal y alas
    la alondra adorna.
            Aquí y allá, abiertos y sin nadie,
    los rojos pueblos deslumbrados.

Juan Ramón Jiménez, «Amanecer» (CCXII),
en *Diario de un poeta recién casado*

La composición emplea diferentes tipos métricos que se suceden sin regularidad (dos heptasílabos, octosílabo, eneasílabo, endecasílabo, etc.). La polimetría, conocida en otras épocas literarias, no implica que se viole el principio isosilábico, sino que son imprevisibles las clases de verso en la estrofa o en la poesía.

b) *Anisosilabismo*

(54)
    Bajo el sollozo un jardín no mojado.
    Oh pájaro, los cantos, los plumajes.
    Esta lírica mano azul sin sueño.
    Del tamaño de un ave, unos labios. No escucho.
    El paisaje es la risa. Dos cinturas amándose.
    Los árboles en sombra segregan voz. Silencio.
    Así repaso niebla o plata dura,

> beso en la frente lírica agua sola,
> agua de nieve, corazón o urna,
> vaticinio de besos ¡oh cabida!,
> donde ya mis oídos no escucharon
> los pasos en la arena, o luz o sombra.

V. Aleixandre, «Silencio», en *Espadas como labios*

Aquí, son versos sustancialmente endecasílabos, con algunos de mayor medida, por la agregación de dos (v. 4) e incluso tres (vv. 5 y 6) sílabas suplementarias, o por debajo de la medida (v. 9, si se admite sinalefa entre *o* y *urna*). La misma técnica se halla aplicada a versos cortos:

(55) La luna clava en el mar
un largo cuerno de luz.

Unicornio gris y verde
estremecido, pero estático.
El cielo flota sobre el aire
como una inmensa flor de loto.

(¡Oh, tú sola paseando
la última estancia de la noche!)

F. García Lorca, «Segundo aniversario»,
en *Canciones*

donde se adopta la oscilación octosílabo/eneasílabo de la antigua versificación medieval.

c) *Combinaciones de versos*

(56) Si pico aquí, si hiendo mi deseo, si en tus labios
penetro, una gota caliente
brotará en su tersura, y mi sangre agolpada en mi boca,
querrá beber, brillar de rubí duro,
bañada en ti, sangre hermosísima, sangre de flor turgente,
fuego que me consume centelleante y me aplaca
la dura sed de tus brillos gloriosos.

V. Aleixandre, «Sierpe de amor», vv. 35-41,
en *Sombra del paraíso*

En el fragmento, aparte los versos perfectamente regulares —un eneasílabo (v. 36), dos endecasílabos (vv. 38 y 41), etc.—, hay versos «largos» conseguidos por la yuxtaposición de versos que, tomados independientemente, son perfectamente regulares. El v. 35, por ejemplo, combina un pentasílabo agudo con un endecasílabo, mientras que el v. 39 está formado por un eneasílabo, seguido por un heptasílabo. Un caso especial de verso «largo» está encarnado en las combinaciones de versos con los que los poetas intentaron reproducir en español los metros clásicos, como, por ejemplo, el hexámetro latino. Los primeros experimentos en tal dirección se remontan a Villegas, aunque fueron los poetas modernistas, con Rubén Darío a la cabeza, quienes dieron estabilidad a estas formas experimentales, como el hexámetro, el pentámetro y el dístico. En Aleixandre, se hallan hexámetros, del tipo ya experimentado por Rubén Darío, y versos a ellos asimilables. Por ejemplo,

(57)   de los rayos celestes que adivinaban las formas

> V. Aleixandre, «Criaturas en la aurora», v. 31,
> en *Sombra del paraíso*

es un verso compuesto por un heptasílabo más un octosílabo —o sea, una de las posibles combinaciones con las que se imitaba el hexámetro latino—, con la parte final del octosílabo que adopta la disposición acentual correspondiente a un dáctilo ($\acute{-}--$) seguido por un troqueo ($\acute{-}-$).

d) *Verso acentual*

(58) Una noche
       una noche toda llena de murmullos, de perfumes y de músicas de
                                                                        [alas:
       en que ardían en la sombra nupcial y húmeda las luciérnagas
                                                                        [fantásticas,
       por la senda florecida que atraviesa la llanura caminabas.

> José Asunción Silva, *Nocturno*, vv. 1-5

La medida silábica oscila fuertemente: en los versos citados, de cuatro a veinticinco sílabas. El metro se basa en la repetición en cada verso de un núcleo tetrasilábico, con ritmo trocaico, que a veces se reduce a bisilábico. La misma técnica aparece en otros poetas, como en los siguientes versos de Rubén Darío, que juega con núcleos trisilábicos:

(59)   Ya viene el cortejo.
             Ya viene el cortejo. Ya se oyen los claros clarines.
             La espada se anuncia con vivo reflejo.
             Ya viene, oro y hierro, el cortejo de los paladines.

> R. Darío, «Marcha triunfal», vv. 1-4
> en *Cantos de vida y esperanza*

Esta técnica, de índole acentual, fue muy usada por los poetas modernistas, pero tuvo escasa fortuna en épocas posteriores, aunque se halla en poetas de la posguerra como Gabriel Celaya, Carmen Conde y José Hierro.

e) *Verso-frase*

(60)   Fue cuando la flor del vino se moría en penumbra
        y dijeron que el mar la salvaría del sueño,
        Aquel día bajé a tientas a tu alma encalada y húmeda,
        y comprobé que un alma oculta frío y escaleras
        y que más de una ventana puede abrir con su eco otra voz, si es
                                                            [buena.
        Te vi flotar a ti, flor de agonía, flotar sobre tu mismo espíritu.
        (Alguien había jurado que el mar te salvaría del sueño.)
        Fue cuado comprobé que murallas se quiebran con suspiros
        y que hay puertas al mar que se abren con palabras.

                            R. Alberti, «El ángel de las bodegas», I, en *Sobre los ángeles*

El verso, variable por extensión y por número de ictus o de acentos, coincide con la frase (esticomitia).

f) *Verso lineal*

(61)   Creí que estabas en mí
                        —eterna—
                        lo mismo
                        que si estuvieras
                        esculpida
                        en una piedra...
                        y estabas
                        como un dibujo en la arena,
                        en la arena del camino,
                        en la arena que dispersan
                        el agua,
                        el viento y las huellas.

                            L. Felipe, *Versos y oraciones del caminante*, XVII

(62)   El prestidigitador ocultó el mundo en su pañuelo
        y a la hora de hallarlo olvidó el truco.
        Después él mismo desapareció
        dentro de su chistera indescifrable
        mientras lloraban los espectadores, a su vez no visibles,
        pues también eran parte del mundo reducido
        en un azar de nadas a la nada.

                            J. A. Valente, «Invención sobre un *perpetuum mobile*», vv. 24-31, en
                                                            Interior con figuras

Se comprende bajo esta denominación la especie de verso libre que no entra en ninguna de las categorías anteriores; o mejor dicho, cuya coincidencia con alguno de los tipos precedentes se considera esporádica y no sistemática. Hemos usado el término «lineal» porque el carácter métrico de este verso, en ausencia de cualquier modelo rítmico o métrico-rítmico, se confía exclusivamente a la línea tipográfica, es decir, al espacio en blanco que lo delimita, o si se prefiere, a la pausa final. Se observará que, a diferencia del tipo e), este verso conserva formas de encabalgamiento intensas, fines en sí mismos por cuanto la delimitación de la línea es totalmente arbitraria. En iguales términos que para la poesía tradicional, en realidad, se plantea la cuestión de si estos versos van más dirigidos a la vista que al oído o viceversa, ya que esta versificación no sugiere ninguna hipótesis de ejecución. El hecho que aquí se haya llamado este verso «lineal» no implica que se destine la vista más que un endecasílabo o un alejandrino, sino que su carácter métrico se apoya en el blanco tipográfico que sigue a la línea y que, para la ejecución, puede representarse con una pausa.

El empleo del modelo «libre» incide profundamente en todo el patrimonio de reglas versificatorias tradicionales. Tómense, por ejemplo, las figuras o licencias métricas: su aplicación, cuando se da isosilabismo, depende totalmente del contexto. En un soneto, de entrada sabemos que todo verso debe ser un endecasílabo y que a cada endecasílabo sigue otro. El lector «colabora» con el autor atribuyendo a ciertas líneas las figuras métricas pertinentes y convenientes, indispensables para hacer que todos los versos del poema «sean» endecasílabos. Queda cierto margen de ambigüedad, en el sentido que en algunos casos estaremos indecisos entre una u otra escansión, si ambas son posibles, pero al final, sin embargo, cuadrarán las cuentas. Muy distinto es el asunto con el verso libre. En los tipos d), e) y f), la cuestión ni siquiera se plantea, pues no tendría sentido intervenir en la división silábica si oscila el número de las posiciones. Pero el problema se vuelve delicado en los tipos a) y sobre todo b) y c), en los que se encuentran formas isosilábicas regulares y parecería a veces necesario contar con las figuras métricas para determinar el carácter métrico de la línea. Y aún se complica por el hecho que incluso en contextos rigurosamente isométricos el uso de las figuras puede ser variado e imprevisible, como puede ser atípico el esquema rítmico de los versos respecto a la práctica decimonónica. De este conflicto insoluble no se sale si no se tiene presente, con Fortini, el carácter «alusivo» de la métrica, en especial la contemporánea, que hace constante referencia a algo distinto de sí misma y se configura como cita de una regla presente en la «conciencia métrica» de una comunidad de lectores.

Escribe Fortini: «En nuestra poesía de hoy se dan —en la conciencia común [...] de rechazo de las instituciones métricas— dos posiciones extremas ("alusión" métrica integral, o seudotradicionalismo, y rechazo integral de los metros, o seudorritmicidad «pura») e innumerables posiciones intermedias. Por ejemplo, los *epermetri* y los *faux exprés* que interrumpen los endecasílabos de Luzi y los endecasílabos dispersos que emergen en los versos "rítmicos" de no poca poesía de cadencia intencionalmente de prosa (Tobino, Arpino...) tienen funciones inversas y simétricas. En el primer caso, la interrupción de la secuencia endecasilábica sirve para subrayar el carácter "estilístico" y por ello justamente alusivo de aquel endecasílabo, revelando así que el autor participa o parece comulgar con la "conciencia común" de que hablaba. En el segundo caso, los ejemplos de melodía tradicional sirven, en cambio, de reclamo mínimo para situar el discurso en la categoría general de la "poesía" y de la "lírica". Ejemplo de un uso diferente de métrica tradicional y de ritmo abierto son algunas célebres composiciones de Montale ("Barche sulla Marna", entre otras), donde el verso rítmico se emplea en el momento discursivo de aproximación a la tensión existencial (o "poesía" como arrebato) para ceder —o subir— al endecasílabo cuando la fase de aproximación se ha consumado» (1974: 317).

En contextos semejantes, el recurso eventual a las figuras métricas podrá valorarse como alusión a un código que en otros aspectos se infringe o como una forma de auténtico arcaísmo. Lo cierto es que es prácticamente imposible asignar al lector un comportamiento ideal cuando el contexto no impone la regla. En

(63)   Yo era aquel muchacho que un día
              saliendo del fondo de sus ojos
              buscó los peces verdaderos
              que no podía ver por sus manos.

              V. Aleixandre, «Suicidio», vv. 5-8, en *Espadas como labios*

por ejemplo, *Yo era aquel muchacho que un día* podría interpretarse como un endecasílabo si se admiten las dialefas en *Yo era* y en *que un*. Por otra parte, si sólo se admite una dialefa, el verso podría ser también un decasílabo, como el segundo y el cuarto. Y, finalmente, si no se admite ninguna, podría explicarse como un eneasílabo, igual que el tercero de los versos referidos. Cualquier decisión es imposible en este caso: la línea sigue siendo métricamente ambigua o, si se prefiere, no tiene sentido plantearse la cuestión, si es cierto que los decasílabos y eneasílabos seguros no contribuyen a formar una secuencia isométrica ni forman parte de un esquema estrófico, sino que aluden a un código, por así decir, ausente.

La tipología del verso libre que hemos esbozado más arriba

tan sólo esquematiza sumariamente una realidad bastante más fluida: casi todos los tipos identificados aparecen por lo común mezclados, y no es raro que ecos de las formas métricas tradicionales afloren en contextos insospechados, como el endecasílabo *a maiore* llano (*La derrota del cielo, un amigo*) destacado (y el caso no está aislado) en estos versos de Alberti:

(64)   Acordaos.
       La nieve traía gotas de lacre, de plomo derretido
       y disimulos de niña que ha dado muerte a un cisne.
       Una mano enguantada, la dispersión de la luz y el lento asesinato.
       La derrota del cielo, un amigo.

R. Alberti, «El ángel superviviente», vv. 1-5 en *Sobre los ángeles*

El concepto de alusión de Fortini es válido también para aspectos de la versificación como la rima, la estructura estrófica, las propias formas institucionales (soneto, canción, etc.) que la poesía contemporánea evoca o cita, en un continuo diálogo con el pasado.

BIBLIOGRAFÍA. Acerca de las formas estróficas de la versificación española, son fundamentales Navarro Tomás (1974) y Baehr (1970); algo más manejable es Quilis (1984); interesantes los estudios recogidos en Navarro Tomás (1973). Sobre el anisosilabismo antiguo son fundamentales, en la bibliografía reciente, las observaciones de Contini (1961). Para el anisosilabismo en la antigua poesía española, además de señalar el clásico Henríquez Ureña (1920), remitimos a la bibliografía contenida en Baehr (1970: 177-97). Sobre el arte mayor es fundamental Lázaro Carreter (1972). Sobre los problemas del verso libre, además de las observaciones generales de Lázaro Carreter (1971), han de verse López Estrada (1969) y Paraíso (1985). Son útiles, en general, los diccionarios de Domínguez Caparrós (1985) y de Marchese y Forradellas (1986).

LA RIMA

31. Clases de rima

En la poesía moderna el uso de la rima deriva de la experimentación de los poetas latinos de la Edad Media. Pero la rima aparece en tradiciones poéticas dispares e independientes entre sí (como la china, la sánscrita, la árabe), y por ello es de suponer la poligénesis. Según algunos, la rima, al haber establecido una forma de simetría entre las partes del texto, sería asimilable a otras clases de estructuras simétricas observadas en artes como la música, la arquitectura, el dibujo geométrico, la danza, etc. Esencialmente, la rima es un accidente fonético, que depende de una circunstancia: las combinaciones en las que los fonemas de una lengua pueden intervenir son numerosas, pero no ilimitadas, dando por ello lugar a la repetición de ciertas secuencias. La rima, así pues, existe en toda lengua, si bien no todas las lenguas disponen de la misma cantidad de palabras rimantes (el inglés, por ejemplo, tiene mucho menores posibilidades en este campo que el español). De simple accidente fonético, la rima se ha transformado, en muchas tradiciones poéticas, y principalmente en la encabezada por los trovadores, en elemento central de la versificación, hasta el punto que *rima* y *poesía* se convierten en sinónimos desde la Edad Media.

En una composición se pueden asignar a la rima varias y distintas funciones: la rima demarca ante todo el verso, señalando el final, a la vez que un cambio de rima por lo común anuncia el comienzo de un nuevo período estrófico; organiza además las complicadas divisiones internas de las estancias de canción; un dístico con rima gemela o pareada señala el final de estrofas como la *octava real*, etc. Pero, aunque nos limitemos a estudiar el papel de la rima en el verso, está claro que la rima sirve para poner de relieve, con la repetición fónica, la palabra final de la línea, subrayada también por el último ictus (determinante desde el punto de vista rítmico) y por la pausa que le sigue. Si se suman todas esas consideraciones, se entenderá por qué la rima, el elemento más evidente del estilo poético, ha sido asumida como bandera por más de una escuela de poetas. A los cultivadores de rimas fáciles se han opuesto los teóricos del rimar áspero y difícil; a quien ha considerado la rima como un simple embellecimiento, los que han hecho de ella el centro en torno al que se hace girar toda la composición.

Las clasificaciones más detalladas de los varios tipos de rima se remontan a los manuales medievales, en especial las artes poéticas provenzales, en buena parte compuestas en Cataluña e Italia en los siglos XIII y XIV y enderezadas principalmente a los cultivadores no provenzales de la lírica trovadoresca. De estos antiguos tratados, los preceptistas modernos han extraído a manos llenas, directa o indirectamente, nociones y terminología.

Tradicionalmente se distinguen en la literatura española dos especies de rimas: la consonante y la asonante. Se entiende por rima consonante la figura fónica que consiste en la identidad de la terminación de dos o más palabras a partir de la vocal tónica o con acento métrico. En una perspectiva diacrónica, hay que tener naturalmente en cuenta la evolución fonética de la lengua. Por ejemplo, hoy sería perfectamente normal hacer rimar dos palabras como *belleza* y *cabeza*; sin embargo, todavía en el siglo XVI, eso era imposible, porque los fonemas consonánticos finales de las dos palabras eran entonces distintos: sordo (*ts*) en *cabeza* y sonoro (*dz*) en *belleza*.

Según sea la palabra llana, aguda o esdrújula se hablará de rima llana, aguda o esdrújula.

Las rimas pueden distinguirse por el grado de dificultad. Tendremos así las rimas pobres, que se producen con terminaciones muy frecuentes en la lengua (por ejemplo, -*ado*, -*ente*, -*aba*) y, por el contrario, las llamadas rimas ricas o *caras* (con palabra provenzal) de las que, señalan los tratados antiguos, «se dan muy pocas».

Por ricas, sin embargo, entienden los tratadistas también aquellas rimas en las que la reiteración de la misma terminación se extiende a uno o más fonemas que preceden a la vocal tónica: *cadena : condena, olores : dolores*, etc. Para evitar equívocos, sería preferible reservar a estas últimas rimas el nombre de «ricas» e indicar las demás, que se caractericen por su dificultad o rareza, con el término provenzal.

Si la identidad de la forma es absoluta, salvo por una diferencia de significado, se tiene una rima *homónima*: *parte* (verbo) parte (sustantivo), *vecina* (adjetivo) : vecina (sustantivo), *figura* (sustantivo) : figura (verbo).

Si se repite pura y simplemente una palabra (con el mismo significado y en la misma función gramatical), la rima es idéntica. Por lo general, los poetas cultos evitan la rima idéntica, a menos que no se use de manera sistemática en toda la composición (como en la sextina [§ 32]), en cuyo caso se hablará de palabra-rima.

A veces se usa en la rima una misma palabra con variaciones gramaticales, o dicho de otro modo, se trata de una rima obtenida al aplicar la figura etimológica. Antiguamente, este procedimiento se conocía con el nombre de *mozdobre*. De este modo se hacen rimar palabras compuestas o prefijadas con palabras simples o sin prefijo o con componente inicial y prefijo distintos: *huye : rehúye, fecho : deshecho, culpa : disculpa, acierta : concierta*, etcétera.

Una clase especial es la rima *partida*, que consiste en prescindir de la última sílaba de los versos, haciendo rimar las penúltimas, como en los siguientes versos de Cervantes: «No te metas en dibú / ni en saber vidas ajé, / que en lo que no va ni vié / pasar de largo es cordú.» Los versos característicos de esta clase de rima toman el nombre de versos *de cabo roto*.

La rima interna se produce dentro del verso. Se distinguen varias clases. Cuando la rima se produce al final de un verso y al final del primer hemistiquio siguiente, se tiene la rima *al mezzo* o *encadenada*, como en este caso: «¡Qué rezio movimiento en la corr*ida* / lleva, de tal her*ida* lastimado!» Cuando la rima interna se da en un mismo verso, se distinguen al menos dos casos. El primero se tiene cuando la rima liga el final de un hemistiquio con el final del verso, como en los siguientes versos, llamados *leoninos*: «Hoy se casa el mon*arca* con su m*arca*, / non quede pollo a v*ida*, ni com*ida*.» El segundo caso se da cuando riman las dos palabras finales de un mismo verso, obteniendo el efecto del eco, como en el verso de Lope: «Peligro tiene el más probado vado.»

En la rima asonante, la identidad o reiteración de las terminaciones es parcial. Se habla de asonancia *perfecta* o *corriente* cuando coinciden las vocales tónicas y átonas: am*iga* : quer*ida*; c*ue*rpo : d*ue*lo. En los casos en que un diptongo constituye la posición tónica, la asonancia se construye a veces sólo sobre la vocal y no sobre la semivocal o semiconsonante: c*ue*rpo : v*ie*nto; c*ua*tro : p*a*sos; c*ai*ga : r*a*na. En los casos de rima esdrújula, la postónica puede tener valor cero, por lo que riman únicamente la vocal tónica y la final: c*á*ntic*o*/m*a*n*o*. A la asonancia *perfecta* o *corriente* cabe añadir otros dos tipos de asonancia. En el primero, que podríamos llamar asonancia átona, riman las consonantes y las vocales después de la tónica, como en los ejemplos siguientes: ho*mbre* : costu*mbre*; po*co* : fla*co*. En el segundo tipo, la rima (apofónica) se reduce sólo a las consonantes: co*m*o : bru*m*a.

No es exagerado afirmar que para la poesía española la rima asonante tiene una importancia igual a la consonante. Basta pensar que dos géneros relevantes, como la antigua épica y el *romance,* utilizaron esta clase de rima. Para el romance, la cuestión es más complicada, porque la rima asonante fue sistemáticamente reemplazada por la consonante a partir de finales del siglo xv para volver después gradualmente a la asonancia tradicional en la segunda mitad del siglo siguiente. Naturalmente, la asonancia no se limita a los géneros de que se ha hablado ahora. Aparece, por ejemplo, en los versos pares de la estrofa compuesta de cuatro versos de *arte menor.* Este género métrico, la *cuarteta asonantada,* aparece ya en la jarcha «Garid vos, ay hermaniellas,» lo volvemos a encontrar con bastante frecuencia en los *villancicos* y *glosas* de los siglos xvi y xvii y se siguió usando en las épocas sucesivas hasta Antonio Machado que la utilizó tanto en serie como aisladamente. Igualmente, la asonancia prevalece en las varias formas de *seguidilla,* un género antiguo que alcanzó su mayor difusión en el siglo xvii.

En el período de los orígenes, con bastante frecuencia los poetas mezclaban rimas consonantes y asonantes. Este fenómeno estaba destinado a desaparecer pronto y ya en época medieval las dos especies de rima se utilizaron por separado. Es posible, sin embargo, encontrar en ocasiones series de versos con rima consonante que por añadidura presentan asonancia, como en el siguiente ejemplo sacado de la Égloga I de Garcilaso (vv. 151-54): 1 *recelo,* 2 *poseyendo,* 3 *duelo,* 4 *corriendo,* en donde 1 y 3, por un lado, 2 y 4, por el otro, presentan rima consonante, pero las cuatro palabras están asociadas por la rima asonante *e, o.*

32. FORMAS ESTRÓFICAS

En una composición poética los versos pueden sucederse sin presentar cortes métricos o bien organizarse en períodos estróficos, de medida fija o variable, independientes entre sí o ligados por algunas formas de enlace.

En la poesía moderna, a menudo las divisiones estróficas están fijadas exclusivamente por la disposición gráfica, por lo que, como ha señalado López Estrada, «la separación entre una y otra parte consta de un número de espacios superior al blanco ordinario que existe entre las líneas poéticas» (1969: 155).

Las combinaciones estróficas prácticamente son infinitas. A continuación, nos limitaremos a resumir las formas más importantes, advirtiendo que se acostumbra en España indicar con mayúsculas las rimas de versos largos y con minúsculas las de versos cortos. En una descripción métrica rigurosa se empleará el numeral junto a la letra para señalar la cantidad de posiciones; un ápice indicará el final agudo, dos el esdrújulo y ninguno el llano (por ejemplo, el esquema de la estrofa llamada *lira*, usada por primera vez por Garcilaso en la «Ode ad florem Gnidi» y compuesta de heptasílabos y endecasílabos llanos, consiste en a7 B11 a7 b7 B11).

A continuación, se expondrán las formas más frecuentes. El *dístico*, conocido también con el nombre de *pareado*, es una pareja de versos con la rima aa. El *terceto* o *terza rima* es un metro continuado en el que cada unidad está ligada a la precedente mediante rimas encadenadas: ABA. BCB. CDC... YZY. Z.

La estrofa de cuatro versos presenta una notable variedad. Puede estar constituida por versos de *arte menor*, en especial octosílabos, con rimas abrazadas abba (*redondilla*) o con rimas encadenadas abab (*cuarteta*), o bien por versos de *arte mayor*, con rimas abrazadas (*cuarteto*) o encadenadas (*serventesio*). El cuarteto monorrimo (AAAA. BBBB...) caracteriza la *cuaderna vía* (§ 28). De modo similar, en la estrofa de cinco versos, si se encuentran ya octosílabos, ya versos de *arte mayor* (generalmente, endecasílabos), tendremos respectivamente la *quintilla* o el *quinteto*. Las rimas podían combinarse de distintas formas, con tal que se respetaran las tres reglas siguientes: 1) evitar más de dos rimas seguidas; 2) los últimos dos versos no podían formar *pareado;* 3) ningún verso podía quedar libre. Para la estrofa de seis versos, además de la *sextilla*, compuesta en general de octosílabos, es importante el *sexteto*, equivalente a la *sestina* narrativa italiana: una estrofa de seis endecasílabos con el esquema ABABCC. Sobre la *copla de pie quebrado* y, en especial, la *estrofa manriqueña*, véase § 28. En cuanto a la estrofa de ocho versos, hay que distinguir al menos cuatro clases importantes. La *copla de arte mayor*, que toma su nombre del verso que la constituye (hexasílabo doble o dodecasílabo, véase §§ 28 y 29), se divide en dos semiestrofas de cuatro versos con tres rimas: ABBA; ACCA; ABBA; ACAC; etc. La *copla de arte menor* es similar a la anterior, salvo que está compuesta de versos cortos (hexasílabos, octosílabos). La *copla castellana* está formada por dos *redondillas* o *cuartetas*, con la presencia de cuatro rimas. Finalmente, la *octava real*, de origen italiano, está formada por ocho endecasílabos con el esquema ABABABCC. De la estrofa de diez versos, dos son las formas más importantes: la *copla real*, que consiste en un primer tipo formado por diez octosílabos ordenados en dos grupos (4+6 o 6+4), con dos o tres rimas, y un segundo tipo formado por dos *quintillas*, cada una de las cuales rima de forma independiente; la *décima espinela*, que toma su nombre del poeta Vicente Espinel, que la fijó en su forma definitiva, está compuesta por diez octosílabos que riman con el esquema siguiente: abbaaccddc.

Una exposición más detallada merecen la estrofa zejelesca, las del villancico, de la canción trovadoresca, de la canción de origen italiano y las formas del soneto y del madrigal.

a) *Zéjel*

Dejando de lado el complejo problema del origen, árabe o románico, de la estrofa zejelesca —que en cualquier caso formaba la base del género de la *muwassaha* cultivado por los poetas árabes andalusíes—, esta estrofa, generalmente compuesta de octosílabos, presenta una estructura muy sencilla: un *estribillo*, normalmente de dos versos, a los que siguen cuatro versos. De estos cuatro, los primeros tres son asonantes y monorrimos y constituyen la *mudanza*, mientras que el último, que rima con el *estribillo*, constituye la *vuelta*. El esquema es: aa bbba, como en el siguiente ejemplo de estrofa zejelesca, sacada de una famosa composición de Gil Vicente:

(65)   Dicen que me case yo;   a ⎫   Estribillo
       no quiero marido, no.   a ⎭

       Más quiero vivir segura   b ⎫
       n'esta sierra a mi soltura, b ⎬   Mudanza
       que no estar en ventura   b ⎭
       si casaré o no.   a   Vuelta

b) *Villancico*

No muy diferente de la estrofa zejelesca, aunque un poco más complicada, es la estrofa del *villancico*. Generalmente en octosílabos o hexasílabos, el *villancico* comienza con un *estribillo* —llamado también *cabeza* o *villancico* propiamente dicho— que es una *cancioncilla* de tres o cuatro versos. Tras este exordio, sigue la estrofa compuesta así: una *redondilla* que constituye la *mudanza* y cuyas rimas, abrazadas o encadenadas, son independientes de las de la *cabeza;* un verso *de enlace,* que repite la última rima de la *mudanza;* otro verso *de vuelta,* que reproduce la rima de la *cabeza* y, para acabar, la repetición parcial o total de la *cabeza (represa).* Este esquema se encuentra ilustrado por el siguiente *villancico* de Juan Fernández de Heredia:

(66) No lloréis, mis ojos tristes,   a ⎫
       si podéis,   b ⎬ Cabeza
       tristes ojos, no lloréis.   b ⎭

       Y aunque mi desdicha ordena   c ⎫
       dolor que tanto sintáis,   d ⎬ Mudanza
       que no digan que lloráis   d ⎬
       para descansar mi pena.   c ⎭
       Y que no haya cosa buena   c   Verso de enlace
       con que mi mal descanséis,   b   Vuelta
       si podéis,   b ⎫ Represa
       tristes ojos, no lloréis.   b ⎭

c) *Canción trovadoresca*

La canción llamada trovadoresca, para distinguirla de la canción de origen italiano, con la que tiene poco que ver, se cultivó en la literatura española sobre todo en el siglo xv. Tiene en común con las formas del zéjel y del villancico la estructura musical en origen, por lo que presenta un esquema compositivo similar al de las dos formas ya tratadas. Se compone de una *redondilla* inicial, en la que se expone el tema, de una segunda *redondilla,* que constituye la *mudanza* y posee rimas propias, y de una tercera *redondilla,* llamada *vuelta,* que repite las rimas de la inicial y, en algún caso, reproduce palabras en rima o incluso versos enteros de aquélla. A veces, las *redondillas* son sustituidas por *quintillas;* o bien, el tema y la parte final están formados por sólo tres versos. Los versos generalmente adoptados son el octosílabo y el hexasílabo. La canción que se refiere aquí es de Juan Álvarez Gato:

(67) No le des prisa, dolor,   a ⎫
       a mi tormento crecido,   b ⎬ Tema
       que a las vezes el olvido   b ⎬
       es un concierto d'amor.   a ⎭

       Que do más la pena hiere,   c ⎫
       allí está el querer callado   d ⎬ Mudanza
       y lo más disimulado   d ⎬
       aquello es lo que se quiere   c ⎭

aunqu'es el daño mayor	a	
del fuego no conoscido	b	Vuelta
a las vezes el olvido	b	
es un concierto d'amor.	a	

d) *Canción*

Totalmente distinta es la canción de origen italiano, que se difundió en España a partir de la primera mitad del siglo XVI. Está formada por endecasílabos y heptasílabos agrupados en un número variable de estrofas, llamadas estancias. La estancia presenta una complicada articulación interna, sugerida por el esquema de las rimas y remachada de ordinario por la organización sintáctica. La primera parte se llama *fronte* y se divide por lo normal en dos *pies* iguales; la segunda, *sirma, sírima* o *coda*, se divide a su vez en dos partes, idénticas o simétricas. Entre la *fronte* y la *sirma* puede intercalarse un verso de *concatenatio*, que repite la última rima de la fronte y puede reiterarse al final o dentro de la sirma (al principio de la segunda parte o *volta*, en caso de sirma bipartita). Éste es el esquema teórico de la *canzone*, según la clara descripción integrada en el *De vulgari eloquentia* de Dante Alighieri. Hay que advertir, no obstante, que en el tiempo en que se introdujo la canción en la poesía española, la sirma ya es indivisible, es decir, no se descompone en dos *volte* y el verso de *concatenatio* (eslabón o *chiave*) se ha hecho habitual, aunque, por no estar prescrito obligatoriamente, puede faltar. Como en las formas tradicionales antes tratadas, la organización de las estancias tenía en su origen un fundamento en su articulación melódica o musical (en especial, el primer pie se acompañaba de una frase musical breve, que se repetía luego en el segundo pie; la sirima presentaba un período melódico nuevo); de este modo, la melodía, el metro y la sintaxis se estructuraban de forma que cada nivel remitía (por afinidad, pero a veces también por contraste) a los demás niveles. En el siglo XVI, cuando se difundió en España, la canción ya no se componía para el canto, por lo que aquella técnica estrechamente ligada a la ejecución se convirtió para los poetas españoles, como ya lo era para los italianos, en una búsqueda de soluciones métricas.

Con finalidad ilustrativa, reproducimos la primera estancia de la canción III de Garcilaso:

(68)

Con un manso rüido	a		
d'agua corriente y clara	b		1.er pie
cerca del Danubio una isla que pudiera	C	Fronte	
ser lugar escogido	a		
para que descansara	b		2.º pie
quien, como estó yo agora, no stuviera;	c		
do siempre primavera	c		
parece en la verdura	d		
sembrada de las flores;	e		
hazen los ruiseñores	e		
renovar el plazer o la tristura	D	Sirma	
con sus blandas querellas,	f		
que nunca día ni noche cessan dellas	F		

Obsérvese que Garcilaso reproduce el esquema de la canción de Petrarca, «Chiare, fresche e dolci acque», esto es, la canción de cierto más imitada por un largo período de tiempo. Como se ve, la sirma es indivisible y termina con una *rima pareada,* como normalmente sucede; y existe concatenación, pues en el primer verso de la sirma se repite la última rima de la fronte. Se apreciará además que las subdivisiones de la fronte, los pies, tienen una disposición simétrica, tanto por la medida de los versos (heptasílabo-heptasílabo-endecasílabo) como por la rima.

La canción puede concluirse con una despedida dirigida a un destinatario o a la canción misma. Como despedida o *envío* se usará una estrofa entera o parte de ella o bien se puede adoptar un nuevo esquema métrico. En general, es más corto que la estancia y suele repetir el esquema métrico de la sirma o de parte de ella. En el ejemplo aducido, la canción III de Garcilaso, el envío o despedida reproduce la disposición métrica de la fronte a la que se añade un pareado: abCabCdD.

Tiene forma estable y número fijo de versos un tipo especial de canción, la sextina o sextina lírica. Inventada por el trovador Arnaut Daniel, cuya sextina se remonta a las dos últimas décadas del siglo XII, fue adoptada en Italia por Dante y Petrarca (que se sirvió también de una forma doble, como luego en España Cetina y Montemayor en la *Diana*). En la poesía española, poseemos un primer ejemplo de esta forma en *verso de arte mayor*, por obra de Mosen Crespí de Valldaura, datable a comienzos del siglo XV, pero alcanzó su auge, escrita siempre en endecasílabos, en la segunda mitad del siglo XVI, por obra de poetas como Herrera, Montemayor y Gil Polo. A diferencia de lo que ocurrió en Italia, la sextina ya no se empleó en España a partir de principios del siglo XVII, aunque es digna de mención la bella sextina de Jaime Gil de Biedma en pleno siglo XX. Si bien en la sextina de Arnaut el primer verso de cada estancia era un heptasílabo con terminación femenina (un octosílabo en la terminología española), la sextina se compone totalmente de endecasílabos y se funda en dos técnicas: el empleo de la palabra-rima (§ 32) en lugar de la rima y el esquema de la *retrogradatio cruzada*. Es decir, dada la primera estancia con palabras-rima (todas independientes entre sí en la estancia), ABCDEF, la segunda estancia reproduce en el primer verso la sexta palabra-rima de la primera, en el segundo la primera, en el tercero la quinta, y así sucesivamente, tomando alternativamente de abajo y de arriba. De este modo, el orden de las palabras-rima no se repite jamás idéntico en las seis estancias. El esquema completo de la sextina, así pues, es (el orden de las palabras-rimas en el envío es el usado por Herrera en las cuatro sextinas que compuso): I. ABCDEF, II. FAEBDC, III. CFDABE, IV. ECBFAD, V. DEACFB, VI. BDFECA, VII. AB-DE-CF.

e) *Soneto*

El soneto entró en la poesía española junto con la canción en el siglo XVI (si se prescinde del experimento de Santillana); ha gozado hasta el siglo XX de una enorme fortuna en Europa. Invento siciliano, atribuido con toda probabilidad a Giacomo da Lentini (s. XIII), hoy se tiende a considerar que el soneto ha de interpretarse como una estancia aislada de canción, con fronte y sirma bipartita (y sin *concatenatio*). El soneto, formado totalmente por endecasílabos, se configura en dos series de rimas, la de los cuartetos y la de los tercetos. Los cuartetos tienen por lo normal rima abrazada: ABBA, ABBA. De mayor libertad se dispone en los tercetos, en los que las rimas pueden ser dos, por ejemplo alternadas: CDC. DCD, o tres, repitiendo en el segundo terceto las rimas del primero en orden normal (CDE. CDE) o inverso (CDE. EDC); pero no faltan otras numerosas combinaciones, prácticamente todas las variantes combinatorias posibles sobre dos o tres rimas (CDD. DCC; CCD. DCC; CDE. DCE; CDE. DEC, etc.). La historia del soneto registra modificaciones de diverso tipo, y no siempre de mucha fortuna, en su estructura, como en el caso del soneto *doble* o *doblado*, que se obtiene por la agregación de heptasílabos dentro de los cuartetos o los tercetos. Mayor fortuna alcanzó el soneto *con estrambote*: un soneto normal al que se le añadía una coda compuesta por un heptasílabo en rima con el último verso del segundo terceto, seguido por un pareado de endecasílabos. Los poetas modernistas, que tuvieron una predilección por el uso del soneto, introdujeron numerosas modificaciones tanto por lo que hace al metro como por lo que se refiere a las especies de rima y a su orden. Es suficiente mencionar dos formas especiales de soneto, obtenidas mediante la alteración del metro: el *sonetillo* y el *soneto alejan-*

drino. Ambas formas, si bien empleadas ya en los siglos XVI y XVII, adquirieron importancia sólo con los poetas modernistas. El sonetillo se componía de versos cortos, octosílabos predominantemente; el soneto alejandrino toma su nombre del verso con que se sustituyó el endecasílabo originario.

f) *Madrigal*

La forma originaria del madrigal, ausente en la literatura española, se configura en dos o tres unidades de tres versos con varias maneras de rima, seguidas por uno o dos pareados o por dos parejas de rima encadenada. Los versos son todos endecasílabos. A partir del siglo XVI, la forma del madrigal sufre profundas transformaciones: admite la alternancia de endecasílabos y heptasílabos y la estructura interna se vuelve aún más libre. Es ésta la forma atestiguada en la poesía española, donde fue introducida en la primera mitad del siglo XVI, quizá por Gutierre de Cetina.

33. GÉNEROS MÉTRICOS Y GÉNEROS POÉTICOS

Se entiende por géneros métricos las formas versificadas institucionalizadas, fijas o variables sólo dentro de ciertos límites, que se impusieron en el desarrollo de la tradición literaria. Los géneros métricos se pueden dividir en estíquicos, basados en un único tipo de verso y desprovistos de un esquema de rimas, y estróficos.

Entran en la primera categoría las tiradas asonantadas, usadas sobre todo en la épica, como el *Cantar de Mio Cid* o el fragmento conservado del *Roncesvalles*. El cambio de asonancia señala el paso de una tirada a otra; la extensión de una tirada varía en el *Cid* de un mínimo de tres a un máximo de ciento ochenta y cinco versos. Naturalmente, es una forma estíquica la serie de octosílabos que, con asonancia en los pares, da vida al *romance*. Igualmente, lo es el endecasílabo suelto, que en España fue utilizado por primera vez por Boscán en su «Historia de Leandro y Hero» y por Garcilaso en la «Epístola a Boscán» y que se consolidó como verso narrativo, satírico, didáctico, etc.; como verso dramático, fue usado primero por Jerónimo Bermúdez en el siglo XVI a imitación de la tragedia italiana. Poco usado por los poetas románticos, fue de nuevo practicado entre los siglos XIX y XX (por ejemplo, por Unamuno en *El Cristo de Velázquez*, con sus tres mil endecasílabos).

Es más amplia la categoría de los géneros métricos con forma estrófica. En el párrafo anterior, hemos indicado las combinaciones estróficas simples más frecuentes, fundadas en la repetición y la sucesión de una serie de rimas (pareado, terceto, etc.) y también se ha hablado de la estancia de la canción y de las demás formas antiguas que admiten variaciones dentro de la estrofa.

En las formas simples, sin embargo, el esquema de las rimas no siempre basta para definir un género métrico: una secuencia abab, por ejemplo, puede ser una redondilla tradicional o un cuarteto-lira (endecasílabos y heptasílabos) según sea la clase de versos empleados; una estrofa de cinco versos del tipo ababb es una *lira*, si el primero, el tercero y el cuarto versos son heptasílabos y el segundo y el quinto endecasílabos, etc.

En teoría, la noción de género métrico ha de distinguirse de la de género poético, pues de ordinario el primero es un componente (no exclusivo) del segundo. El sistema de los géneros poéticos es complicado y configurado de varios modos según las épocas; como fue ya notado anteriormente (§ 19), es imposible analizar un género en completo aislamiento y necesario, por el contrario, referirse siempre a los géneros vecinos, en suma, al sistema global de los géneros vigente en un determinado período literario. Si esto es verdad en general, lo es tanto más para los géneros versificados, donde están implicadas no sólo las formas métricas institucionalizadas, sino también prácticas estilísticas mucho más sutiles, que conciernen, por ejemplo, a las clases de rimas, la estructura rítmica de los versos, etc.

Los géneros poéticos y los géneros métricos se han relacionado siempre, salvo raras excepciones, sin ajustarse entre sí, en el sentido que un género poético se sirve por lo normal de varios géneros métricos; y viceversa, un género métrico sirve a más de un género poético. Buen ejemplo del primer caso es el *romance*, que, junto a la forma estíquica, de la que ya se ha hablado, conoce la forma estrófica de las cuartetas de octosílabos, prescindiendo de otras formas métricas con las que el romance se ha realizado en el transcurso de su historia extraordinariamente vital. Que un género métrico puede servir a más de un género poético lo demuestra el soneto, en el que se admiten contenidos amorosos, cómico-burlescos, morales, etc. La propia canción, además de amor, podía tratar de asuntos morales, políticos, religiosos; lo que la caracteriza es la asociación de una materia elevada y un estilo sublime. Los géneros métricos asociados de una manera constante a géneros poéticos son bien pocos, como el cuarteto de la *cuaderna vía* que se usaba para tratar un asunto serio, moral o hagiográfico, o como la *copla de arte mayor* que durante la Edad Media fue la forma característica de la poesía culta narrativa y didáctica, o aún como el madrigal, de contenido amoroso-idílico.

Pero el caso contrario es de lejos el más frecuente. Piénsese en el género poético de la *serrana* o *serranilla* que utilizó como forma métrica la del *romance* o del *villancico* y, a partir de Santillana, la de la canción trovadoresca. Así, en la forma métrica del *zéjel* se compusieron tanto las *cantigas* gallegoportuguesas como los *villancicos*. El terceto, usado sobre todo por la poesía didáctica, lo fue también en la sátira y la epístola, y no faltan ejemplos de su empleo en la poesía burlesca (Góngora). La *octava real* es el metro por excelencia de la épica culta, pero fue usada tanto en la lírica como en la poesía burlesca.

Como se ve por estos pocos ejemplos, entre géneros poéticos y géneros métricos se crea una relación arbitraria y variable en el tiempo; pero dentro del mismo contexto literario siempre hay la libertad de preferir para un contenido determinado una forma por otra. Existen, se comprende, límites claros: para un argumento cómico no se podrá hacer uso de la forma de la canción, a menos que el poeta no tenga intenciones paródicas y se sirva con este fin de un género métrico fuera de lugar, jugando con la inversión; como no se emplearía la *copla de arte mayor* para un canto de amor, etc. Pero se trata de limitaciones que se basan en una práctica de la escritura tan sólo, porque un metro determinado no «significa» por sí mismo un significado.

BIBLIOGRAFÍA. Sobre los problemas y la tipología de la rima se puede consultar los ya mencionados Balbín (1968: 219-272) y Baehr (1970: 61-77); se remite a este último también para una rica bibliografía. Son muy numerosos los estudios sobre las distintas formas estróficas, así como sobre los géneros métricos y poéticos; principalmente, remitimos a Navarro Tomás (1974) y Baehr (1970), en quien se hallará también una bibliografía exhaustiva. Sobre Siglo de Oro español, es útil Díez Echarri (1970).

EL TEXTO POÉTICO

34. MÉTRICA Y SINTAXIS

Como hemos visto en el § 27, el discurso versificado puede presentar desfases respecto al discurso llano virtual (el mismo texto, pero tomado «como si» no estuviera en verso), en lo que concierne a la división silábica (la posición no siempre coincide con la sílaba) y la configuración prosódica de los enunciados (el ictus no siempre coincide con el acento). Pero el punto quizá más evidente de contraste entre metro y lengua se advierte en la no coincidencia entre las unidades métricas y las sintácticas, es decir, el fenómeno del encabalgamiento. Están encabalgados, por ejemplo, los versos centrales del cuarteto del soneto de Garcilaso que empieza:

(69)   Boscán, las armas y el furor de Marte,
          que con su propia fuerça el africano
          suelo regando, hazen que el romano
          imperio reverdezca en esta parte

                                            Son. XXXIII, 1-4

donde, en los vv. 2 y 3, la frontera del verso separa el adjetivo del sustantivo.

Se trata de un procedimiento que, por lo menos en la literatura moderna, comienza a aparecer en el tránsito de la poesía destinada a la ejecución oral (canto y recitación) a la poesía destinada, salvo raras excepciones, a la lectura individual. En las épicas románicas más antiguas el verso, o más propiamente el hemistiquio, termina con una pausa sintáctica de cierta importancia:

(70)   Ce dist Rollant: Cornerai l'olifant,
          Si l'orrat Carles, ki est as porz passant.
          Je vos plevis ja returnerunt Francs.

(Dijo Roldán: «Sonaré el olifante y lo oirá Carlos, que está pasando los desfiladeros. Os aseguro que los francos volverán»)

                                            Chanson de Roland, 1.702-4

(71)   Mio Cid Roy Díaz,   por Burgos entróve,
                        en su conpaña   sassaenta pendones;
                        burgeses e burgesas,   por las finestras sone,
                        plorando de los ojos,   tanto avien el dolore.

                                               Poema de Mio Cid, 15b-18

Metro y sintaxis también avanzan paralelamente en los textos italianos más arcaicos, de procedencia generalmente juglaresca:

(72)   Salva lo vescovo senato,   lo mellior c'umque sia [na]to,
            [cha da l']ora fue sagrato   tutt'alluma 'l clericato

                                               Ritmo laurenziano, 1-2

Aunque también destinada al canto, la poesía artística de los trovadores presenta una sintaxis generalmente más cuidada y articulada y admite, si bien en grados relativamente modestos, los desajustes entre pausas métricas y pausas sintácticas:

(73)   Can vei la lauzeta mover
                        de joi sas alas contra.l rai,
                        que s'oblid'e.s laissa chazer
                        per la doussor c'al cor li vai,
                        ai! tan grans enveya m'en ve
                        de cui qu'eu veya jauzion,
                        meravilhas ai, car desse
                        lo cor de dezirer no.m fon.

(Cuando veo la alondra mover sus alas de alegría contra el rayo del sol y que se desvanece y se deja caer por la dulzura que le llega al corazón, ¡ay!, me entra una envidia tan grande de cualquiera que vea gozoso, que me maravillo de que al momento el corazón no se me funda de deseo)

                        Bernart de Ventadorn, «Can vei la lauzeta mover», 1-8

En España, aunque se documentan encabalgamientos desde los comienzos de la literatura, sólo a partir del siglo XVI se van descubriendo sus virtualidades, incluso estilísticas, hasta convertirse en una técnica reiterada y consolidada, cuyo empleo se transmite sin solución de continuidad hasta los poetas del siglo XX:

(74)   Ya es secreto el calor, ya es un retiro
                        De gozosa penumbra compartida.
                        Ondea la penumbra. No hay suspiro
                        Flotante. Lo mejor soñado es vida.

> Profunda tarde interna en el secreto
> De una estancia que se sabe dónde
> —Tesoro igual con su esplendor completo—
> Entre los rayos de la luz se esconde.

Guillén, «Anillo», I, 1-8, en Cántico

La intensidad de un encabalgamiento se valora en relación con la configuración sintáctica del enunciado. Está claro que la forma más fuerte de encabalgamiento se produce cuando el final del verso se da en el interior de lo que en el discurso llano sería un grupo fonético (*suspiro flotante; en el secreto/ de una estancia*), pero también es importante la amplitud de la parte enviada al verso siguiente: cuanto más pequeña sea esta última, tanto más intenso será el efecto del encabalgamiento.

Junto al encabalgamiento en final de verso, hay que considerar también el encabalgamiento en la cesura, frecuente en los versos doblados (véase por ejemplo el v. 2 de [28] y v. 1 de [30]). En el endecasílabo es una técnica arcaica la coincidencia de una pausa lógico-sintáctica con la pausa de la cesura. Pero, por otra parte, la violación continua de la frontera de la cesura pasa inadvertida en un verso que, al menos en Italia, ya desde finales del siglo XIII, se percibía en ambientes cultivados como una estructura unitaria, tanto en sentido rítmico como métrico. El encabalgamiento interno, no obstante, se hace notar cuando la cesura separa dos ictus, rompiendo su grupo fonético, como en el ejemplo (46), con efectos similares a los del encabalgamiento en final de verso.

Pero el encabalgamiento puede involucrar no sólo unidades menores del verso, sino también unidades mayores, como la estrofa y sus partes, que constituyen igualmente fronteras métricas. En una escala ideal de importancia, se va desde la frontera métrica más pequeña, esto es, el hemistiquio, al verso, a la subunidad de la estrofa (cuando sea el caso), a la estrofa misma. Es obvio que la frontera de la estrofa será la más difícil de violar; en realidad, es del todo excepcional que al final de una estancia de canción, por ejemplo, no se encuentre una pausa sintáctica representada con un punto. Esto sucede con más frecuencia en la octava; en el soneto no faltan ejemplos, incluso antiguos, de desbordamiento del segundo cuarteto, que es el límite estrófico más importante. Pero, con todo, es bastante raro, salvo en contextos del presente siglo, que el desbordamiento de la estrofa adquiera la forma de un encabalgamiento de máxima intensidad.

El encabalgamiento plantea al lector dos problemas: el de la ejecución y el de la interpretación atribuida a esta técnica.

Por lo que hace a la ejecución, sabemos relativamente poco del modo como los textos poéticos (no destinados al canto) se leían en los siglos pasados. En aquellos textos que efectivamente se recitaban y que, por tanto, al menos una vez, se sustrajeron al silencio de la página escrita o impresa, la ejecución, con toda verosimilitud, debe de haber sido siempre una cuestión de gusto, una consecuencia de la moda, si no sencillamente una opción subjetiva de cada intérprete. No sirve para aclarar las ideas, en el supuesto de que sea lícito generalizar, estudiar las lecturas que muchos poetas contemporáneos han realizado de sus propias obras: se oscila entre las lecturas abstraídas, viscerales, de un Ungaretti y las declamaciones retumbantes de un Dylan Thomas, la recitación grandilocuente, histriónica, de un Alberti y la lectura objetiva, casi monocorde, de un Pere Gimferrer, con todas las consecuencias que una u otra interpretación, en tanto que autorizadas, tiene en lo que aquí nos interesa, el plano de la versificación (figuras métricas, ictus, encabalgamientos, etc.).

Tómese por ejemplo (y el ejemplo no se ha escogido entre los más extremados) dos versos como:

(75)   mas luego vuelve en sí el engañado
            ánimo y, conociendo el desatino,

Fray Luis de León, «Agora con la aurora», 12-13

Aquí, la pausa (o una inflexión melódica; en todo caso, una demarcación perceptible) ¿se sitúa donde el editor ha señalado las comas, o tras *engañado*? En el primer caso, los dos versos ya no suenan como versos; en el segundo, se rompe un grupo fonético. El lector sólo tiene que elegir entre hacer violencia al metro o hacer violencia a la lengua.

El problema carece en sustancia de solución para un tipo de poesía, como es gran parte de la poesía española, destinada, como decíamos, a la lectura silenciosa y no en principio a la ejecución oral. De modo distinto se trataría del encabalgamiento en la poesía para música o con acompañamiento musical, donde habría que preguntarse qué papel desempeña la melodía para justificar, subrayar o enmascarar el desfase entre unidades del verso y unidades sintácticas (concedido, sin que se haya dicho de cierto, que el verso sea siempre o en todas partes la unidad métrica de base). Ahora bien, es posible que, ante un caso como (75), una parte de los intérpretes prefiera, o prefiriese, una ejecución «lingüística» y no «métrica»; y entre éstos, en teoría, podría estar el propio autor. Lo que nos interesa es entender que existe un desfase insalvable entre los dos niveles. Lo cual no ha de impedirnos proponer, al menos como hipótesis de trabajo, una escansión, o bien un tipo de lectura (real o mental) que evidencie, o mejor, simplemente respete, todos los fenómenos métricos pertinentes apreciables en un verso, y que hacen de una serie de palabras un verso.

El otro problema, según decíamos, es el de la interpretación del encabalgamiento. Hay que observar, ante todo, que esta técnica está tan extendida en la versificación española que convendrá andar con cautela a la hora de atribuirle finalidades a toda costa estilísticas y «expresivas». En general, el encabalgamiento sirve para animar o romper la monotonía del período métrico, esto es, representa una forma de variación en la repetición (de la medida, del ritmo, de la rima). En el soneto «Agora con la aurora se levanta» atribuido a fray Luis, y del que se sacaba el ejemplo (75), los encabalgamientos parecen tener el efecto de hacer dramático o trabajoso un texto en el que se dan cita la «evocación imaginativa de la amada» y el «desengaño y llanto del amador, cuando cae en la cuenta de que todo ha sido un engaño de su fantasía» (Lázaro Carreter 1966: 164). En otros poetas, más próximos a nosotros, un empleo sistemático del encabalgamiento tenderá a resquebrajar la propia estructura métrica de la composición, como es el caso de la siguiente octava de Zorrilla:

(76)   Misteriosos, incógnitos rumores
             que componéis la mágica armonía
             del globo universal: susurradores
             murmullos de la noche; melodía
             de los ecos del valle; zumbadores
             gemidos de las auras; poesía
             del son con que la hoja, el agua, el ave,
             en la lengua habla a Dios, que Él sólo sabe.

En un virtuoso como Góngora, un endecasílabo encabalgado a menudo recupera una unidad rítmica fundiéndose con el heptasílabo que sigue, o con el primer miembro de otro endecasílabo (*de reales palacios, cuya arena / besó ya tanto leño - de reales palacios / cuya arena besó ya tanto leño*), estableciendo de este modo un *continuum* rítmico que acaba por trascender a cada verso. Como puede verse, sería imposible generalizar, y nuestras conclusiones necesariamente habrán de variar según las épocas, los autores e incluso los pasajes de un mismo autor. El encabalgamiento, en definitiva, forma parte de la gramática del verso español antes aun que de su estilística; cualquier poeta podrá emplearlo de manera particular, atribuyéndole virtualmente funciones concretas que será tarea del lector identificar.

35. MÉTRICA Y SEMÁNTICA

En principio, el simple hecho de emplear el verso no carece de un «significado» propio muy abstracto: la presencia del verso señala que «el discurso dispuesto ante nuestros ojos se presenta justamente como una poesía y su autor como un poeta, con todos los privilegios y las responsabilidades atribuidos a los poetas en nuestra cultura» y simboliza, en un último análisis, «la relación general entre el poeta y su auditorio» (Chatman 1965: 220-22). Raramente, sin embargo, la referencia al código métrico (así como al lingüístico) es un factor activo en la dinámica de la interpretación; y decir que el endecasílabo «connota» algo así como «verso ilustre de la tradición poética española» sonaría por lo menos trivial cuando nos ocupásemos de Góngora y de Espronceda.

Valdrá la pena, no obstante, indicar algunos casos de valoración estilística. En un texto que alterne prosa y poesía («prosímetro»), el empleo del verso actualiza su valor connotativo: piénsese en la *Vita nuova* de Dante o, para citar un ejemplo español, en el *Grimalte y Gradissa* de Juan de Flores. Viceversa, el uso de la prosa adquirirá relieve en un *poème en prose*. El recurso a formas raras o desusadas (la sextina o simplemente la métrica tradicional por parte de un poeta del siglo xx) nunca es estilísticamente neutro. Cuando Eliot usa en un pasaje de los *Cuatro cuartetos* el terceto dantesco, el efecto de extrañamiento es netamente perceptible por cualquier lector. Se ha visto además (§ 33) que ciertas formas métricas están de algún modo vinculadas tradicionalmente a campos temáticos particulares (así Dante, en el *De vulgari eloquentia*, vinculaba la canción a los contenidos «trágicos» de la virtud, de las armas y del amor); todo empleo incongruente determinará una resemantización (eventualmente paródica) del modelo seguido.

Entre las figuras fónicas, la rima es donde se hace más inmediatamente perceptible el paralelismo fónico-semántico. En realidad, más allá del efecto fónico conseguido, la rima establece una relación entre las unidades verbales involucradas, que no deja de afectar al significado. La rima asocia, así pues, dos o más elementos semánticamente (o morfológicamente) similares o distintos o incluso opuestos, creando un cortocircuito que en casos extremos puede obtener efectos paródicos, como cuando Antonio Machado hace rimar *estética : cosmética*. Grados similares de tensión semántica evidentemente no son frecuentes, fuera de los límites de la poesía jocosa o heroicocómica, pero una forma de tensión semántica entre las palabras «compañeras de rima» (la expresión es de Hopkins) nunca falta. De ahí proviene el cuidado con que los rimadores más afectados evitan las rimas desinenciales, como los participios o los gerundios, tratando de variar la categoría gramatical de las palabras rimadas, hasta el caso límite de la rima *homónima*, en la que la identidad completa de los significantes subraya la diferencia de significado.

Pero la rima, y más en general el conjunto completo de las figuras fónicas que exhibe un texto, plantea una serie de delicados problemas de interpretación en el análisis. Y a las figuras como, por ejemplo, la aliteración, se han de añadir las figuras métrico-rítmicas que un poeta pueda buscar ocasional o sistemáticamente. Convendrá usar de cierta cautela al atribuir a tales figuras finalidades a toda costa estilísticas o «expresivas». Se ha observado, por ejemplo, que la diéresis parece tener a veces la función de «aminorar la marcha» del verso o de poner énfasis en una palabra semánticamente importante. De modo análogo, ciertos tipos rítmicos, como el endecasílabo dactílico (con ictus en 1.ª o 2.ª, 4.ª, 7.ª, 10.ª) o el yámbico (con ictus en 2.ª, 4.ª, 6.ª, 8.ª, 10.ª), se han asociado a significados determinados (solemnidad, velocidad, etc.).

En definitiva, se intenta comprender los límites dentro de los cuales cabe hablar de paralelismo fónico-semántico en poesía, o lo que es lo mismo, la existencia de una estrategia de los significantes que tienda a construir o a reforzar unos significados. Una interpretación en clave a cualquier costa expresiva de las técnicas métricas, como la promovida por la vieja crítica estilística, a menudo ha forzado y simplificado cuestiones sin una base filológicamente fundamentada. Hay que reconocer, por tanto, que con mucha frecuencia los significantes aparecen con independencia de los significados y, a veces, a despecho suyo, pues no se establece ninguna conexión constante entre una figura fónica o rítmica y determinados significados; las figuras, en cambio, surgen al parecer de esquemas dictados por la memoria rítmica del poeta.

Como cualquiera de nosotros al hablar, todo poeta es dueño hasta ciertos límites de su propia lengua, ya que explota a fondo las posibilidades de los significantes, poniéndolos a veces al servicio de los significados, siempre que el juego sea provechoso para la comunicación, es decir, la haga más eficaz en vez de debilitarla. En el manejo de los significantes (rima, aliteraciones, figuras métricas y rítmicas), el poeta cuenta con la memoria del lector: una memoria de lo presente (de lo que va antes en el texto) y de lo ausente (de lo dicho por otros poetas o por el mismo poeta en otros textos). En esto y en tal sentido, corresponde a quien lee la tarea de hacer vivir el texto en todas sus articulaciones y en todo su espesor.

En el análisis es siempre una buena norma mantenerse lo más posible en contacto con el texto. En ese sentido, un nivel menos general de análisis se alcanza cuando, dentro de una estructura dada, es posible distinguir diferencias en el modo de realizarla, sintomáticas de un ideal estético al que la obra trata de ajustarse. Consideremos, por ejemplo, estos dos cuartetos de Garcilaso:

(77)   A Dafne ya los brazos le crecían
              y en luengos ramos vueltos se mostraban;
              en verdes hojas vi que se tornaban
              los cabellos qu'el oro escurecían:
              de áspera corteza se cubrían
              los tiernos miembros que aún bullendo 'staban;
              los blancos pies en tierra se hincaban
              y en torcidas raíces se volvían.

                                        Soneto XIII, 1-8

Se da una correspondencia casi perfecta entre las unidades métricas, en sus diversos grados de extensión, y las unidades de contenido en que se describe el proceso de metamorfosis. En primer lugar, las cuatro partes del cuerpo de Dafne ocupan otras tantas parejas de endecasílabos, y en cada una de éstas un endecasílabo siempre queda dedicado a la parte del cuerpo humano y el otro a la parte correspondiente del vegetal: *brazos/ ramos; hojas/cabellos; corteza/miembros; pies/raíces.* Pero el fenómeno más llamativo se produce dentro de cada endecasílabo. En realidad, la subdivisión en hemistiquios de los ocho versos queda rigurosamente justificada por la articulación sintáctica, y ésta contribuye a su vez a identificar la escansión métrica: el primer hemistiquio está ocupado invariablemente por la parte nominal de la frase, en el segundo se coloca la parte verbal. La mayor parte de los endecasílabos empleados resultan ser del tipo *a maiore* llano, con excepción de los vv. 2 y 6 y, como caso aparte, el v. 3. Los vv. 2 y 6 son en realidad del tipo *a minore* llano; pero, antes que contradecir, confirma esto el principio con que se ha operado la división en hemistiquios, ya que en estos dos versos la parte verbal de la frase es más extensa que en los restantes versos. Más complejo es el caso del v. 3, que tanto puede considerarse un *a minore* llano, invocando para ello la misma explicación que se ha dado poco antes para los vv. 2 y 6, como un *a maiore* agudo. Quizá no es casual que este verso presente esta ambigüedad, ya que es el único que contiene el punto de vista desde el que todo el proceso de metamorfosis se observa y representa. Se podría decir que los versos de Garcilaso siguen a un modelo métrico en el que el verso, de hecho el endecasílabo, se articula dentro de la materia lingüística: el metro imita el ritmo inserto en la naturaleza, más exactamente en la naturaleza misma de la lengua. Las instituciones formales de la poesía permanecerán largo tiempo, hasta Garcilaso y después, fundadas en este *principio de naturaleza;* éste invita al artista a sobrepasar la superficie caótica de las apariencias para reproducir en su obra el ritmo ideal de las cosas (§ 24). En términos platónicos, αιών, el tiempo del ser, no χρόνος, el tiempo del devenir, es el objeto de su mimesis: «como los versos poseen una proporción armónica», escribe Girolamo Ruscelli en su tratado *Del modo di comporre in versi in lingua italiana,* «y toda armonía es divina, y tan concorde con nuestro espíritu, algunos pretenden que el alma es la misma armonía». Esta solidaridad de las normas del quehacer artístico con el modo de ser de la naturaleza se somete a un largo proceso de revisión, del que indicaremos algunos ejemplos significativos, situados en diferentes fases de tal proceso dentro de la tradición ibérica.

A pesar de los riesgos de exageración derivados de toda comparación (máxime si forzada, como en este caso), léanse los siguientes versos de Góngora:

(78)   Este pues sol que a olvido le condena,
                    cenizas hizo las que su memoria
                    negras plumas vistió, que infelizmente
                    sordo engendran gusano, cuyo diente,
                    minador antes lento de su gloria,
                    inmortal arador fue de su pena.

                                        Soledad I, vv. 737-42

En estos versos las unidades sintácticas ya no se corresponden con las unidades métricas como en los cuartetos de Garcilaso. Nótese, por ejemplo, que la frase *este pues sol cenizas hizo las negras plumas* queda fraccionado en tres miembros que ocupan, *grosso modo,* los primeros hemistiquios de los tres primeros versos. Del mismo modo que es posible reconstruir las unidades sintácticas reuniendo los hemistiquios de versos contiguos, como sucede en *que infelizmente sordo engendran gusano.* Y en concreto se comprueba que en una construcción sintáctica de tipo paralelístico, como la que ocupa los dos últimos versos, la organización métrica introduce fuertes asimetrías: el primero es un endecasílabo *a maiore* llano, mientras que el segundo es un *a maiore* agudo. En este último hay que observar tanto el encabalgamiento que produce la cesura interna, como la contigüidad de los dos acentos fuertes en 6.ª y 7.ª.

Examinemos ahora los pocos versos siguientes, sacados del himno «Al sol» de Espronceda:

(79)   Y otra vez nuevos siglos, nuevas gentes,
            viste llegar, huir, desvanecerse
            en remolino eterno, cual las olas
            llegan, se agolpan y huyen de Océano
            y tornan otra vez a sucederse;
            mientras inmutable tú, solo y radiante
            ¡oh Sol! siempre te elevas,
            y edades mil y mil huellas triunfante.

                                    Espronceda, «Al Sol», 71-78

Se echa de menos aquí tanto la audacia en el empleo de las figuras, sobre todo de la metáfora, como la audacia sintáctica, debida en particular al uso del hipérbaton, que hallamos en los versos de Góngora. Sin embargo, tras un atento análisis, se descubre un principio sustancialmente nuevo en la poesía: una poesía que representa una experiencia (en la que se hace hincapié en la comunicación y, por tanto, en la presencia de instituciones intersubjetivas que aseguran su capacidad de transmisión) se va sustituyendo por una poesía que constituye el equivalente de una experiencia (en la que se pone el acento en la autenticidad de lo vivido).

En los versos arriba referidos de Espronceda, tras el diluvio aniquilador, la renovación del tiempo y de la historia humana es observada desde el punto de vista (*viste*, v. 2), inmutable y eterno, del sol: el cambio incesante de la historia humana contrasta con la inmutabilidad atemporal del astro. Considérense, por ejemplo, los dos endecasílabos 2 y 4, con su construcción en polisíndeton. El primero es métricamente ambiguo: tanto puede considerarse un *a minore* como un *a maiore* agudo. Y esa ambigüedad por fuerza se relaciona con la serie ternaria de los verbos que lo componen. El v. 4 puede tener la cesura en quinta, y así la división en hemistiquios rompe asimétricamente la serie de los tres versos. Si se quiere colocar la cesura en 7.ª, se conserva la serie ternaria de los verbos, pero habrá que crear a la vez un encabalgamiento en un sintagma semánticamente fuerte como *y huyen / de Océano*. En esta segunda hipótesis, esto es, con una cesura *a maiore*, a caballo de los vv. 3 y 4 se formaría un endecasílabo perfecto, con la consiguiente reconstitución de la unidad semántica rota por la cesura verbal: *cual las olas llegan, se agolpan y huyen*. Por otra parte, también la pareja de endecasílabo y heptasílabo de los vv. 6 y 7 puede hallar una unidad rítmica (y sintáctica) diferente fundiendo el segundo hemistiquio del endecasílabo con el heptasílabo siguiente: *mientras inmutable tú, / solo y radiante ¡oh Sol! siempre te elevas*. Las pocas observaciones expuestas son suficientes quizá para mostrar que, en una poesía de este tipo, el endecasílabo no preexiste en su ideal sincronía de acentos y cláusulas. Por así decir, se capta *in fieri*, en el proceso en que se desarrolla y cobra forma. Es ésta, en fin, una poesía que no describe, sino que sucede, es decir, que es la experiencia misma de que habla; no «espejo» que refleja, sino «lámpara» que ilumina, para emplear la metáfora de Abrams (1953).

El principio en que se funda esta poesía, al que cabría definir como principio de *autenticidad*, pone ya en duda la legitimidad de las reglas, pues se opone al fundamento mimético y se propone sustituir la «naturaleza» platónica, esencia armoniosa y ordenada contrapuesta a una superficie fenoménica múltiple y heterogéna, por un referente distinto. Pero sólo en el siglo xx se afirma un principio de *arbitrariedad*. Tal principio se funda en que las normas y los sistemas de la creación artística son entendidos como reflejos miméticos de una realidad, profunda o «inmediata», según se quiera. De ahí procede una única norma: el *desvío* de la norma como denominador común de toda experiencia literaria.

Todo lo dicho hasta ahora sugiere un itinerario, necesitado evidentemente de desarrollos ulteriores. La tipología histórica que se ha propuesto evoca muchos factores, además de la dinámica interna del texto: el modo en que se enfrenta el autor a sus destinatarios, los diferentes momentos históricos de la profesión literaria, el *continuum* difícilmente fragmentable que enlaza un dato técnico con una coyuntura de la civilización. Interesan luego los comportamientos más propiamente individuales, localizados en cada efecto expresivo dentro de cada obra. Otros ejemplos y otras sugerencias serían por eso aún necesarios; pero un horizonte tan vasto equivale al campo de la lectura.

36. La estructura del texto poético

Como hemos visto en § 33, una composición poética se organiza en períodos estróficos, que están conectados por alguna forma de enlace. Los esquemas métricos constituyen así diferentes estructuras del texto poético, en las que es posible reconstruir simetrías, paralelismos y oposiciones. Para dar un ejemplo concreto, Jakobson y Valesio explicaron que en las cuatro estrofas que componen el soneto «subyacen tres oposiciones binarias a la *conjugatio stantiarum*» (1966: 33), es decir: las estrofas impares (I, III) pueden oponerse a las estrofas pares (II, IV); las estrofas extremas (I, IV) a las estrofas medias (II, III); y, finalmente, las estrofas iniciales (I, II) a las finales (III, IV). Este triple juego de correspondencias se complica por el tipo de estrofas que componen el soneto, que «combina una paridad dentro de cada una de las dos parejas que forman las dos estrofas iniciales y las dos finales, y una disparidad entre estas dos parejas» (1966: 34). Evidentemente, Jakobson describe unas posibilidades abstractas: son propias de la estructura del soneto, pero utilizadas de manera distinta por cada autor de sonetos. Leamos el siguiente soneto de Garcilaso:

(80)   De aquella vista pura y excellente
               salen espirtus vivos y encendidos,
               y siendo por mis ojos recebidos,
               me passan hasta donde el mal se siente;
               éntranse en el camino fácilmente
               por do los míos, de tal calor movidos,
               salen fuera de mí como perdidos,
               llamados d'aquel bien que'stá presente.
               Ausente, en la memoria la imagino;
               mis espirtus, pensando que la vían,
               se mueven y se encienden sin medida;
               mas no hallando fácil el camino,
               que los suyos entrando derretían,
               rebientan por salir do no ay salida.

Nótese, ante todo, que la bisagra o *diesis* entre «fronte» y «sirma» del soneto reside en la antítesis *presente/ausente*, que liga el verso 8 con el 9. En el soneto y la canción italiana de los orígenes, se ha demostrado la existencia de figuras conectivas en correspondencia directa con la *diesis*. En otros términos, se ha advertido que el paso del «fronte» a la «sirma» del soneto y de la estancia de canción está señalado en estos antiguos textos italianos por fenómenos de continuación y de repetición (léxicas, sintagmáticas, fono-léxicas), concentrados sobre todo en la zona media. Para dar sólo un ejemplo, léanse los versos medios (7-9) del famoso soneto de Dante, «Tanto gentile»:

(81)   e par che sia una cosa venuta
                             da cielo in terra a miracol *mostrare.*
                             Mostrasi si piacente a chi la mira

Este fenómeno de «conexión intratextual», que presenta una afinidad manifiesta con el procedimiento de las *coblas capfinidas,* puede producirse, más que dentro de un texto independiente, entre textos contiguos de un «cancionero», como veremos más adelante.

De momento, volvamos al soneto de Garcilaso con la intención de comprobar el juego de correspondencias que se establece entre las cuatro estrofas que lo componen. De modo muy sintético, observamos que las estrofas iniciales (I, II) se oponen a las finales (III, IV) a través de la antítesis ya discutida: presencia y ausencia de la amada. Las estrofas extremas (I, IV) y las medias (II, III) se relacionan mutuamente mediante una nueva oposición: exterior e interior del sujeto amante, incluso si se matiza que en el segundo terceto los «espíritus» intentan *salir,* sin encontrar *salida.* En fin, las estrofas impares (I, III) se contraponen a las pares (II, IV), porque las primeras describen, por así decir, el «estímulo», igual sea persona real o imagen interior el referente, y las segundas transmiten la reacción que se produce en el sujeto amante. Evidentemente, se ha descrito en una mínima parte la «perfecta trabazón interna» con que está construido el soneto. Pero, a partir de estas pocas líneas esbozadas según el modelo jakobsoniano, el lector podrá entretenerse en reconstruir la trama completa de los enlaces del texto y establecer las relaciones tanto entre las diferentes estrofas como dentro de cada estrofa; en los cuartetos, por ejemplo, entre los vv. 1-2 y 3-4, y entre los vv. 5-6 y 7-8.

En tanto que la estructura métrica del soneto permanece casi inalterada a lo largo de toda su historia, la índole de las relaciones entre las unidades estróficas que lo componen ha estado sujeta a cambios que, en determinados casos, trastornan la arquitectura simétrica que hemos verificado de manera sintética en el soneto de Garcilaso. Por ejemplo, en el siguiente soneto *enumerativo* o *radial* de Lope de Vega:

(82)

> Desmayarse, atreverse, estar furioso,
> áspero, tierno, liberal, esquivo,
> alentado, mortal, difunto, vivo,
> leal, traidor, cobarde y animoso;
> no hallar fuera del bien centro y reposo,
> mostrarse alegre, triste, humilde, altivo,
> enojado, valiente, fugitivo,
> satisfecho, ofendido, receloso;
> huir el rostro al claro desengaño,
> beber veneno por licor süave,
> olvidar el provecho, amar el daño;
> creer que un cielo en un infierno cabe,
> dar la vida y el alma a un desengaño:
> esto es amor: quien lo probó lo sabe.

Aunque no resulta del todo imposible intentar reconstruir el juego de correspondencias entre las cuatro estrofas, es muy evidente que el eje del soneto se ha desplazado de la *diesis* hacia abajo, de forma que la larga enumeración de los primeros trece versos se contrapone al último verso, del que depende aquélla.

Respecto a «conexiones textuales», ya ha habido ocasión de aludir a las conexiones entre textos contiguos dentro de un «cancionero». Efectivamente, textos poéticos, total o parcialmente independientes, pueden presentarse agrupados en un texto más amplio o «macrotexto». Cuando éste está constituido por una serie de composiciones poéticas que el autor ha reunido siguiendo un plan global, nos hallamos ante un auténtico «cancionero». Habrá que distinguir, por tanto, el «auténtico cancionero», que posee una coherencia textual a varios niveles y constituye por ello un sistema cerrado, de la recopilación de poesías líricas de uno o incluso varios poetas (por ejemplo, los cancioneros provenzales y los españoles de los siglos xv y xvi), que se muestra refractaria a todo intento de unificación.

El *cancionero* por antonomasia, prototipo de la forma en que se fija el discurso lírico y al que nos referimos con el término de «cancionero», son los *Rerum vulgarium fragmenta* de Petrarca. Hay que aclarar, con todo, que el grado de cohesión interna atribuido a la colección petrarquesca no ha sido siempre el mismo, pues ha experimentado variaciones significativas en el curso de la larga historia de la recepción del libro. Tan sólo aludiremos a que la existencia de fuertes «conectivos internos» ha obtenido un reconocimiento reciente y que en el pasado, en el xvi por ejemplo, se recalcaba más la calificación de *Fragmenta* que la de libro orgánico y, a lo sumo, se admitía el carácter orgánico de la recopilación principalmente a un nivel narrativo: constituía una «vida en rimas».

La innovación de Petrarca funda una tradición, aunque no faltan precedentes significativos. Aparte el *liber* de Catulo (probablemente, ordenado por otros), no escasean en la poesía clásica y medieval los «ciclos» poéticos dotados de varias formas de cohesión temática. El hilo conductor también está proporcionado a menudo por la biografía ejemplar (en lo bueno y en lo malo) del autor: por ejemplo, temas y motivos recurrentes en la poesía de los clérigos vagantes (el Archipoeta o Hugo el Primado de Orleans) y en la de Rutebeuf, que remite al lector explícitamente a sus demás textos. Mayor importancia revisten los precedentes provenzales, empezando por el *libre* de Guiraut Riquier, un trovador del siglo XIII, que contiene textos datados y dispuestos en orden cronológico y con claras referencias internas en el orden del contenido. Además de éste y otros *Liederbücher* de autor, hay que recordar asimismo que los compiladores de las antologías trovadorescas aspiraron a unificar el *corpus* de obras de cada poeta proveyendo sus selecciones con las *vidas* y las *razos* (biografías y comentarios). En suma, se ha de tener presente que el concepto moderno (petrarquesco) de «cancionero» adquiere forma sólo una vez que la difusión de la lírica se confía preferentemente a la escritura, es decir, al libro (en los trovadores y una parte considerable de la lírica medieval, en cambio, a la ejecución oral). Próximo a la tradición trovadoresca y vinculado a la práctica exegética de las *vidas* y las *razos* se encuentra también el libro de Dante, la *Vita nuova*, en el que el autor mismo subraya las conexiones temáticas y formales que urden el denso tejido proporcionado por las poesías. Libro de la memoria, la *Vita nuova* señala en cierto modo ya la transición en el sujeto del enunciado lírico desde la instancia locutora integrada en el texto (como diría Zumthor 1972: 174-75) al yo personalizado y autobiográfico; de todos modos, la autobiografía de Dante sigue siendo ejemplar, es decir, generalizable en cada uno de sus aspectos. En el paso del mero ciclo de poesías ligadas por un motivo común o, más simplemente, por la forma métrica al cancionero propiamente dicho, aparece como determinante el papel de la memoria, que permite la autoexégesis (en prosa, como sucede en la *Vita nuova*, o en verso, dentro de los textos poéticos) y garantiza la homogeneidad de organismos eclécticos por la forma (métrica y de otros tipos), como suelen ser los cancioneros.

A pesar del significativo precedente de Dante, el carácter de fundador de una tradición corresponde, sin embargo, a los

Rerum vulgarium fragmenta, donde varios rasgos generales ya conforman un conjunto fuertemente estructurado. Por ejemplo, el número de las composiciones equivale al de los días del año, y todo el cancionero se divide en dos grandes partes: en vida y en muerte de Laura. Pero, al margen de estos datos, que pueden resultar externos, la coherencia textual es asegurada por el fuerte carácter orgánico tanto de la dimensión narrativa como de la didáctica. El cancionero petrarquesco es, antes de nada, una historia de amor, que se propone como la historia personal del poeta. Eso significa que cada composición contrae una relación tal con el conjunto que asegura la progresión y la dinámica de la historia. Aunque de forma más compleja que en la *Vita nuova*, la historia en conjunto conserva un carácter ejemplar, que convierte la intención moral en otro factor de cohesión: dentro del cancionero se puede distinguir un itinerario espiritual superpuesto y paralelo a la historia de amor. Por esos motivos, a los que se ha aludido muy brevemente, es fácil entender que los lazos de uno a otro microtexto son muy estrechos y complicados. Para resaltarlos se puede seguir tanto la línea narrativa, por la que cada texto es funcional en la progresión de la historia, como el nivel formal. En cuanto a esto último, resulta especialmente interesante el camino abierto por Marco Santagata, que se ha propuesto buscar las relaciones en el eje sintagmático, esto es, las establecidas entre dos o más composiciones adyacentes. De este modo ha distinguido dos clases de conexiones: de «transformación», las que consisten en la «modificación y transformación que un dato de partida (sea temático o describa el escenario de la acción) experimenta en el paso de un texto al siguiente o siguientes»; y de «equivalencia», esto es, las conexiones que consisten en la «repetición paralela en textos contiguos de elementos parecidos», tanto a nivel de la *forma del contenido* como de la *forma de la expresión* (1979a).

El cancionero petrarquesco asumió pronto, a nivel macroestructural, una función indiscutible de arquetipo. Pero conviene aclarar de inmediato que tal capítulo de la historia de la lírica forzosamente ha de incluir lagunas y resultar aproximativo, al menos hasta que no se resuelva el problema de definir el género «cancionero» y sus reglas. Lo que aún no ha ocurrido: «nos hallamos bien lejos de haber identificado y descrito las reglas inherentes a un texto, cuya cadena sintagmática no está constituida por la sucesión de frases, sino por la sucesión de otros textos; pero también quedan aún por delimitar, de manera no totalmente empírica, las fronteras que separan el cancionero de géneros afines, pero diferentes por simple intuición, como las recopilaciones y las antologías poéticas» (Santagata 1979: 173-174).

Como quiera que sea, en el siglo XVI el modelo del cancionero petrarquesco se había difundido por las literaturas europeas. En el ámbito italiano, por ejemplo, Longhi (1979) ha sacado recientemente a la luz una estructura de cancionero en las *Rime*, de Giovanni Della Casa; igualmente, cabe considerar el primer cancionero francés la *Délie, Object de plus haulte vertu* (1544), de Maurice Scève, al que sigue *L'Olive*, de Joachim du Bellay, en la doble edición de 1549 y 1550. Más complicada es tal vez la situación de la poesía española del XVI, a causa de la manera como se realizó la transmisión poética. Así, limitándonos a los primeros grandes innovadores de la lírica española, es francamente difícil reconocer en la producción de Garcilaso una estructura de cancionero (de opinión diferente es Prieto 1984: 80-92), pero en el segundo libro de las *Obras* de Boscán (1543) es posible, en cambio, reconstruir la «historia» de un amante que «en el proceso de superación de su condición, habrá de elevarse hasta el amor platónico y la redención cristiana» (Armisén 1982: 387). Pero en el Renacimiento es precisamente cuando se recogen signos de la crisis de la forma del cancionero (los comentarios y las ediciones renacentistas de Petrarca no muestran un gran respeto por la construcción petrarquesca, alterando a veces el orden y acentuando más la naturaleza fragmentaria que la orgánica de la obra). Como observa Gorni, la fórmula petrarquesca parece disolverse con Torquato Tasso: «ya no *Canzoniere*, sino *Rimas* en varias partes, de complicada elaboración, que a veces no ha redactado el propio autor y siempre le ha dejado insatisfecho»; esta diversidad de núcleos configura, según Gorni, «la explosión de la forma cancionero» (1984: 518). Sin embargo, no hay que olvidar que, fuera de Italia, un poeta como Quevedo, por ejemplo, compone un ciclo poético orgánicamente estructurado: el conjunto de los sonetos a Lisi.

Al margen de los sucesivos episodios, sin embargo, el modelo del cancionero ha sobrevivido a la Edad Media y al Renacimiento y se ha transmitido a la poesía moderna. Sólo hay que reparar en las *Fleurs du mal* de Charles Baudelaire, un libro impensable si no es como algo unificado y orgánico, e irreductible a una simple recopilación de poesías; o en Italia, aquel pequeño gran cancionero que son los *Canti* de Giacomo Leopardi, hasta llegar, en pleno siglo XX, al *Canzoniere* de Umberto Saba, también interesante porque vuelve con él el complemento de la autoexégesis

(*Storia e cronostoria del «Canzionere»*, 1948). Cabría resaltar una especie de paradoja de la lírica: este género por definición «breve» y que en la edad moderna ha buscado muchas veces la forma del fragmento, tiende, a través de la forma del cancionero, hacia una redefinición en cierto modo narrativa, articulada y compleja de su propia identidad. El fragmento se hace historia, se convierte incluso en biografía (un poeta hermético, Giuseppe Ungaretti, ha titulado *Vita d'un uomo* la recopilación de sus poesías), la clausura del texto se abre a estructuras más amplias, la composición independiente y autosuficiente se transforma en elemento constitutivo de una unidad mayor en la que se anulan las diferencias y discrepancias entre los individuos (en este sentido, el *Diario de un poeta recién casado* de Juan Ramón Jiménez constituye un caso ejemplar).

BIBLIOGRAFÍA. Sobre la relación entre metro y sintaxis y sobre el encabalgamiento en la poesía española, es fundamental Quilis (1964); algunas observaciones de alcance general en Brik (1927), Cremante (1967), Levin (1971), Di Girolamo (1976: 47-65). Para la relación de significantes y significados en poesía, véase ante todo Beccaria (1975). La posición de los formalistas rusos es resumida por Erlich (1964: 303-27) y además Di Girolamo (1976: 67-86). Sobre la aliteración y otras estrategias fónicas, ha de verse Valesio (1968). Análisis estilísticos del verso pueden encontrarse en muchos estudios críticos y comentarios de textos poéticos; nos limitamos a recordar, con discrepancias mutuas interesantes, Fubini (1962) y los ensayos recogidos en Jakobson (1973). Sobre los problemas de las recopilaciones poéticas, señalemos Genet (1967), Rousset (1968), Segre (1968), Geninasca (1973), Santagata (1975; 1979b).

IV

MODOS DE LA NARRACIÓN

ESTRUCTURA Y FORMAS HISTÓRICAS DEL RELATO

37. La narrativa natural

Relatar es una de las principales actividades a que se entrega el hombre por medio del lenguaje. Tanto es así que una parte considerable de la producción lingüística se estima que es relato: contar las propias experiencias personales y las ajenas de las que hayamos sido testigos o que nos hayan contado. El relato es una actividad común tanto a niños como a adultos, a personas instruidas como a analfabetos, y se halla presente en las culturas más diversas. El hecho de que una parte notable —quizá cuantitativamente la mayor— de la literatura y de la poesía oral sea narrativa indica la importancia de la narrativa en la sociedad. Además, entre los géneros literarios, la narrativa casi siempre ha gozado de la popularidad mayor y más duradera; sólo hay que pensar en la novela y el cuento, además de la épica clásica y medieval y la inmensa tradición oral de fábulas, leyendas, relatos mitológicos, etc.

Es importante advertir, sin embargo, que en ciertos aspectos comparten la misma forma del relato la narrativa literaria y la llamada narrativa natural, es decir, el relato oral e improvisado, que cabe registrar en los ambientes más dispares. Los estudios del sociolingüista Labov (1972) han revelado en los ejemplos reunidos de narrativa natural una estructura relativamente constante que se articula en varias partes: 1) prólogo, 2) orientación, 3) acción envolvente, 4) valoración, 5) resolución, 6) coda o epílogo. Algunas de estas partes obviamente pueden faltar, pero en un relato bien desarrollado suelen estar presentes todas. En el prólogo, el narrador anticipa el meollo de la historia o su moral, con frecuencia en pocas líneas. La orientación sirve para presentar a los personajes, los ambientes, las situaciones, con mayor o menor abundancia de detalles. Las partes 3) y 5) contienen la narración propiamente dicha y se reconocen por la presencia de verbos en pasado o en presente histórico. La valoración consiste en una serie de énfasis, de comentarios externos o internos al relato, de repeticiones, de interjecciones, etc., que el narrador utiliza para justificar su relato, para subrayar que lo que cuenta merece ciertamente narrarse como episodio divertido, azaroso, ejemplar, extraño, excepcional, etc. La coda o el epílogo es una breve conclusión en la que el narrador da a entender que todo lo que eventualmente sucediera después no tiene relevancia para el hecho contado.

Los ejemplos de Labov se han recogido entre la comunidad negra de Harlem en Nueva York, pero, pese a que la creatividad narrativa de los negros americanos es proverbial y, comparada con la de los miembros de otras culturas, probablemente mayor, hay razones para pensar que las observaciones de Labov son generalizables en una amplia medida. Como señala Mary Louise Pratt (1977: 50-1), el modelo propuesto por Labov parece convincente por dos motivos. Ante todo, porque cada cual tiene experiencia del relato, ya como narrador, ya como oyente, y por consiguiente conoce sus diferentes «partes». Sabemos, por ejemplo, que, para hacer comprensible y agradable una historia y conseguir un efecto, se han de presentar bien a los personajes y las situaciones, la narración debe contar con un principio y un final y de algún modo ser digna de contarse, etc. En segundo lugar, el modelo de Labov nos parece evidente, porque una buena parte de la narrativa literaria se ajusta a él. Se encuentra un prólogo en muchas novelas —si no todas, pues el título mismo se puede considerar una señal de comienzo y a veces una especie de «sumario», siquiera sea en una sola palabra—, así como un epílogo —o, por lo menos, una señal de «fin», el antiguo «explicit», etc.—; no faltará una orientación, casi siempre una acción envolvente que luego ha de resolverse hacia el final, y, de un modo u otro, el autor atrae la atención del lector sobre el «significado» de la narración. Tomemos, por ejemplo, *El ingenioso hidalgo Don Quijote de la Mancha*. Aparte del título, ya de por sí indicativo, la novela dispone de un «Prólogo», en donde el autor alude a sus fuentes ficticias —«aunque parezco padre, soy padrastro de don Quijote», «yo determino que el señor don Quijote se quede sepultado en sus archivos en la Mancha hasta que el cielo depare quien le adorne de tantas cosas como le faltan», etc.—; y, al final, en el último capítulo de la segunda parte, de una coda «interna».

Recuérdese la conclusión. Allí un escribano certifica que «nunca había leído en ningún libro de caballerías que algún caballero andante hubiese muerto en su lecho tan sosegadamente y tan cristiano como don Quijote», con lo que se recalca la vuelta a la cordura del caballero en el último trance. La última palabra corresponde, sin embargo, al narrador ficticio, Cide Hamete Benengeli, quien declara acabada definitivamente la historia de don Quijote y el propósito que le guió al escribirla: «pues no ha sido otro mi deseo que poner en aborrecimiento de los hombres las fingidas y disparatadas historias de los libros de caballerías, que por las de mi .erdadero don Quijote van ya tropezando, y han de caer del todo, sin duda alguna. *Vale*». La orientación, en la apertura del libro, es la página famosa que empieza con «En un lugar de la Mancha, de cuyo nombre no quiero acordarme, no ha mucho tiempo que vivía un hidalgo...». La voluntaria omisión del lugar y de su descripción, inútil por lo familiar al lector y contraproducente para las fantasías de un libro de caballerías, contrasta con las extensas descripciones iniciales de tantas novelas decimonónicas; en Cervantes inmediatamente deja el paso a una presentación del héroe de la historia, a la que seguirán las de otros personajes secundarios, todos ellos perfectamente integrados en la geografía lugareña. Las circunstancias y las ocupaciones del hidalgo manchego quedan precisadas con unas escuetas palabras.

Resulta superfluo agregar en qué consiste la acción envolvente de *Don Quijote* y cuál sea su resolución; como también está de más subrayar los componentes valorativos, emitidos bajo forma de moralidades extraídas de los mismos personajes o de verdaderos y propios juicios del autor (como «no estaban los duques dos dedos de parecer tontos, pues tanto ahínco ponían en burlarse de dos tontos», II, 70, o la elección de un simple adjetivo, «Todas estas pláticas de los dos valientes oían el duque y la duquesa», II, 41). En un texto literario, por lo demás, se puede dar por descontado que las «justificaciones» de la narración son múltiples y complejas y hunden sus raíces en una tradición literaria, en las convenciones del género, en el mundo cultural del que forman parte el escritor y su público.

Evidentemente, no se afirma que todas las novelas hayan de tener un prólogo y un epílogo distintos de las señales de comienzo y final propias de todos los libros.

Las dos novelas de Clarín, por ejemplo, prescinden de ellos: «La heroica ciudad dormía la siesta. [...]. Había creído sentir sobre la boca el vientre viscoso y frío de un sapo» (*La Regenta*, caps. I y XXX). «Emma Valcárcel fue una hija única, mimada. [...] Es su único hijo. ¿Lo entiendes? ¡Su único hijo!» (*Su único hijo*, caps. I y XVI).

Existen, por otra parte, novelas, sobre todo contemporáneas, desprovistas de acción envolvente y por tanto de resolución, novelas en las que «no sucede nada»; o novelas que presentan una acción envolvente, pero sin una resolución, aunque habría que preguntarse si se trata aún de narraciones o si el autor no tiene más bien la intención de producir una antinarración. Pero, pese a tales limitaciones, y siempre que se tome con cierta flexibilidad, el modelo de Labov parece perfectamente adecuado tanto a la narrativa natural como a la literaria, hasta el extremo que no está desprovisto de puntos de contacto con el modelo —de matriz formalista y elaborado principalmente sobre textos literarios— de la narratología (§ 39-45). Como justamente hace notar Pratt, «muchos elementos que los estudiosos de la poética han considerado constitutivos de la "literariedad" de la novela no son en realidad "literarios", pues aparecen en las novelas no porque lo sean (esto es, literatura), sino porque esos elementos pertenecen a una categoría más general de actos lingüísticos», en este caso la categoría de la narrativa (1977: 69).

38. GÉNEROS NARRATIVOS

Así como la épica a menudo nace con los orígenes de la literatura (así es en Grecia, en la Francia y la España medievales, etc.), las demás formas literarias se consolidan con mayor lentitud. Es sabido que la novela aparece tarde en Grecia, no mucho antes del siglo II d.C., y que se la consideraba un género menor, casi al margen de lo literario. Por otra parte, antes del nacimiento de la novela, se pueden descubrir prototipos de la narrativa —una vez más en Grecia— en la historiografía, en la biografía, en la epístola erótica; corresponden ya mucho más a nuestro concepto de la narrativa algunas obras de Ovidio. Por otra parte, la novela clásica tenía a sus espaldas un patrimonio de textos, sin excluir probablemente textos de transmisión oral, como los cuentos, que los primeros novelistas zurcieron unos con otros e insertaron en la trama general a modo de narración en la narración.

Así pues, novela y cuento: desde los primeros albores de la narrativa se establece esta oposición largo/breve que todavía sirve para identificar los dos géneros narrativos principales y para distinguirlos sobre la base de un elemento en apariencia extrínseco, la longitud. Pero se trata de una oposición *sui generis*, que de hecho no supone una incompatibilidad, si es verdad que la novela puede componerse de una serie de episodios y albergar en su interior verdaderos cuentos (a veces narrados por los mismos personajes, como sucede en el *Asno de oro* de Apuleyo y en las novelas de la Edad de Oro española); o, a la inversa, varios cuentos pueden articularse en una novela o siquiera en un macrotexto cuyo «significado global no equivale a la suma de los significados parciales de los textos particulares, sino que los sobrepasa» (Corti 1976: 145-46).

La diferencia principal entre largo y corto radica probablemente en que, en el género breve, el lector u oyente tiene la posibilidad de controlar con la memoria de forma total o casi total los elementos narrativos presentados, mientras que eso no puede producirse en igual medida en una narración larga como una novela, que puede incluir vastas digresiones, elementos accesorios o redundantes, etc. Pero también se da una diferencia en la modalidad de la recepción: es posible leer o escuchar un cuento de una tirada; leer o escuchar una novela normalmente requiere, por su extensión, efectuar pausas.

En una perspectiva intemporal, la novela y el cuento se presentan como formas desvinculadas de un contenido fijo. Es decir, mientras que con la épica siempre se asocian una materia, un registro, cierto tipo de personajes —y lo mismo vale para la tragedia, para la comedia y para otros géneros—, en la novela y en el cuento los contenidos (y el modo de tratar esos contenidos) varían de época en época y, dentro de ciertos límites, de autor en autor. Cabría descubrir una constante en la recurrencia de ciertas estructuras o ciertos mecanismos narrativos, en buena medida superados a lo largo de la tradición del siglo XX y en ocasiones resquebrajados —incluso en el sentido de ser parodiados— por novelistas del pasado, como Rabelais, Cervantes o Sterne. Para deslindar estos dos géneros, habrá que referirse más bien a los géneros limítrofes, de manera que se perciba el espacio alternativamente otorgado a la novela y el cuento (o por éstos conquistado). En el siglo XIX, y sobre todo en el XX, ese espacio se ampliará mucho con la crisis y la transformación de otros géneros: entre otras cosas, la tragedia y la comedia, la épica y la elegía, entran en la composición de una novela moderna.

Otro rasgo a destacar de la narración novelística es su capacidad de combinación con varias formas textuales, como la carta, el libro de memorias, el diario, etc. Consisten en formas extraliterarias de las que se ha servido la narrativa en épocas antiguas y modernas para evitar la artificiosidad de la narración «desde el exterior» y para construir así una ficción realista. También en esto cabe ver la disponibilidad de la narrativa no sólo frente a otros géneros literarios, sino también a géneros del discurso ajenos al área de la literariedad en sentido estricto.

Pero si la narrativa está abierta desde el punto de vista de los contenidos, también lo está desde el de las formas de la expresión. No se debe olvidar que la identificación de la novela y del cuento con la prosa vale sólo para ciertas épocas o para ciertas tradiciones literarias, y en cualquier caso no puede tener un carácter absoluto. Sólo hay que pensar, por ejemplo, en los orígenes de la novela corta y de la novela moderna. Una y otra tienen detrás, como precedentes más cercanos en sentido histórico y cronológico, narraciones antiguas francesas en *octosyllabes* distribuidos en pareados, los *lais* (con argumentos de tendencia cortés) y los *fabliaux* (con argumentos de tendencia cómica) por lo que hace a la novela corta (nacida en Italia, llevará a su extremo la mezcla de los dos registros, en parte ya iniciada en la Edad Media francesa: en el *Decamerón* aparecen lo mismo novelitas corteses que cómicas, y algunas son a la vez corteses y cómicas); y los libros de aventuras, como los de Chrétien de Troyes, por lo que hace a la novela (en el que el recurso a la prosa se remonta ya al siglo XIII en Francia). El tránsito de una forma a otra dependerá, en algunas épocas, del tipo de público al que se destinan las obras y del tipo de ejecución, pero, como ya se ha dicho (§ 35), incluso en tiempos cercanos a los nuestros se ha intentado emplear el verso para el relato, paralelamente la transferencia del discurso lírico a la prosa.

39. LA ESTRUCTURA DEL RELATO

Como se vio más arriba (§ 37), contar es una actividad no específicamente literaria: muchos actos lingüísticos son relatos, referidos a experiencias reales o incluso imaginarias, sin ser por ello clasificables como cuentos o novelas. ¿Pero qué es un relato? ¿Cuándo un discurso, literario o informal, constituye un relato?

En líneas generales, una narración refiere una serie de sucesos ligados entre sí. Implica la dimensión del tiempo, y sin embargo, no basta la simple sucesión para crear tal conexión; en realidad, el relato presupone una solución de continuidad entre lo que precede a lo narrado y los sucesos contados, lo mismo que entre éstos y lo que les seguirá. En otras palabras, si «cuento» a un amigo mis vacaciones, recorto en mi experiencia un segmento temporal delimitado por una partida y una llegada, un comienzo y un final. Sería inconcebible cualquier narración sin cierta discontinuidad; se entiende que cualquier discontinuidad no podrá ser en cierta medida más que convencional y arbitraria. Nuestra experiencia se presenta antes como un flujo que como una ordenada secuencia de sucesos. Sin embargo, seguimos organizándola en torno a núcleos centrales, capítulos o virajes críticos: nacimiento, muerte, amor, enfermedad, trabajo, encuentros «decisivos», golpes de fortuna, desgracias, conversiones, arrepentimientos... Hechos públicos o privados, objetivos o íntimos, se convierten sucesivamente en puntos de referencia, que ejercen una fuerza de atracción sobre el pasado y el futuro haciendo inteligibles secuencias más o menos coherentes, más o menos destacadas del *continuum* de la existencia.

Identificar una discontinuidad, al principio o al final de la narración, significa situar los sucesos relatados en cierta perspectiva que les dé sentido, dirección, finalidad. La secuencia se convierte en una relación de implicación mutua: la presunción elemental de cada lector u oyente se describe en la eficaz fórmula *post hoc, ergo propter hoc* (tras esto, luego, por esto). Por un costado u otro, toda narración postula siempre un mundo cognoscible, regulado por leyes que le hacen ser lo que es. En este sentido, expresa una exigencia arquetípica del asunto o profundamente enraizada en nuestra constitución antropológica.

No es casualidad, por ello, si la moderna «narratología» (o teoría del relato) ha tomado impulso, no de los estudios de un crítico literario, sino de un folklorista. Nos proponemos hablar aquí de la clásica investigación llevada a cabo por Propp (1928) sobre los cuentos maravillosos. El intento de proporcionar una descripción sistemática de esta categoría particular condujo a Propp a elaborar un primer modelo estructural del relato.

El modelo de Propp está construido a partir del concepto de función. «Comparemos entre sí los casos siguientes: 1. El rey da un águila a un valiente. El águila se lleva a éste a otro reino. 2. Su abuelo da un caballo a Sutchenko. El caballo se lleva a Sutchenko a otro reino. 3. Un mago da una barca a Iván. La barca se lleva a Iván a otro reino. 4. La reina da un anillo a Iván. Dos fuertes mozos surgidos del anillo llevan a Iván a otro reino, etc. En los casos citados encontramos valores constantes y valores variables. Lo que cambia son los nombres (y al mismo tiempo los atributos) de los personajes; lo que no cambia son sus acciones, o sus funciones. Se puede sacar la conclusión de que el cuento atribuye a menudo las mismas acciones a personajes diferentes. Esto es lo que nos permite estudiar los cuentos a *partir de las funciones de los personajes*». La función no se identifica directamente con la acción cumplida —actos idénticos pueden desempeñar papeles distintos dentro de historias diferentes—, sino precisamente con «la acción de un personaje definido desde el punto de vista de su significación en el desarrollo de la intriga» (Propp 1928: 31-2). Veamos algún ejemplo.

Por norma, la historia empieza presentando una situación inicial (α). Siguen luego propiamente las funciones. Alejamiento (β): uno de los miembros de la familia se aleja de casa (los padres van al trabajo o mueren, etc.). Prohibición (γ): sobre el héroe recae una prohibición (no hablar, no salir, no mirar en una habitación, etc.). Transgresión (δ): esta función, emparejada con la precedente, coincide con la aparición de un agresor (dragón, bruja, bandidos, etc.) y conduce (a través de algunos pasos intermedios) a la Fechoría (A): el agresor rapta a alguien, hurta algo, inflige una mutilación, provoca una desaparición. Con esta función, tras la parte preparatoria (α, β, γ, δ y otros pasajes intermedios), se abre propiamente el nudo. La puede reemplazar, sin embargo, la simple Carencia (a), que en todo caso tiene la misma consecuencia, esto es, la búsqueda del talismán, de la novia, etc. En este punto, si no se ha introducido en γ (héroe víctima), entra en escena el héroe buscador: en uno y otro caso tenemos una Partida (↑), con la que concluye el nudo y se pone en marcha propiamente la acción. De ordinario el héroe encuentra a un donante que le proporciona el objeto o auxiliar mágico para poner remedio a la fechoría, tras una o más pruebas (D). La recepción del objeto mágico (F) facilita el Desplazamiento (G) a «otro reino» en el que se encuentra el objeto de la búsqueda. Siguen el Combate (H) con el agresor, la Victoria (J), la reparación de la fechoría o la carencia (K) y la Vuelta (↓). Habrá luego una Persecución (Pr) y un Socorro (Rs). A menudo reaparece de nuevo el agresor con una nueva fechoría (en tal caso la historia se compondrá de dos series de funciones o movimientos). En fin, la Llegada de incógnito (O) del héroe, al que se contrapone un falso héroe con Pretensiones engañosas (L): los hermanos se hacen pasar por los conquistadores del objeto o persona transportada, etc. Se propone al héroe una Tarea difícil (M) que conduce a su identificación o Reconocimiento (Q) y al Descubrimiento (Ex) del falso héroe. La historia concluye con la Transfiguración (T) del protagonista, el Castigo (U) del agresor y el Matrimonio (W).

En conjunto, Propp enumera 31 funciones, de las que sólo hemos puesto como ejemplo las principales. No obstante, se trata de un número muy limitado, que puede subdividirse, por otra parte, según las esferas de acción de los personajes: el agresor (A, H, Pr); el donante (D, F); el auxiliar (G, K, Rs, el cumplimiento de M, T); la princesa (personaje buscado) y el rey, su padre (M, Ex, Q, U, W); el mandatario, que envía al héroe a la búsqueda; el propio héroe; el falso héroe. Naturalmente, hay que advertir que un mismo personaje puede ocupar varias esferas de acción, de modo que sea a la vez donante y auxiliar, mandatario y rey, agresor y falso héroe; y viceversa, una misma esfera de acción puede repartirse entre varios personajes. En cualquier caso, la estructura general que se ha descrito posee un número bastante elevado de variaciones: ciertas funciones pueden suprimirse, duplicarse, invertirse, etc. A partir de ahí, en definitiva, se puede construir un número infinito de variantes de acuerdo con los atributos del héroe, los tipos de fechoría o de carencia, las formas de prueba, el objeto mágico, etc.

El modelo evidentemente es sugestivo: no sería difícil reducir a un esquema análogo una novela compleja como la trilogía de

Baroja *La lucha por la vida*. Se comprende por ello el esfuerzo ilusionado de muchos estudiosos en años recientes por formular versiones más generales aplicables no sólo a los cuentos maravillosos, sino a cualquier relato. Se corre el peligro, sin embargo, de que la simplificación resulte excesiva y la abstracción termine por perder valor para un mejor conocimiento. Si acaso será interesante referirse a tales funciones sólo en contextos locales, más para calibrar las variantes que por el simple gusto de clasificar un episodio o un personaje bajo tal o cual etiqueta.

Persiste la cuestión de que una estructura semejante tenga a su vez un significado. La siguiente indagación de Propp (1946), por ejemplo, sugiere la hipótesis de que este esquema de funciones refleja fundamentalmente, en el plano imaginativo y metafórico, los rituales de iniciación propios de las sociedades arcaicas (el Desplazamiento al otro «reino», pongamos, corresponde a la «muerte simbólica» que señala el paso a la edad adulta, etc.). En este sentido, la «estructura del relato» hundiría sus raíces profundas en una memoria colectiva anterior a la historia.

Digna de atención, aunque algo aventurada, es también la propuesta de Robert (1976), que postula una relación entre estructura del relato y contenidos psicológicos más o menos «universales». Apoyándose en Freud, Robert nos recuerda que todo niño, en cierto momento de su desarrollo psicológico, se cuenta a sí mismo una historia: la historia de sus propios orígenes o su «novela familiar». Imagina ser no el verdadero hijo de sus padres, sino un «niño encontrado», que un día será reconocido y restablecido en el rango y la fortuna que le corresponden. Sucesivamente, la historia se va modificando: imaginará ser no ya un niño encontrado, sino un niño ilegítimo, un «bastardo», que con su propio esfuerzo e iniciativa habrá de emprender la escalada de la sociedad para conquistar el rango y la fortuna que el padre verdadero no le ha transmitido. Según Freud, cada uno de nosotros en la infancia se ha contado una historia análoga: sería así, al mismo tiempo, la historia de los orígenes, pero más aún la historia originaria, el primer y universal relato, cuyos autores somos todos por separado. La fase del niño hallado, aún narcisista, correspondería según Robert al cuento; la del bastardo, en cambio, guarda analogías con ciertos desarrollos de la novela moderna, sobre todo decimonónica, frecuentemente dominada por la figura del arribista social (en ésta, no obstante, se expresa un compromiso y una aceptación de la realidad como teatro de acción, ya no el refugio consolador del sueño).

Más que una respuesta o una definición concluyente, tales ejemplos esbozan quizá una «dimensión» del relato. Éste organiza el discurso y la experiencia según un ritmo, en el que «leemos» contenidos psicológicos profundos, sólo en parte conscientes, con independencia de la verdad de uno u otro modelo; una indagación de este tipo nos permite, si no explicar, por lo menos reflexionar sobre la fascinación que narrar y escuchar relatos ejercen sobre nosotros. Pero, llegados a este punto, conviene pasar del relato en general al análisis de las obras; por ello será necesario recurrir a instrumentos más específicos.

BIBLIOGRAFÍA. Sobre la narrativa natural, además de Labov (1972) y Pratt (1977), puede verse también Traugott y Pratt (1980: 246-72). Una buena introducción a los géneros narrativos se halla en Scholes y Kellogg (1966); pero para ulteriores indicaciones se remite a la bibliografía relativa al § 19 y a la de las secciones siguiente a este capítulo. Es incalculable la cantidad de estudios que a partir de Propp (1928) —o mejor, desde su redescubrimiento en los años sesenta— se ha ido acumulando en torno a los problemas del análisis del relato. Baste señalar algunos ensayos ya famosos, como Barthes y otros (1966), Todorov (1969), Genette (1972), Bremond (1973), Chabrol (1973); añádase, para una información de conjunto, Culler (1975) y Chatman (1978), que al mismo tiempo da un balance equilibrado, así como Bal (1977). De alcance general y español, y de interés para los aspectos tratados en este y los siguientes párrafos son Bourneuf y Ouellet (1972), López Casanova y Alonso (1982: 425-606) y Pozuelo (1988b: 226-267).

ASPECTOS DEL RELATO

40. La voz

«La heroica ciudad dormía la siesta. El viento sur, caliente y perezoso, empujaba las nubes blanquecinas que se rasgaban al correr hacia el norte.» ¿Quién habla al comienzo del capítulo I de *La Regenta*? Evidentemente, está descartado que se trate de Leopoldo Alas «Clarín»: aun cuando se hallara ante nosotros y nos leyera su novela, como solía hacer Dickens, seguiríamos distinguiendo su persona física del sujeto de la enunciación que más adelante, por ejemplo, hablará con el plural mayestático de «Frígilis, personaje darwinista que encontraremos más adelante». Análogamente, no somos nosotros aquellos a quienes se dirige esta voz cuando habla Galdós en *La fontana de oro* de que «hoy, cuando veis que la mayor parte de la calle está formada por viviendas particulares, no podéis comprender lo que era».

En cierto sentido, podría decirse que la voz, a fin de cuentas, es paradójicamente la nuestra: *Vivere post obitum vatem vis nosse, viator?* —resuena un dístico de la *Anthologia Latina*— *Quod legis, ecce loquor: vox tua nempe mea est* («¿Quieres saber, caminante, si el poeta vive más allá de la muerte? Lo que tú lees, yo digo: tu voz es la mía»). Pero, a diferencia de lo que sucede a quien recita una oración, quien lee una novela no se constituye en sujeto de la enunciación; configura en su propia mente a alguien que le está hablando: éste es precisamente el narrador, suya es la voz imaginaria que articulamos en nuestra mente. Él es a quien encontramos al final de la primera parte de *Don Quijote* («El cual autor no pide a los que la leyeren, en premio del inmenso trabajo que le costó inquerir y buscar todos los archivos manchegos, por sacarla a luz, sino que le den el mesmo crédito que suelen dar los discretos a los libros de caballerías»), quien construye en torno a sí un tiempo (sirva de ejemplo el citado pasaje de Galdós; o también, «Con octubre muere en Vetusta el buen tiempo. Al mediar noviembre suele lucir el sol una semana», *La Regenta*); eventualmente incluso un espacio (en *Don*

Quijote el autor alude a la cárcel en la que se engendró la obra, y no raras veces el narrador describe el lugar en el que está narrando) y se dirige a alguien (el «lector amigo» de muchas novelas del Siglo de Oro, el Vuestra merced del *Lazarillo*) que en el texto representa a nuestro doble, como él mismo al doble del autor.

La diferencia entre autor y narrador, de una parte, lector y «narratario», de la otra, con frecuencia se hace explícita. ¿Quién cuenta las novelas cortas del *Decamerón*? Alternativamente, Pampinea, Fiammetta, Emilia, Filomena, Elissa, Lauretta, Neifile, Dioneo, Pánfilo, Filostrato. ¿A quién las cuentan? A Filóstrato, Pánfilo, Dioneo, etc. El marco del *Decamerón* (o el de *Los cigarrales de Toledo* de Tirso de Molina) reproduce la situación narrativa en que nos hallamos al leer o escuchar un relato. En *La conciencia de Zeno*, de Svevo, el narrador es el propio Zeno, quien escribe su autobiografía dirigiéndose al psicoanalista; y éste será quien después la publique. Pero el Zeno narrador postula también un Zeno, por así decir, «autor», o sea, el Zeno «real» de quien habla el Doctor S. («¡Si supiese las sorpresas que se llevaría del comentario de tantas variedades de embustes como ha amontonado aquí!») y que debemos distinguir del primero aunque evidentemente no se le encuentre jamás directamente en el libro (de ahí procede la ambigüedad irresoluble de la novela: nunca sabremos si lo que cuenta el Zeno-narrador es «verdad»). Parecidos problemas se plantean en *Vida y obra de Luis Álvarez Petreña*, de Max Aub, colección de escritos íntimos y confidenciales del protagonista, que edita y comenta el autor, discrepando de las opiniones del «narrador».

El ejemplo de Svevo requiere algunas precisiones. Naturalmente, estos desdoblamientos del personaje Zeno se hacen especialmente perceptibles en el trasfondo psicoanalítico a que hace referencia la novela; pero, con todo, se traducen en posibilidades implícitas del discurso narrativo. Tratemos de abordar de modo más sistemático el problema.

Puedo imaginar unos personajes y unos hechos: supóngase, un príncipe de Dinamarca, de nombre Hamlet, su madre la reina, el tío, primero amante, luego esposo de ésta (así como asesino del padre de Hamlet), etc. En este punto habré de tomar algunas decisiones. Escribiré, por ejemplo, «Hamlet ordenó a Ofelia entrar en un convento», o bien, «Hamlet dijo a Ofelia: "Vete a un convento"». En el segundo caso, la expresión «vete a un convento» es pronunciada por la voz del personaje; es, por así decir, un trozo de la realidad —de la realidad imaginada— transferido en peso a la página. En el primer caso, en cambio, también este hecho está mediatizado por la voz que narra el acontecimiento.

Es sabido que Shakespeare escogió una tercera solución. Más que alternar su voz con la de los personajes, les dio directamente la palabra: encarnados por actores, aquéllos representarán en el escenario el acontecimiento por medio de las palabras y las acciones prescritas por la pieza. Se llamará este modo de representación *mimesis; diégesis*, en cambio, el modo de representación ilustrado por «Hamlet ordenó a Ofelia entrar en un convento». Es evidente que estos modos pueden convivir, como en «Hamlet dijo a Ofelia: "Vete a un convento"». A la inversa, un personaje teatral puede a su vez referir un suceso (es el caso de Teramene, que en la *Fedra* de Racine narra la muerte de Hipólito).

En la novela epistolar, los personajes toman directamente la palabra: también aquí, en principio, nos hallamos exclusivamente ante fragmentos de realidad, y el narrador está ausente. Algo similar acontece en una novela escrita en primera persona. Alguien, sin embargo, ha organizado el material, siguiendo una estrategia más o menos reconocible; se hablará entonces no ya de narrador, sino de autor implícito. Por eso habrá que distinguir sucesivamente: el autor implícito; el narrador (si lo hay); el personaje-narrador (si lo hay); el personaje «real» (el personaje-narrador, de hecho, puede contar mentiras, reveladas por el contexto). En cualquier caso, este último desdoblamiento se plantea en el personaje que habla o actúa y en el personaje como «realmente» es (que puede pasar por otro o fingir). Hay que recordar, por lo demás, que en cualquier comunicación el sujeto de la enunciación nunca es el sujeto real: siempre que digo «yo», construyo un *alter ego* (del que mi interlocutor a su vez tratará de inferir quién soy *yo* realmente). Desde este punto de vista, cuando leemos una novela, efectuamos exactamente las mismas operaciones que nos guían en la vida cotidiana; y no se debe creer que tales distinciones sean más complicadas que las que hemos aprendido a hacer en la conversación más trivial.

Cuando leo una novela, queda claro que la voz narradora no se dirige directamente a mí, Franco Brioschi o Costanzo Di Girolamo. Con frecuencia se halla justo en el umbral del relato, como se ha señalado, un narratario, un lector ficticio, una imagen en miniatura o réplica del público en el texto: son ejemplos el destinatario de las cartas en una novela epistolar (como *Pepita Jiménez* de Valera) o la alegre compañía del *Decamerón* o el Doctor S. de Zeno. Consiste en un oyente o lector dentro del texto, una especie de personaje, si bien ajeno a la historia. Pero incluso donde falta un narratario, existirá de todos modos un lector implícito al que se dirige la obra y de quien prefigura ciertos comportamientos: el lector implícito de la *Divina Comedia* siempre asistirá a una dramática ascensión moral y religiosa que se sabe llamado también a efectuar, y el lector implícito de *Marianela* seguirá llorando por la suerte de la desdichada muchacha. Me tocará decidir si hago realmente mías estas actitudes o simplemente asumo la vestimenta de este lector implícito en el nivel provisional de la imaginación. Cierto es que esta figura también forma parte del universo narrativo y es distinguida por los sujetos empíricos que participan de una forma concreta en el acto de la lectura.

Todos estos distingos se percibirán más o menos en la medida más o menos explícita en que sean tema del texto. Hay que recalcar, en especial, que la oposición de mimesis y diégesis define más bien un abanico de posibilidades que una antítesis rígida. Si se sigue la clasificación propuesta por Chatman (1978), se tendrá: 1) una representación mediatizada en forma mínima, que «no registra nada fuera de las palabras o los pensamientos formulados verbalmente por los personajes» (Chatman 1978: 166); es el caso de *La conciencia de Zeno*, donde las palabras y los pensamientos formulados están ya escritos; el Doctor S. se limita aquí a transmitir un material que se supone preexistente y su mismo prefacio ya está escrito; pero pese a que el narrador de hecho está ausente, la intención del autor implícito se manifiesta de una manera evidente más en la totalidad que en cada palabra del texto. Al ejemplo italiano cabría añadir los españoles de la mencionada novela de Aub, *La familia de Pascual Duarte*, de Cela o *El fondo del vaso*, de Ayala. 2) Una representación que, aparte los actos verbales (introducidos en su caso por fórmulas casi neutras como «pensó él», «dijo él»), da cuenta de acciones no verbales: «Nick siguió la calle a lo largo de las vías del tranvía y giró hacia una travesía en el primer semáforo» (Hemingway, *Los asesinos*); *El Jarama* o *Tormenta de verano* ofrecen ejemplos similares. O bien da cuenta de procesos interiores (sentimientos, emociones) verbalizados por el narrador sin comentarios. 3) Una representación que revela la presencia del narrador: «El catalán... en cada vara rebaja un perro chico. Visitación triunfa. Pero no sabe que el mismo percal se lo vendió a Obdulia rebajando un perro grande» (*La Regenta*, cap. 9); en general, son los casos en los que el narrador nos da información sobre ambientes, personas, acontecimientos, ofreciendo al lector explicaciones suplementarias que hacen más comprensible la escena desarrollada. 4) Una representación en la que el narrador interpreta, juzga y se refiere a veces al acto mismo de narrar: se va de la simple coloración («Lázaro continuó andando sin dirección fija», *La Fontana de Oro*, cap. XXII) a la reflexión de carácter moral o filosófico, a la intervención directa del narrador que apostrofa a un personaje o al lector, a la autorreferencia («María de la Paz —quitémosle el *doña*, porque supimos casualmente que le agradaba verse despojada de aquel tratamiento», *ibid.*, cap. XV), etc.

Sería superfluo especificar ulteriormente esta tipología, que, no obstante, ha de ser completada con la consideración del punto de vista, así como de otras técnicas narrativas. Los matices pueden ser infinitos: así, en la otra vertiente, los rasgos del lector implícito o del narratario pueden evocarse de maneras que van de lo más indeterminado a lo más vinculante. El narratario puede ser evidente (como los personajes en el marco del *Decamerón* o en el de *Los cigarrales de Toledo* de Tirso de Molina), pero exterior a la historia; incluso puede hallarse en el interior de la historia, como actor o testigo (por ejemplo, en las novelas epistolares) o ser sólo el «querido lector», presente en escorzo en la obra como hipótesis. En una novela de Butor, *La modificación*, el protagonista-narrador se habla a sí mismo (o en *La muerte de Artenio Cruz*, de Carlos Fuentes). En general, el narrador que explica, da informaciones e interpreta, evoca frente a sí, aunque no lo cite explícitamente, a un narratorio que se aprovecha de sus precisiones, al que puede tomar el pelo o tratar con deferencia. Pero no puede evitar, por último, crear la imagen de un lector implícito, que compartirá su visión del mundo o, por lo menos, algunos presupuestos lógicos, un canon estético o una moral. Nos tocará luego a nosotros, lectores, recorrer hacia atrás este pequeño laberinto, para dar vida sucesivamente a estas figuras: preguntándonos acaso cuál era el sentido global que el autor pretendía transmitir en su obra y, en todo caso, qué sentido tiene para nosotros. Es de desear, claro está, que eso se consiga por la mediación de la obra, no por su distorsión; pero, hay que añadir, sin inútiles exclusivismos o purismos metodológicos. Incluso la reseña más objetiva e impersonal, más escrupulosamente mimética, delata una intención. Asimismo, la lectura más técnica o analítica delata una expectativa. Al escribir o vivir la obra según las convenciones que le son propias, el autor y el lector establecen un «pacto narrativo», pero a la vez persiguen un objetivo. Ser conscientes de ello no implica violar la autonomía del texto, sino realizarlo en tanto que objeto de experiencia.

41. El tiempo

En ningún género del discurso es tan fundamental la categoría del tiempo como en la narración. Por esta evidente razón, se explica que el tratamiento del tiempo en el relato configure una tipología muy elaborada y compleja, que aquí sólo se puede resumir.

Ante todo, se diferenciará entre el tiempo de la historia, aquel en el que se supone suceden los acontecimientos relatados, y un tiempo del discurso, aquel en el que la voz narradora nos refiere los sucesos y en el que por norma tiene lugar el acto de escuchar o de leer. La relación de estos dos tiempos determina una serie de variaciones por lo que respecta tanto al orden como a la duración.

La sucesión de los acontecimientos de la historia, tal como los reconstruimos mentalmente, seguirá el orden lineal del antes y del después. En una intriga elemental del tipo: «1) El rey murió, 2) y la reina murió de dolor», el discurso respeta la sucesión. Viene a significar que llegamos a conocer los sucesos en el mismo orden en que se verificaron. Si en cambio el discurso adoptase la forma: «2) La reina murió de dolor, 1) porque el rey había muerto», nos encontraríamos ante un desajuste, o «anacronía», entre el orden de los hechos y el orden en que se nos refieren.

Como se verá (§ 44), éste es uno de los aspectos en los que se basa la diferencia entre fábula e intriga. De momento, siguiendo a Genette (1972), se distinguirá la retrospección («analepsis»), que a partir del acontecimiento narrado nos informa acerca de lo que precede, y la anticipación («prolepsis»), que nos informa sobre el futuro; y además, el alcance de la «anacronía» (el intervalo de tiempo que separa dos acontecimientos, contiguos o alejados en diversos grados) y su amplitud o extensión. Sin descartar posteriores explicaciones, señalaremos sólo otra posibilidad, la «acronía»: la sucesión en el discurso no está fundada en una relación cronológica, sino en otros modos de asociación —espacial, temática, lógica, etc.—. La saga-fuga de J.B., de Torrente Ballester, por ejemplo, está próxima a este tipo de intriga, igual que Rayuela, de Cortázar.

Un segundo tipo de relaciones tiene que ver, como se ha dicho, con la duración. Cuando Clarín nos refiere en un par de páginas la vida del canónigo don Cayetano Ripamilán, se hablará de sumario (en este caso retrospectivo). Pero el sumario también puede ser progresivo, así como reducirse a una síntesis muy breve, del tipo «Nada en aquellos días vino a turbar su felicidad», incluso desaparecer del todo: se tendrá entonces una elipsis, en la que el tiempo de la historia avanza por una duración más o menos larga, mientras que el tiempo del discurso es nulo (la elipsis se intercalará entre la conclusión de un episodio y el comienzo del siguiente o bien dentro de un episodio, con un efecto de suspense).

Corrientemente, el tiempo de la historia y el tiempo del discurso coinciden en el diálogo: en tal caso se hablará de escena. El episodio del convite en el palacio de los duques del capítulo XXXI de la II parte de Don Quijote es propiamente una escena. Pero la misma coincidencia se da en el monólogo interior (§ 45); en ambos casos, evidentemente cae dentro de lo posible que se refieran sucesos del pasado relativo y se reproduzcan en este «discurso dentro del discurso» las mismas relaciones que estamos describiendo.

Véanse, por ejemplo, las páginas finales del *Ulises,* en donde Joyce cede la palabra a Molly Bloom: «Sí porque él nunca había hecho tal cosa como pedir el desayuno en la cama con un par de huevos desde el Hotel City Arms cuando solía hacer que estaba malo en voz de enfermo como un rey para hacerse el interesante con esa vieja bruja de la señora Riordan que él se imaginaba que la tenía en el bote y no nos dejó ni un ochavo todo en misas para ella sola y su alma grandísima tacaña como no se ha visto otra con miedo a sacar cuatro peniques para su alcohol metílico contándome todos los achaques tenía demasiado que desembuchar sobre política y terremotos y el fin del mundo vamos a divertirnos primero un poco Dios salve al mundo si todas las mujeres fueran así venga que si trajes de baño y escotes claro que nadie quería que ella se los pusiera» (II, 275). Naturalmente, la formulación verbal del pensamiento requiere en realidad un tiempo bastante mayor que el empleado por el pensamiento mismo: es una coincidencia imaginaria, que pertenece al orden de la ficción y se funda, en último análisis, en la disponibilidad del lector a colaborar mentalmente en la ilusión.

Se tendrá, en cambio, una extensión cuando el tiempo del discurso alcance una duración mayor que el segmento correspondiente de historia. Sucede en general cuando el narrador refiere y analiza pensamientos, intuiciones, sensaciones de los personajes: el tiempo de la historia será nulo, mientras el discurso avanza poco o mucho comentando, explicando o describiendo. En este caso hablaremos de pausa.

Un ejemplo clásico, de una página construida por entero sobre la alternancia de extensiones y pausas, es esta revelación de la memoria de Proust: «Y muy pronto, abrumado por el triste día que había pasado y por la perspectiva de otro tan melancólico por venir, me llevé a los labios una cucharada de té en el que había echado un trozo de magdalena. Pero en el mismo instante en que aquel trago, con las migas del bollo, tocó mi paladar, me estremecí, fija mi atención en algo extraordinario que ocurría en mi interior. Un placer delicioso me invadió, me aisló, sin noción de lo que me causaba. Y él me convirtió las vicisitudes de la vida en indiferentes, sus desastres en inofensivos y su brevedad en ilusoria, todo del mismo modo que opera el amor, llenándose de una esencia preciosa; pero, mejor dicho, esa esencia no es que estuviera en mí, es que era yo mismo [...] Y de pronto el recuerdo surge. Ese sabor es el que tenía el pedazo de magdalena que mi tía Leoncia me ofrecía, después de mojado en su infusión de té o de tila, los domingos por la mañana en Combray (porque los domingos yo no salía hasta la hora de misa) cuando iba a darle los buenos días a su cuarto. Ver la magdalena no me había

recordado nada, antes de que la probara; quizá porque, como había visto
muchas, sin comerlas, en las pastelerías, su imagen se había separado de
aquellos días de Combray para enlazarse a otros más recientes; ¡quizá
porque de esos recuerdos por tanto tiempo abandonados fuera de la
memoria, no sobrevive nada y todo se va disgregando!; las formas externas —también aquella tan grasamente sensual de la concha, con sus
dobleces severos y devotos—, adormecidas o anuladas, habían perdido
la fuerza de expansión que las empujaba hasta la conciencia. Pero cuando
nada subsiste ya de un pasado antiguo, cuando han muerto los seres y
se han derrumbado las cosas, solos, más frágiles, más vivos, más inma-
teriales, más persistentes y más fieles que nunca, el olor y el sabor
perduran mucho más, y recuerdan, y aguardan, y esperan, sobre las
ruinas de todo, y soportan sin doblegarse en su impalpable gotita el
edificio enorme del recuerdo» (*Por el camino de Swann*, parte I, cap. 1).
Se debe precisar que aquí el discurso evoca un acto de la memoria; y
éste, a su vez, de forma sintética su pasado relativo.

Por lo común, el tiempo del discurso es el mismo, en la ficción
narrativa, de la audición o de la lectura. El «ahora» del narrador
en «Ahora os contaré qué le sucede a Carlos» es también el
«ahora» de su destinatario. Pero no siempre es así: en la narración
de un diario o una carta el tiempo del narrador no se sitúa en
el presente, sino en el pasado del lector; es objeto de representación en tanto que tiempo que discurre de manera perceptible.

Además del orden y de la duración, una última relación posible entre
el tiempo del discurso y el de la historia es la frecuencia, de la que
Chatman (1978: 78) distingue en síntesis los siguientes tipos: «1) puntual,
una representación enunciativa particular de un momento individual de
la historia, como en "Ayer me acosté temprano"; 2) múltiple-puntual,
varias representaciones que corresponden cada una a un momento distinto de la historia, como en "El lunes me acosté temprano; el martes me
acosté temprano; el jueves me acosté temprano";, etc., 3) repetitivo, varias
representaciones enunciativas del mismo momento de la historia, como
en "Ayer me acosté temprano; ayer me acosté temprano; ayer me acosté
temprano", etc.; 4) iterativo, una única representación enunciativa de
varios momentos de la historia, como en "Cada día de la semana me
acosté temprano"». Se encuentran vinculados con la frecuencia efectos
peculiares como, por ejemplo, en el tercer caso el retorno obsesivo de
un suceso o, en el segundo, la repetición monótona de un mismo gesto.

Hasta aquí se ha supuesto que el tiempo de la historia precede
al tiempo del discurso. Por lo común, en efecto, la historia se sitúa
en el pasado; las mismas novelas de ciencia ficción se sirven de
los tiempos verbales del pasado, no de los del futuro. No faltan,
sin embargo, los ejemplos de narración en presente (en la novela
norteamericana del siglo xx o en el *nouveau roman*, por ejemplo);

un caso especial es *Si te dicen que caí* de Juan Marsé (publicada en 1973), en donde alternan partes en tercera persona en pretérito y partes en primera persona en presente; o, en un juego más complejo, también *La muerte de Artemio Cruz*, de Carlos Fuentes.

Weinrich (1964) propone una distinción interesante en cuanto concierne a los tiempos verbales: la diferencia entre los tiempos del segundo plano (es característico el imperfecto) y los tiempos del primer plano (es característico el pretérito indefinido). Esta distinción no equivale necesariamente a la diferencia entre acción-punto y acción-línea o entre continuidad y discontinuidad; más bien afecta al enfoque más o menos cercano del asunto. Compárense las expresiones «Era un hermoso día soleado» y «Fue un hermoso día soleado». En el primer caso esperamos un suceso; en el segundo la información se nos aparece concluida en sí misma. A estos dos tiempos narrativos se contraponen los tiempos comentadores (presente, pretérito perfecto, futuro), destinados a representar actitudes y consideraciones del narrador.

Sólo queda por decir que, en conjunto, la concepción del tiempo puede ser muy diferente de una a otra narración. Como veremos (§ 46), la epopeya presupone una imagen del tiempo destinada a ser transformada por el advenimiento de la novela. En este sentido, la descripción estructural deberá completarse —junto con el análisis de los demás niveles del texto— con la historia más amplia de las formas y de las ideas con las que el hombre se ha ido representando su mundo.

42. EL PUNTO DE VISTA

Expresiones como «punto de vista» o «perspectiva» designan una tercera modalidad del discurso narrativo. Se trata de expresiones metafóricas que remiten evidentemente a la percepción visual y nos recuerdan que los sucesos del relato se nos van revelando tal como se han presentado en la experiencia de alguien. En suma, cuando nos ocupamos de la voz nos preguntamos quién habla, y cuando de la perspectiva, en cambio, quién ha visto (Genette 1972: 233).

Tradicionalmente se distinguen tres casos. El narrador sabe y dice más de lo que saben sus personajes; es el caso del narrador omnisciente, que domina desde lo alto los sucesos, cuyas causas y relaciones explica al lector y cuyo desarrollo conoce desde el principio (condición que comparte el lector cuando el objeto del relato es un mito). En el segundo caso, el narrador sabe y dice sólo lo que sabe el personaje. Por lo general, en una novela policíaca el punto de vista es el del detective y todo cuanto sucede se nos refiere a medida que el detective lo averigua; por otra parte, el punto de vista puede desplazarse de uno a otro personaje, como ocurre sistemáticamente en las novelas de Henry James. En el tercer caso, el narrador sabe y dice menos de lo que sabe el personaje: es el relato «conductista» o «behaviorista», por ejemplo, de Hemingway y, en España, de Sánchez Ferlosio y García Hortelano; pero también Watson, que narra en primera persona las aventuras de Sherlock Holmes, sabe menos que el protagonista.

Claro está que sólo rara vez se dan estos tres tipos de una forma pura dentro de una narración. No sería posible ninguna sorpresa, por ejemplo, si un narrador omnisciente no ocultara algo a sus lectores, para revelarles la noticia o el suceso decisivo sólo en el momento oportuno (repárese sólo en las intrigas basadas en el descubrimiento final). Y bastaría comparar una narración épica, como la homérica, con cualquier página de *La Regenta* para percatarse de que el propio Clarín alterna constantemente la omnisciencia con la adopción de la perspectiva restringida. Pero la problemática del punto de vista se complica sobre todo cuando se pone en correlación con los demás aspectos de la obra.

Supóngase que el narrador nos haya presentado a un personaje sentado en una habitación y prosiga: 1) «Entró María, su mujer»; 2) «Entró María y él levantó la cabeza del libro»; 3) «María entró y se sonrió para sus adentros». En 1) la especificación «su mujer» postula abiertamente a un narrador explícito y omnisciente. En 2) el narrador se limita a formular los sucesos, aquí sólo externos, y el punto de vista corresponde al del personaje. En 3) el punto de vista se desplaza del primero al segundo personaje. Según Uspenskij (1970: 18), el simple «Entró María» en contraposición a «María entró» sería suficiente para determinar el punto de vista: como lectores no sabemos quién es María, así que la perspectiva en que se nos presenta el suceso no puede ser otra que la del personaje que lo percibe, su marido. En la terminología de la sintaxis funcional se podría decir que el *tema* —o base, lo que está «dado»— es «entró», que funciona como sujeto lógico de la frase (la atención del personaje es atraída por la entrada de alguien en la habitación); el *rema* —la nueva información— es «María», que funciona como el predicado lógico de la frase (el personaje se percata de que ese alguien es María). En «María entró», por el contrario, el tema es «María», mientras que la nueva información reside en «entró». En conjunto, el ejemplo manifiesta de forma elocuente que la misma «voz» puede ser vehículo de puntos de vista diferentes.

Centro de esa interferencia es el estilo indirecto libre (el término se considera en general equivalente al alemán *erlebte Rede*), esto es, un discurso indirecto en el que se ha suprimido el *verbum dicendi* o *cogitandi*. En *La Regenta* se podría señalar, entre varios, el siguiente ejemplo: «Su hijo la engañaba, la perdía. Para ella doña Ana Ozores, la dichosa Regenta, era ya *barragana* —esta palabra decía para sus adentros—, barragana de su Fermo. Por allí iba a romper la soga: por allí hacía agua el barco. Si se hablaba tanto de los abusos de la curia eclesiástica, de *La Cruz Roja* y de don Santos, era porque el *otro negocio*, el más escandaloso, el de las *faldas*, traía consigo los demás. Esto pensaba ella» (cap. 20). Está claro que los tiempos verbales no corresponden al estilo directo de las reflexiones de doña Paula, a diferencia de las palabras que siguen, en tiempo presente: «Lo otro es antiguo. Ya nadie hacía caso de estas hablillas por viejas, por gastadas, pero con el escándalo nuevo, con lo de esa mala pécora, hipócrita y astuta, todo se renueva, todo toma importancia, y muchos pocos hacen un mucho. Si Fortunato sabe algo, cree algo, nos hundimos.» Nótese también el cambio en los pronombres personales. La forma normal del primer fragmento sería algo así como «Pensaba que su hijo la engañaba...». Alguna palabra, además, no puede ser más que del personaje, como el narrador recalca en el caso de «barragana»; es una traza de la forma de expresarse del personaje y no puede atribuirse en modo alguno al narrador. A la inversa, el habla del autor no deja de interferir a su vez en el estilo *directo* de los personajes (cuando son populares, seguramente no se expresarían así en la realidad). Otro ejemplo, en *Fortunata y Jacinta* (II, 1, 4), de Galdós, donde el fragmento siguiente mezcla con los registros del autor la forma de expresarse de un personaje: «doña Lupe enseñaba la hucha como una cosa rara, sonándola... para que todos *se pasmaran de lo arregladito y previsor que era el niño*».

Bajo esta luz, toda narración se presenta como un campo de tensiones. La interferencia recíproca de los diversos puntos de vista, perspectivas o valores es un elemento dinámico del relato no menor que la intriga o la aventura. No siempre el autor consigue subordinar enteramente el punto de vista de los personajes al suyo propio. Ciertamente, todo discurso está invadido por su presencia, actitudes y presupuestos; y el modo mismo de introducir a los personajes revela un juicio de alguna clase, aunque no siempre en forma tan explícita como en estos apelativos usados por la prensa parisina para describir la llegada de Napoleón a Francia en la época de los Cien días: «El monstruo corso ha desembarcado en el Golfo de Juan», «El caníbal avanza en dirección a Grasse», «El usurpador ha entrado en Grenoble», «Bonaparte ha ocupado Lyon», «Napoleón se acerca a Fontainebleau», «Su Majestad Imperial es esperada hoy en su fiel París» (Uspenskij 1970: 21-2). Pero, por más que una escala de este género sea de ordinario reconocible sólo a trasluz, atenuada y filtrada por la ironía y por rasgos impersonales, no es menos cierto que los personajes, una vez recibida una autonomía propia en el mundo de la ficción, no se pueden plegar de modo inmediato a la ideología del escritor. Según Bajtín, por el contrario, es típico de la novela justamente un carácter «polifónico», «dialógico», «plurilingüístico», que manifiesta Dostoievski en su renuncia a encerrar los mundos interiores de sus personajes en el cauce de una *Weltanschauung* —o visión del mundo— única (Bajtín 1929; 1934-35). En cualquier caso, la palabra de unos y otros, la perspectiva del narrador y del autor y, aún más allá, del escritor, siempre conviven, se contraponen y se reflejan mutuamente en la página.

Finalmente, una última consideración se refiere al lector. Éste, en el mismo momento que ejecuta las «jugadas» previstas por el pacto narrativo y se hace cómplice del autor cooperando con él a construir el mundo del relato, se hace también portador de un punto de vista propio, juzga según las propias expectativas, acepta o no acepta discutir los propios valores. Pero sobre este tema será bueno volver a su debido tiempo (§ 45, 48).

BIBLIOGRAFÍA. Desde una perspectiva narratológica, se señalan en especial, para todos los temas abordados en esta sección, los análisis de Genette (1972) y el libro de Chatman (1978). Hamburger (1957) y Ricoeur (1983-84) proporcionan profundas reflexiones sobre el tiempo narrativo; en relación con la novela española moderna, trata algunos aspectos Villanueva (1977). Sobre el punto de vista, un tratamiento sistemático se encuentra en Uspenskij (1970), que completa enfoques no estructuralistas; una aplicación al análisis de la picaresca en Rico (1970). Sobre el estilo indirecto libre en español, véase Verdín (1970). Acerca de la segunda persona en la novela, véase Yeduráin (1968).

EL ANÁLISIS DEL RELATO

43. Fábula e intriga

Se remonta a los formalistas rusos la distinción entre fábula e intriga, fundamental para el análisis del relato. Se entiende por fábula los elementos constitutivos del relato, esto es, los materiales de base para construir la intriga; ésta consiste en la ordenación en el texto de los elementos de la fábula. En suma, la fábula constituye la serie de eventos desarrollada cronológicamente y conectada casualmente; en la intriga el contenido no sigue por fuerza una lógica causal-temporal, que resulta excepcional en los textos narrativos de cualquier época y tradición literaria.

Tómese como ejemplo la *Odisea*. El poema comienza cuando ya han transcurrido diez años desde la caída de Troya y Ulises es prisionero de Calipso. Los eventos anteriores se narran gradualmente y no siempre en su sucesión natural: no hay más que reparar en que los episodios centrales de la peregrinación de Ulises (Polifemo, Circe, el viaje de ultratumba, las Sirenas, etc.) son relatados por el mismo héroe en la corte de Alcinoo; lo acontecido con posterioridad inmediata a la toma de Troya es evocado alternativamente por Néstor y Menelao a ruegos de Telémaco, partido en busca de su padre. Como se ve, el poema ha trastornado y confundido el orden real de los sucesos: en lugar de devanarse de manera lineal, como se dice recurriendo a metáforas derivadas del arte textil, se teje una «trama», un «cañamazo» o un «enredo».

En determinados géneros la intriga se rige por reglas precisas: por ejemplo, en la novela de serie negra, el suceso inicial (el delito) sólo se reconstruye en todos sus detalles al final. Aun cuando la acción del relato se desarrolle sin interrupciones ni saltos temporales, no pocas informaciones relativas a acontecimientos anteriores se comunican al lector en el transcurso de la narración sin seguir de ordinario el orden lógico. Entre los procedimientos más extendidos para encajar el pasado en el presente narrativo se encuentra la técnica denominada, en terminología cinematográfica, de *flashback*: es el propio personaje quien recuerda o cuenta vicisitudes del pasado. De hecho cuenta como una especie de *flashback* el largo relato de Ulises a Alcinoo, procedimiento que adoptará Virgilio en la *Eneida*, en cuyos libros II y III confía a las palabras del héroe la evocación de los sucesos posteriores a la caída de Troya; o la historia del cautivo, verdadera novela en la novela del *Quijote*. El propio autor también puede abrir una digresión para informarnos de los antecedentes o la prehistoria de un personaje: por ejemplo, la historia de doña Paula, madre de don Fermín de Pas, por varias páginas de *La Regenta*.

Por otra parte, la intriga se incluye dentro del fenómeno más general del desajuste que se da en literatura entre unidades formales y unidades de contenido. El ejemplo más evidente de este fenómeno lo constituye el encabalgamiento (§ 34): si un verso no concluye con una pausa de sentido, se obtiene una forma de tensión entre la unidad métrica y la unidad lingüística (considerada en sus significantes y sus significados). Esa coincidencia frustrada no afecta sólo al discurso versificado, sino también en grados distintos a todas las divisiones de los textos literarios, como los libros de un poema o los capítulos de una novela; cada uno de ellos se prolonga a menudo en el subsiguiente en el plano de los contenidos, a la vez que la separación, esto es, el final de un libro o de un capítulo, se efectúa dentro de una unidad de contenido. La intriga representa algo similar con respecto a la fábula, pese a que las «cesuras» no dependen de divisiones fijas: el material narrativo de base se fragmenta y reorganiza en el texto como en una taracea. De este modo se entiende la intriga como la organización «formal» del contenido de la fábula.

Tras los formalistas rusos, las principales tendencias de la narratología han replanteado la distinción entre fábula e intriga, aunque con frecuencia las variaciones terminológicas sean bastante significativas. Recientemente, Segre (1974: 13-84) propuso sustituir esa pareja de contrarios por una cuatripartición: 1) discurso, 2) intriga, 3) fábula, 4) modelo narrativo. El discurso es el texto narrativo captado en su aspecto significante: léxico, estilemas, construcciones sintácticas, etc., que en el proceso de la lectura el lector «deposita en las casillas de la memoria formal» (*ibid.*: 27). Estos elementos son importantes por constituir el tejido unitario de base sobre el que adquieren relieve los elementos del contenido, ordenados no linealmente en la intriga y reconstruidos linealmente en la fábula. El modelo narrativo consiste en un nivel ulterior de abstracción, en otras palabras, es «la forma más general en que la narración puede exponerse manteniendo el orden y la naturaleza de sus conexiones» (*ibid.*: 24). Avalle (1975: 41-2), por ejemplo, analizó el episodio dantesco del último viaje de Ulises (*Infierno* XXVI) según cuatro funciones: «I) El héroe decide partir en una búsqueda peligrosa (alejamiento). II) El héroe comunica a los compañeros esta decisión con un discurso en el que enumera los motivos que le empujan a tan elevada empresa (alocución). III) El héroe y sus compañeros traspasan la frontera del "país desconocido" que por las características que siguen resulta ser el país "del que nadie regresa vivo" (infracción) [...]. IV) El héroe y sus compañeros mueren como consecuencia de su temeraria empresa (castigo).» En este ejemplo, la fábula se expone mediante una paráfrasis; el «alejamiento», la «alocución», la «infracción» y el «castigo» constituyen el modelo narrativo.

La importancia de las nociones de fábula y de modelo narrativo radica en que, a dos niveles distintos, permiten comparar textos, cuya afinidad suelen oscurecer elementos marginales y la propia organización de la intriga. A fines comparativos apuntaba el análisis morfológico de los cuentos efectuado por Propp (§ 29), así como uno de los primeros experimentos de narratología, el intentado por Bédier en 1893 sobre el *corpus* de los *fabliaux*. Así entendido, el análisis narratológico supone ciertamente un relevante instrumento para el estudio de la literatura, a condición, no obstante, de que no se practique como fin en sí mismo, porque es evidente que, en el procedimiento de abstracción manejado por el crítico, desaparece justamente el texto en su individualidad, para dejar de sí tan sólo vestigios esqueléticos. De ahí procede la necesidad de confrontar continuamente los «niveles», empezando por el del discurso: la comparación y la tipología han de servir en definitiva para enfocar todo lo que los textos particulares poseen de específico y característico, no por cierto para anular todas las diferencias en el plano de los elementos compartidos en común.

44. Tipologías del personaje

Homo fictus es el término con que denomina Forster (1927) aquella especie antropológica característica que vive y habita en las novelas y los cuentos en general. A diferencia del *Homo sapiens*, el *Homo fictus* parece más difícil de aprehender: «Es una creación de la mente de centenares de novelistas distintos con métodos de creación contrapuestos; así que no cabe generalizar. Sin embargo, podemos decir algunas cosas de él. Nace, por lo general, como un paquete, puede seguir viviendo después de morir, necesita poca comida, poco sueño y está infatigablemente ocupado en relaciones humanas. Y, lo más importante, podemos llegar a saber más de él que de cualquiera de nuestros congéneres, porque su creador y narrador son una misma persona» (Forster 1927: 61-2).

La vida del *Homo sapiens* está moldeada por cinco grandes «hechos primordiales»: el nacimiento, la comida, el sueño, el amor y la muerte. Pero la población de la narrativa vive estos hechos de maneras muy diferentes de las nuestras. Ante todo, los personajes «vienen al mundo más como paquetes que como seres humanos. Cuando un niño llega a una novela, tiene normalmente el aspecto de haber sido enviado por correo. Es "repartido"; uno de los personajes adultos va a recogerlo y se lo muestra al lector, después de lo cual suele depositarlo en un lugar frío hasta que el niño empieza a hablar o interviene de otra manera en la acción» (Forster 1927: 57-8). Por el contrario, la muerte es un caballo de batalla para el novelista. «Las puertas de esas tinieblas se le abren y puede incluso cruzarlas para seguir a sus personajes» (*ibid.*: 59). La comida no es otra cosa que un hecho social. «Sirve para reunir personajes que rara vez la necesitan fisiológicamente, rara vez la disfrutan y jamás la digieren, a menos que se les pida especialmente.» En cuanto al sueño, es «Un acto mecánico también. Ningún autor intenta describir la inconciencia o el mundo de los sueños. Los sueños que encontramos son lógicos o, si no, mosaicos construidos de duros fragmentos del pasado y el futuro. Se introducen con un propósito que no es la vida del personaje en su conjunto, sino la parte de ella que vive cuando está despierto. Nunca se concibe a aquél como una criatura que pasa un tercio de su vida en la oscuridad» (*ibid.*: 59). En cambio, el amor cobra una relevancia enorme en su experiencia: «el amor, como la muerte, se adapta al espíritu del novelista porque proporciona un final adecuado a los libros. Puede convertirlos en algo permanente, y sus lectores lo aceptan sin reparo, ya que una de las ilusiones que se atribuye al amor es su permanencia [...]. Toda una emoción fuerte lleva consigo la ilusión de la permanencia, y los novelistas han sabido utilizar esto. Normalmente terminan sus libros con una boda, y nosotros no objetamos nada porque les entregamos nuestros sueños» (*ibid.*: 61).

Dicho esto —y aún habría que añadir al censo de habitantes de la narrativa una serie nada desdeñable de animales más o menos antropomórficos—, queda claro que el punto crucial en el que se diferencian el *Homo fictus* y el *Homo sapiens* reside en un dato obvio: así como el segundo posee una existencia ontológica que trasciende las relaciones en que se halle inmerso, los sucesos que viva o el relato que de él se haga, el primero sólo existe a través de lo que se cuenta de él, por las vicisitudes que se nos refieran y por las relaciones que lo vinculan a los demás personajes de la historia. Como se verá dentro de poco, el estatuto del personaje es una cuestión más controvertida de lo que se deduce de esa constatación elemental. Por lo menos, subraya la necesidad de hablar del *sistema* de los personajes representados en la obra antes que del personaje «en sí».

Una noción elemental de sistema se ilustra con la célebre definición de melodrama dada por G. B. Shaw: la historia de un tenor que quiere acostarse con una soprano y de un barítono que trata de impedírselo. Pero naturalmente las cosas no son siempre tan sencillas.

En el esquema de las funciones propuesto por Propp (§ 41), resultaba evidente que algunas funciones estaban conectadas entre sí por constituir la «esfera de acción» de un personaje. Abstracción hecha de los datos del registro civil, caracterológicos, sociológicos, etc., del personaje tal como se nos presentan concretamente en un relato, y ciñéndonos a tales esferas de acción, podríamos distinguir algunos «temas» constantes, de un modo u otro presentes en toda narración. Según Greimas (1973), convendría usar a este propósito el término «actante»; el modelo resultante estaría articulado por tres pares de actantes:

1. Un *sujeto* desea un *objeto*.
2. Un *destinador* ha destinado el objeto a un *destinatario*.
3. El sujeto es ayudado por unos *adyuvantes* y obstaculizado por unos *oponentes*.

Implícito en todo relato, este modelo actancial se encarna en actores que eventualmente acumulan varios papeles —con frecuencia el destinador coincide con el sujeto—; o bien un mismo papel se desdobla entre varios actores. Los diferentes papeles, finalmente, pueden ser asumidos por entidades abstractas más que seres animados: el destinador puede ser la Providencia, el oponente la Sociedad o la Moral, el objeto la Felicidad. Es evidente que un esquema tan general se reconocerá de modos muy distintos dentro de un mismo relato: ¿hasta qué punto Ana Ozores en *La Regenta* es un «objeto»? Como el Magistral, Ana es también sujeto de la búsqueda de un amor completo y oponente del mismo. A su vez, don Víctor es adyuvante, aunque involuntario. En fin, el destinador es colectivo: Vetusta, que desea rebajar a Ana a su propio nivel (Sobejano 1985: 134-5). En *Pepita Jiménez* de Juan Valera, Pepita es a la vez sujeto y destinatario y el seminarista Luis objeto y destinador o remitente (Varela Jácome

1974: 156). Por descontado que en muchos relatos las mediaciones entre el esquema y sus manifestaciones son tan complejas
que reconocer tales papeles nos permite a lo sumo identificar un
sustrato entre lo mítico y el arquetipo; tiene así mayor interés en
una clave antropológica que en una propiamente crítica.

El significado de la obra comienza a descifrarse no tanto por
la presencia de un modelo como por la calidad de las transformaciones. Persiste en cualquier caso la exigencia de tener en
cuenta, al reducir a los personajes a un sistema, también las
vicisitudes específicas a las que se enfrentan en el relato particular; un esquema de este tipo, por ejemplo, es el propuesto por
Varela Jácome (1974: 155-57) para *Pepita Jiménez* que se reproduce a continuación:

Actante	Contrato	Lucha	Ruptura	
Luis de Vargas	Con sacer-docio	Con amor humano	Caída	

Actante	Lucha	Adyuvante	Victoria	Epílogo
Pepita Jiménez	Con voca-ción de Luis	Antañona	Entrega amorosa Boda	Felicidad de la pa-reja

Todo texto narrativo precisa en definitiva de un «sistema»
propio que dé cuenta también de aquellos papeles tradicionales
aludidos bajo los nombres de protagonistas, héroe, etc., y asimismo, de la perspectiva (§ 42) en la que se conduce el relato. De
este modo entran sucesivamente en juego las modalidades de
presentación del personaje, su visión del mundo, su psicología.

Forster (1927: 71-88) propone una clasificación que cobra forma a
partir de las modalidades de presentación concretamente experimenta-
das en el texto. Un primer tipo es el de los personajes «esquematizados»
o «planos». «En su forma más pura se construyen en torno a una sola
idea o cualidad; cuando predomina más de un factor en ellos, atisbamos
el comienzo de una curva que sugiere el círculo. El personaje verdaderamente plano puede expresarse en frases como «Jamás abandonaré al
señor Micawber». Es lo que dice la señora Micawber: promete que no lo
abandonará y lo cumple; ahí la tenemos» (*ibid.*: 74). Un personaje inicial-
mente plano, como Mauricia la Dura en *Fortunata y Jacinta* de Galdós
(caracterizada por su insensibilidad moral), revela luego otro rasgo, su
compasión por las víctimas de la injusticia. De todos modos, no se ha de
creer que los personajes planos sean artísticamente inferiores. «Una de

las grandes ventajas de los personajes planos es que se les reconoce fácilmente cuando quiera que aparecen. Son reconocidos por el ojo emocional del lector [...]. En las novelas rusas, en las que muy pocas veces los encontramos, servirían de ayuda inestimable. Para un autor es una ventaja el poder dar un golpe con todas sus fuerzas, y los personajes planos resultan muy útiles, ya que nunca necesitan ser introducidos, nunca escapan, no es necesario observar su desarrollo y están provistos de su propio ambiente: son pequeños discos luminosos de un tamaño preestablecido que se empujan de un lado a otro como fichas en el vacío o entre las estrellas; resultan sumamente cómodos» (*ibid.*: 75).

Los personajes «moldeados» o «redondos», en cambio, en apariencia «admitirían que se les prolongara la vida», incluso distinta de la que los eventos narrados les exigen vivir. «La prueba de un personaje redondo está en su capacidad para sorprender de una manera convincente. Si nunca sorprende, es plano. Si no convence, finge ser redondo pero es plano. Un personaje redondo trae consigo lo imprevisible de la vida —de la vida en las páginas de un libro—. Y al utilizarlo, unas veces solo y más a menudo combinándolo con los demás de su especie, el novelista logra su tarea de aclimatación y armoniza al género humano con los demás aspectos de su obra» (*ibid.*: 84).

Naturalmente, se puede ilustrar una clasificación de tal género con ejemplos —Forster menciona para el segundo tipo los personajes de Tolstoi, Dostoievski, además de Madame Bovary y varios personajes de Proust— más que con definiciones rigurosas. Por añadidura, algunos sistemas de personajes resultan de la combinación y la superposición de rasgos distintivos bien delimitados: repárese, por ejemplo, en *La Fontana de Oro* de Galdós, en la que los personajes están contrapuestos por líneas ideológicas (absolutistas/liberales), por edad (viejos/jóvenes) o actitud religiosa (fanatismo/tolerancia). Aun inmersa en estas dicotomías, la pareja protagonista de Lázaro y Clara escapa al esquematismo de los personajes planos.

En una visión de conjunto, el personaje narrativo se origina en el interior del texto, en las «funciones» y en los «papeles» arquetípicos del relato; cobra forma concreta en el texto mediante las palabras que pronuncia y que lo describen. Pero, llegados a este punto, nos podríamos preguntar seriamente si no posee una vida «fuera» del texto; en otras palabras, si no se le debe de algún modo atribuir un estatuto de existencia.

Está claro que con esta pregunta no pretendemos legitimar la ilusión de aquellos lectores que toman a los personajes, esos «seres de papel» (Barthes 1966), por personas de carne y hueso, criticando su conducta, sus ideales o sus decisiones, como harían con el vecino de su casa. Lo cierto es que, para adquirir cuerpo ante nosotros, el personaje *debe* separarse de la página; sobre la base de los rasgos que el autor nos suministra, hemos de completar su fisionomía, componer su figura. En el ámbito especial de la realidad que forma la representación imaginaria, nos corresponde completar aquel «paradigma abierto» (Chatman 1978: 116-31) proporcionado por el autor, de modo parecido a como en una representación teatral el actor presta su voz y su cuerpo a Edipo o al rey Lear.

Esto explica la posibilidad de transferir un personaje de una historia a otra conservando su identidad (el Orlando de Ariosto es aún el mismo individuo del que cantaba Boyardo o el don Quijote de Avellaneda mal que bien prolonga el auténtico de Cervantes). Pero también es especial que los personajes tengan la capacidad de hacerse portavoces de auténticos conflictos problemáticos a través de los cuales nos planteamos modos de vida e interpretamos nuestra propia experiencia interior (§ 56).

Desde este punto de vista, de la épica antigua a la novela del siglo xx, el itinerario del personaje constantemente ha acompañado las vicisitudes del *Homo sapiens*. Al héroe clásico, cuyas acciones no son otra cosa que la manifestación externa de lo que es de manera inmutable, ha sucedido el héroe de la novela, que, desprovisto de una esencia, evoluciona, se transforma, se construye. En fin, el personaje-hombre ha cedido el puesto al personaje-partícula: una suma de percepciones, de eventos y de actos que ya no se saldan en un destino reconocible, en un acontecimiento portador de sentido (§ 47). Lo cierto es que en sus muchas tipologías posibles el *Homo fictus*, más que un *alter ego* en miniatura en el que uno se ve reflejado, ha representado a un testigo a quien interrogar.

45. LAS TÉCNICAS NARRATIVAS

Se podría intentar resumir parte de lo dicho hasta ahora partiendo de este esquema de Genette (1972: 204):

	SUCESOS ANALIZADOS DESDE EL INTERIOR	SUCESOS OBSERVADOS DESDE EL EXTERIOR
Narrador presente como personaje en la acción (homodiegético)	(1) El héroe cuenta su historia (autodiegético)	(2) Un testigo cuenta la historia del héroe (alodiegético)
Narrador ausente como personaje de la acción (heterodiegético)	(4) El autor analista u omnisciente cuenta la historia	(3) El autor cuenta la historia desde el exterior

Los cuatro casos quedan respectivamente ejemplificados (1) por Guzmán de Alfarache en *Vida de Guzmán de Alfarache* de Mateo Alemán; (2) por Watson en los relatos de Conan Doyle que tienen como protagonista a Sherlock Holmes, o por Ángela Carballino, que cuenta la historia de su párroco en *San Manuel Bueno, mártir*, de Unamuno; (3) por el narrador «oculto» que se limita a poner en palabras acciones y conductas, como en los relatos de Hemingway o de García Hortelano; (4) por el narrador de *La Regenta*. Hay que señalar que, como es natural, la voz del narrador ausente (heterodiegético) no excluye el empleo de la primera persona, como en Virgilio «*Arma virumque cano*», o de la autorreferencia, como en Chrétien de Troyes «*Cil qui fist d'Erec et d'Enide*». Dentro del propio relato, además, pueden presentarse deslizamientos de la voz (relato de segundo grado o metadiégesis): en la *Odisea*, Homero (4) cede la palabra a Ulises (1), que refiere sus viajes; al escribir las *Mémoires d'un homme de qualité*, Prévost confía la narración al señor de Renoncourt, por tanto, el narrador homodiegético (1) de la obra: éste encuentra al caballero Des Grieux, quien a su vez cuenta la historia propia y de Manon Lescaut (2); en la *Vida del escudero Marcos de Obregón*, de Vicente Espinel, Marcos, el narrador (1), escucha el relato de las aventuras de su antiguo dueño, el doctor Sagredo (2), etc.

Estas últimas observaciones permiten introducir una precisión suplementaria: el narrador en un relato de segundo grado es intradiegético, en otras palabras, se coloca en un nivel interior respecto al universo narrativo; en cambio, el narrador en un relato de primer grado se asoma fuera del universo narrativo, situándose en el plano extradiegético de la comunicación con sus lectores. Esta distinción puede violarse; se hablará entonces, en la propuesta de Genette (1972: 243-46), de *metalepsis:* esta figura narrativa «consiste en fingir que el poeta "obra los efectos que canta", como cuando se dice que Virgilio "hace morir" a Dido en el canto IV de la *Eneida* o cuando de una manera más ambigua Diderot escribe en *Jaime el fatalista:* "¿Qué me impediría *casar* al Amo y *hacerle cornudo?*", o bien, dirigiéndose al lector, "Si os place, pongamos de nuevo a la campesina detrás de su guía, dejémosles ir y volvamos a nuestros dos viajeros". Sterne llevaba la cosa hasta solicitar la intervención del lector, a quien rogaba cerrar la puerta o ayudar a Mr. Shandy a volver a acostarse, pero el principio es el mismo» (*ibid.*: 244). Aun cita Genette ejemplos de Balzac («Mientras el venerable eclesiástico sube las cuestas de Angulema, no resulta ocioso explicar...»), Proust («No tengo ya tiempo, en vísperas de mi partida para Balbec, de empezar retratos de la buena sociedad...»), etc.; en todos ellos se supone que la narración es contemporánea a la historia y debe «llenar sus tiempos muertos» o adaptarse a sus aceleraciones (*ibid.:* 244-45). En cierto modo, *Seis personajes en busca de un autor* de Pirandello ofrece un ejemplo teatral. En España se podría aducir *Niebla* de Unamuno.

De forma análoga, la selección del punto de vista (con «focalización» interna o externa) puede verse sujeta a alteraciones: Genette (1972: 211-13) define la *paralipsis*, en el caso del narrador presente, como la omisión o la disimulación de noticias, datos, conocimientos —*El asesinato de Roger Ackroyd* de Agatha Christie es contado en primera persona por el propio asesino, pero la memoria evoca la escena del delito sólo en las últimas páginas—; la *paralepsis* es el procedimiento contrario, cuando en una narración de focalización externa el autor ofrece información que en rigor no debería conocer.

Todos los factores de que se ha hablado y que aquí de manera más o menos explícita se han rebautizado (voz, tiempo, punto de vista) se prestan evidentemente a matizaciones y variaciones más complejas. En todo caso indican posibles opciones entre las que el autor ha de efectuar una elección. Desde este ángulo, la contraposición de fábula e intriga (§ 43) parece completamente legítima, pues nada nos impide imaginar la misma «historia» contada en un orden y en una modalidad diferentes —del mismo modo que puede contarse a través de medios de comunicación distintos o por imágenes más que por palabras—. Por añadidura, naturalmente, adquieren relieve las opciones propiamente lingüísticas adoptadas: así, en la caracterización del *Ulises* de Joyce colaboran tanto el empleo del monólogo interior como la mezcla de los registros léxicos, el recurso a los neologismos, la contaminación de lenguas distintas. Entre la conversación estándar y el *pastiche* experimental, la escritura narrativa se presenta a menudo como la auténtica protagonista del relato.

A este propósito, es útil aclarar que el monólogo interior de Joyce se caracteriza más específicamente como un «flujo de la conciencia» (*stream of consciousness*). En realidad, en sí mismo el monólogo interior es cualquier soliloquio mental, lógica y retóricamente estructurado como un discurso «normal»; el flujo de la conciencia tiende, en cambio, a reproducir miméticamente el pensamiento irreflexivo, todavía inarticulado en el momento de alborear, y traspasa abiertamente el umbral del experimentalismo lingüístico.

En cuanto al *pastiche*, es clara su relación con una moderna línea expresionista que puede contar en España con ejemplos como Valle-Inclán, Cela o Juan Goytisolo: una prosa que junta cultismos burocráticos, tecnicismos, dialectalismos, barbarismos, transgrediendo cualquier separación de los estilos; y en cierto modo, en este dominio se incluyen experiencias como las de Marsé, Martín-Santos o Torrente Ballester. Pero no faltan precedentes antiguos, como el latín macarrónico de Folengo, o el de trozos de *Fray Gerundio* del P. Isla. En general, el experimentalismo lingüístico comprende todas las formas de desarticulación lógica, gramatical y expresiva hasta llegar al *nonsense* (sinsentido) y a la ausencia de comunicación perceptible típicos de las vanguardias. Pero incluso en esto ya se puede señalar a un autor como Flaubert (Agosti 1982) por haber sido el primero en realizar deliberadamente esta especie de revolución copernicana que asume la escritura como productora autónoma de sentido.

Más próximos a un nivel inmediato de elaboración de la fábula, en cambio, son los procedimientos de la intriga estudiados por los formalistas rusos: la escalera (propia de las novelas de aventuras en las que las vicisitudes de los personajes se ramifican y entrecruzan a medida que progresa la acción), el paralelismo (por ejemplo, las vicisitudes de las dos parejas, Ana Karenina y Vronski y Levin y Katia, sobre cuyo contrapunto está construida *Ana Karenina* de Tolstoi), la dilación (en las *Mil y una noches*, por ejemplo, la secuencia de los cuentos de Sherezade continuamente demora la revelación del desenlace), el encuadramiento (es el procedimiento del relato-marco, en las *Mil y una noches* o el *Decamerón*), la sarta (una serie de hechos distintos conectados por un protagonista único, como en la mayoría de las novelas picarescas), etc.

Una técnica peculiar, que, como la metalepsis pero de otra forma, no respeta la diferenciación de los niveles narrativos, se conoce con el término, derivado de la heráldica, *mise en abyme*. Gide la describía así en su *Journal* de 1893: «Me gusta que en una obra artística el asunto de la obra se transfiera al ámbito de los personajes. Nada la ilumina mejor ni establece con mayor seguridad sus proporciones de conjunto. Así, en ciertos cuadros de Memling o de Quentin Metsys, un pequeño espejo convexo y oscuro refleja el interior de la estancia en la que se desarrolla la escena pintada. Así también en el cuadro de *Las meninas* de Velázquez, aunque de manera un tanto diferente. En la literatura, en fin, la escena de la comedia en *Hamlet*, así como en otros pasajes de muchas obras teatrales. En *Wilhelm Meister* de Goethe, las escenas de marionetas o de fiesta en el castillo. En *La caída de la casa Usher*, la lectura hecha a Roderick, etc.» Un ejemplo reciente ofrece Calvino en *Si una noche de invierno un viajero*, cuando Silas Flannery escribe en su diario: «Me ha venido la idea de escribir una novela hecha sólo de comienzos de novela. El protagonista podría ser un lector que continuamente es interrumpido [...]. Podría escribir todo en segunda persona: tú, Lector... Podría introducir también a una Lectora, a un traductor falsario, a un viejo escritor que lleva un diario como éste...»; ahí encontramos justamente un *resumé* de toda la novela. En suma, el artificio se plantea como una forma de extrañamiento, un «desnudar» la ilusión, que se declara como tal al lector.

En general, la trama implica una situación inicial, una serie de complicaciones y de peripecias mediante las cuales se desarrolla la intriga, con sus dilaciones (*suspense*) y sorpresas (golpes de teatro), hasta el *acmé* o punto culminante de la tensión (*Spannung*), cuando los hilos esparcidos por el relato se anudan y la historia se encamina a su resolución. Pero el ideal de la trama bien formada, encerrada en una arquitectura circular, no es necesariamente intrínseco a la narrativa; los acordes tonales o las transiciones de atmósfera proporcionan a la narración una unidad con más frecuencia que el realce dramático de los eventos. No faltan intentos de prescindir totalmente de trama y de personajes, renunciando a cualquier representación naturalista. No se ha de entender, sin embargo, como una evolución irreversible la tendencia típica de la novela del siglo XX a la desestructuración experimental del relato. Más bien atrae la atención sobre la pluralidad tipológica de los géneros narrativos, que, junto a los modelos «realistas» adoptados en la tradición decimonónica, cuenta con otros modelos, por así decir, «antinovelísticos», no menos acreditados en la larga historia de la narrativa (§ 48).

Una tipología de los géneros narrativos habría de aclarar en primer lugar una serie de términos como mito, cuento, apólogo, *exemplum, romance, novel,* incluso *Bildungsroman* o *detective story,* que distinguen modelos de trama más o menos reconocibles. Cabe añadir aún la narración fantástica, el *roman philosophique,* las novelas picaresca, gótica, histórica, rosa, psicológica, de aventuras, de viajes, costumbrista, el folletín, la *spy story* o novela de espionaje, la ciencia-ficción... Las categorías se pueden multiplicar a voluntad; tal vez sólo en una perspectiva abiertamente antropológica (para las formas más arcaicas) y social (para las formas más recientes) se lograría imponer orden en un repertorio en el que proliferan tantas tradiciones.

Un difícil problema, en parte ya abordado (§ 38), es el concerniente a las relaciones entre novela corta y novela. Sklovskij (1925) ve en sustancia la novela como un desarrollo de la técnica de agrupación de varias novelas cortas por medio de un marco (como en el *Decamerón* o en *Las mil y una noches*) o por el procedimiento de «enristrar» una serie de historias distintas con un mismo protagonista: *Don Quijote,* por ejemplo, ilustraría bastante bien este recurso. Pero *Don Quijote* se presta justamente a otro tipo de observación. Si es cierto que Cervantes inaugura con esta obra la novela moderna, con mayor razón será significativo advertir que el Caballero de la Mancha debe su locura a la literatura (también Madame Bovary, en otro momento crucial de la historia de la narrativa, será una lectora desordenada y desarreglada de demasiadas novelas). En esta perspectiva, *Don Quijote* encubre una postura antiliteraria consubstancial al género novelístico (cfr. § 48); no hay que olvidar, por otra parte, que en cierto punto de la narración, Cervantes nos cuenta (con un típico ejemplo de autorreferencia o *mise en abyme*) que Don Quijote y sus aventuras se han convertido en argumento de libros, más adelante discutidos por el protagonista y su escudero Sancho Panza: parece mostrarnos, en suma, de un modo que no podría ser más elocuente, que la posición antiliteraria se convierte inevitablemente en su contraria, una posición metaliteraria. El episodio parece así asumir un significado simbólico: tal vez es esa disponibilidad inherente a la novela para configurarse al mismo tiempo en un doble registro lo que le confiere su carácter pluridimensional, desconocido por la novela corta (que, si acaso, la adquirirá más tarde y propiamente por contagio).

La literatura narrativa, psicológica o de acción, fantástica o realista, comprometida en proyectos pedagógicos o atraída por el misterio, histórica o inventada, se refracta en múltiples géneros y subgéneros excepcionalmente flexibles, que exigen al lector una disponibilidad para asumir actitudes distintas, como no pretende ningún otro género del discurso. Este «trabajo» del lector sólo recientemente ha atraído la atención de los teóricos; por otro lado, el aparato descriptivo elaborado por la narratología está todavía abierto a futuros desarrollos. En una perspectiva crítica, sin embargo, la figura del lector es algo más que la de un ejecutor de instrucciones contenidas en el texto. Las características del público al que se dirige el relato no son ajenas a la elección de género y de estilo: incluso con frecuencia demanda la creación de nuevos géneros y estilos. En sus estructuras objetivas, el texto es el resultado de una dinámica que paradójicamente puede pasar desapercibida a la indagación de métodos que toman como bandera justamente el análisis textual. Ninguna otra forma literaria como la novela, como veremos muy pronto, testimonia con tanta evidencia esta conexión de la que se origina la literatura.

BIBLIOGRAFÍA. La distinción entre fábula e intriga (o argumento) de los formalistas rusos está expuesta en Erlich (1964: 342-59); además de Propp (1928), hay que recordar especialmente Sklovskij (1925) y Tomachevski (1925); para una historia crítica de ambos conceptos, cabe aún remitir a Segre (1974: 13-84). Sobre el personaje, véanse Battaglia (1968), Campbell (1956) y, en el terreno narratológico, Hamon (1972); Forster (1927) se completará útilmente con Debenedetti (1971; 1977). Sobre algunas técnicas narrativas particulares, además de los clásicos de la narratología ya más de una vez señalados, véanse Friedman (1955), Booth (1961), Dällenbach (1977), así como Hallyn (1980). Un cuadro de conjunto, que en parte renueva las premisas más consolidadas, en Fowler (1977; 1981). Para una tipología de los géneros en una perspectiva que, sin forzar el término, cabría llamar antropológica, se aconseja Jolles (1930) y Frye (1957). En torno a la cooperación de los lectores en los textos narrativos, consúltese Eco (1979) y Stierle (1980).

LA NOVELA

46. ÉPICA Y NOVELA

No cabe duda de que la novela es el género más característico de la literatura moderna. No sólo porque el número de títulos publicados y las clasificaciones de venta ya indican a un observador imparcial que desde hace al menos dos siglos la novela ha conquistado, con respecto a los demás géneros, una cuota mayoritaria del mercado del libro. También porque una lista ideal de obras maestras de la literatura moderna difícilmente dejaría de otorgar un lugar preeminente a la novela.

La relación particular entre este género y la cultura de nuestro tiempo siempre ha constituido un tema obligado de toda reflexión sobre la novela. En sus *Lecciones de Estética* (publicadas póstumamente en 1836-1838), Hegel capta ciertamente una relación de sucesión respecto a la épica clásica, pero sobre todo una diferencia capital: el mundo de los clásicos es una totalidad integrada y unitaria de valores; al mundo moderno, en cambio, corresponden la división del trabajo y la autoconciencia. Entre vida interior y realidad exterior no existe ya ninguna correlación inmediata, toda aspiración a los valores y a la totalidad sólo puede vivirse en términos problemáticos, como conflicto y contradicción con los «hechos irreductibles y obstinados» de la prosa cotidiana. Justamente, esta «totalidad degradada» será objeto de la representación novelística, el itinerario trágico o cómico que conduce al héroe a la derrota o a la reconciliación trabajosa con la sociedad y la historia.

La contraposición de épica y novela, recogida, profundizada, glosada por casi todos los estudiosos de la novela hasta nuestros días, alcanza quizá su formulación más sugestiva en Bajtín (1941). No sólo la epopeya, señala Bajtín, sino todos los grandes géneros literarios heredados de la Antigüedad se han formado en la edad prehistórica, antes de la escritura y del libro. Cada uno de ellos posee un canon propio, un repertorio de normas, un modelo que lo constituye como tal género. La novela, por el contrario, única entre todos los géneros literarios, «es más joven que la escritura y el libro y está adaptada orgánicamente a las nuevas formas de recepción silenciosa, es decir, a la lectura. Pero sobre todo, al contrario que los demás géneros, la novela carece de cánones: históricamente, se presentan algunos especímenes aislados, pero no patrones novelísticos como tales» (1941: 441).

De ahí procede la dificultad con que se enfrenta cualquier teoría de la novela así que quiere señalar sus rasgos peculiares: la novela no está escrita necesariamente en prosa (no hay más que pensar en el *Eugenio Oneguin* de Pushkin); no es necesariamente problemática (puede asociarse con la evasión más despreocupada); no presupone necesariamente la intriga narrativa (casi inexistente, por ejemplo, en el *Ulises* de Joyce, el *nouveau roman* o ciertas novelas de Cela, J. Goytisolo o Torrente Ballester, y con frecuencia mero pretexto, como en el *Tristram Shandy* de Sterne), etc. Si acaso, lo que la singulariza es precisamente el dinamismo, el cambio, la continua deformación y parodia de sí misma, la plasticidad incesante de sus formas.

La confrontación con la épica nos permitirá comprender mejor esta naturaleza proteica de la novela. «El mundo del relato épico es el pasado heroico nacional, el mundo de los "comienzos" y de las "cumbres" de la historia nacional, el de los padres y los ancestros, de los "primeros" y de los "mejores".» Por otro lado, no se trata —y éste es el punto esencial— de una simple cuestión de contenido; este «pasado» no es simplemente un pasado temporal, sino también una dimensión de valor: «Tanto el cantor como su auditorio, inmanentes al género épico, se sitúan en la misma época y a un mismo nivel de valores (jerárquicos), mientras que el mundo de los héroes se halla a un nivel de tiempo y de valor completamente diferente e inaccesible, separado por la distancia épica» (*ibid.*: 449-50). «Para la concepción épica del mundo, "comienzos", "primero", "fundador", "antepasado", "predecesor", etc., no son meramente categorías de tiempo, sino también de valor; es el grado superlativo de valor en el tiempo, tanto en lo que concierne a los individuos como a las cosas y a los acontecimientos del mundo épico: en este pasado todo está bien, y todo lo que es esencialmene bueno ("primero") se da sólo en ese pasado. El pasado absoluto épico aparece como la única fuente y principio de todo lo que es benéfico, incluso para los tiempos futuros. Así lo afirma la forma épica» (*ibid.*: 451).

Esta concepción del pasado determina también los aspectos formales de la epopeya. Su fuerza creativa es la memoria, no el conocimiento, la tradición, no la iniciativa individual: más allá del límite absoluto que lo separa del tiempo en el que viven el cantor y su auditorio, el pasado épico es completo en sí mismo, cerrado y autosuficiente. Nada se puede añadir, nada se puede modificar: «El mundo épico del pasado absoluto por su misma naturaleza es inaccesible a la experiencia personal y no admite opiniones y valoraciones personales. No se le puede ver, palpar, tocar ni percibir desde *cualquier* ángulo, ni verificar, analizar, descomponer, registrar. No existe más que como la tradición sagrada y perentoria, que implica una apreciación de alcance universal y exige una actitud reverente» (*ibid.*: 452).

Todos los géneros literarios elevados comparten las mismas características, ajustadas a sus modalidades específicas. Incluso cuando el objeto de representación es el presente, rige la misma distancia jerárquica: «La representación literaria se halla *sub specie aeternitatis*. El arte literario debe representar, inmortalizar tan sólo aquello que es digno de conmemorarse y preservarse en el recuerdo de la posteridad» (*ibid.*: 454). Toda la literatura clásica se construye, en definitiva, «en una zona de representación lejana, fuera de la esfera de contacto posible con el presente en devenir, incompleto y, por tanto, sujeto a reinterpretación, y revisión» (*ibid.*: 453).

La novela, en cambio, presenta una tipología opuesta. «Representar el suceso a un nivel de valores y de tiempo idéntico al propio y al de los mismos contemporáneos —y también sobre la base de la experiencia y la invención personales— significa llevar a cabo una transformación radical y pasar del mundo épico al novelístico.» Desde este punto de vista, la novela es heredera de otra tradición, la tradición «carnavalesca» que, paralela a los géneros canónicos, se fundaba en el principio cómico de la parodia y la inversión (§ 21). «Una figura vista de lejos no puede ser cómica; para volverla tal es preciso aproximarla. Todo lo que es cómico está cerca. Toda obra cómica funciona en una zona de máxima proximidad [...]. La risa aniquila el miedo y el respeto frente al objeto, frente al mundo; lo convierte en un objeto de contacto familiar y así prepara su análisis absolutamente libre [...]. La familiarización con el mundo por la risa y por el habla popular representa una etapa importante y necesaria, en el camino de la creación libre de las obras, tanto del conocimiento científico como del arte y de la realidad de la humanidad europea» (*ibid.*: 458).

Cuando lo traslada a los modos de la representación seria, la novela también se basa orgánicamente en este principio. El pasado es relativo, no absoluto: es un pasado incompleto, abierto, que se continúa en el presente y en el futuro. Ninguna autoridad especial lo recomienda a la veneración del escritor, que puede mirarlo desde nuevos puntos de vista, criticarlo, inventarlo. De ahí provienen todas las características formales del género: a la palabra épica, solemne y cristalizada en fórmulas inmutables, sucede la mezcla de los estilos y de las lenguas. La novela es un género complejo, que acoge dentro de sí las formas de otros géneros, haciéndolos reaccionar entre sí: alterna la prosa lírica y la descriptiva, la reflexión analítica y la narración explicada, la verdad documental y la verosimilitud fantástica. Lenguajes y visiones de la vida se influyen mutuamente, se enfrentan y se relativizan recíprocamente, con el trasfondo de un mundo que se vive como *historia*, ya no como sucesión de acontecimientos que repiten un molde inmutable.

Todo esto no afecta sólo a la novela. Todo el sistema literario sale profundamente modificado; la novela sólo es el testimonio más visible de un «cambio de paradigma» (§ 5) más general. Cabría señalar, por ejemplo, que, si era propio de la epopeya el pasado absoluto, la lírica se constituía a su vez en un presente absoluto, como forma simétrica de trascender el tiempo que transcurre, el fluir de los acontecimientos; de modo análogo a lo que sucede en la novela, en la lírica del siglo XIX el tiempo del enunciado adopta los rasgos de un presente en acto, que forma parte de una cadena continua, inmersa en el flujo perpetuo de la contingencia. El yo lírico se convierte en un yo autobiográfico, y nunca como ahora la palabra del poeta se había prestado a exhibir tan directamente el sentir individual. No hay más que pensar en el caso de un autor como Leopardi, esto es, un clasicista nada inclinado a la confesión incontrolada:

> *O graziosa luna, io mi rammento*
> *Che, or volge l'anno, sovra questo colle*
> *Io venia pien d'angoscia a rimirarti:*
> *E tu pendevi allor su quella selva*
> *Siccome or fai, che tutta la rischiari.*

«Alla luna», 1-5.

> (Oh graciosa luna, yo recuerdo
> que, ahora hace un año, sobre esta loma
> yo venía, lleno de angustia, a contemplarte:
> y tú pendías entonces sobre aquella selva
> como haces ahora que toda la iluminas.)

Se podría comparar con el poema de Espronceda «A una estrella»:

> ¿Quién eres tú, lucero misterioso,
> Tímido y triste entre luceros mil,
> Que cuando miro tu esplendor dudoso,
> Turbado siento el corazón latir?
> ¿Es acaso tu luz recuerdo triste
> De otro antiguo resplandor,
> Cuando engañado como yo creíste
> Eterna tu ventura que pasó?

Éste es un presente «de los eventos», un verdadero tiempo narrativo —en la poesía de Petrarca el acontecer siempre se da en el pasado, nunca en el tiempo en que se sitúa el discurso—. Y la palabra poética tradicional, hecha de una sustancia preciosa e incorruptible, adopta ahora acentos individuales, la voz de un destino singular e irrepetible.

La amplitud de horizontes, el vasto aliento del análisis de Bajtín, ofrecen ancho espacio tanto a ulteriores aplicaciones, como evidentemente a correcciones y desarrollos. Frente a una abstracta clasificación «narratológica», su análisis posee el mérito de recuperar la vida de las formas para la historia de las ideas, de la conciencia, de las representaciones colectivas: una operación tanto más necesaria en el caso de la novela cuando se consideran las implicaciones extraliterarias que han plasmado este género, sobre todo en sus aspectos estructurales.

47. METAMORFOSIS DE LA NOVELA

Para quien esté habituado a la novela «clásica» del siglo XIX, construida con una trama compacta y relatada por un narrador omnisciente, las observaciones de Bajtín aducidas más arriba (§ 46) revelan quizá un acento excesivo en la vitalidad paródica, la plasticidad dinámica, el experimentalismo incesante de un género fundamentalmente «irregular». Es cierto, sin duda, que esas características se manifiestan sobre todo en los orígenes de la novela moderna hasta el siglo XVIII. Quizá, desde ese punto de vista, cabe señalar como ejemplos típicos el *Guzmán de Alfarache* de Alemán y el *Tristram Shandy* de Sterne: novelas donde la «historia» no avanza, las digresiones prevalecen sobre los acontecimientos, el yo narrador interfiere continuamente, violando cualquier separación entre el tiempo de los hechos y el tiempo del discurso (§ 42). La antinovela convive con la novela al menos hasta los grandes maestros decimonónicos, Stendhal, Balzac, Tolstoi. Incluso en *Los novios* de Manzoni, al margen de la congruente estructura narrativa, no es difícil descubrir dentro del tejido multiforme de la página una libertad de discurso aún dieciochesca, que recuerda a Diderot o a Voltaire.

Bajtín, sin embargo, se refiere a una tendencia a la regularización. «La falta de terminado interno lleva a un vigoroso refuerzo de las exigencias de perfección externa y formal, sobre todo en el argumento.» En efecto, la epopeya no tenía que preocuparse en absoluto de esto; podía comenzar y terminar el relato de modo casi arbitrario, porque el universo del mito era ya enteramente conocido por su auditorio. «La *Ilíada* es un retazo fortuito del ciclo troyano», por cuanto «la estructura del todo se repite en cada una de sus partes y cada una de éstas es completa y "redonda" como el todo» (1941: 465).

La novela, en cambio, presupone un mecanismo de expectativas totalmente específico. Donde la historia aún no es conocida, «el interés por la progresión» y «el interés por el final» se convierten en un aspecto significativo en la relación con el lector. De ahí la necesidad de una jerarquía reconocible, a la que de algún modo se subordina la polifonía intrínseca al género. A sostener y reforzar esta tendencia contribuye además un principio fuertemente arraigado en la cultura literaria del siglo XIX: la idea del realismo, que disciplina el subjetivismo caprichoso del yo narrador vinculándolo a una representación fiel de la objetividad. En este sentido, la ficción novelística restablece, a través de la ilusión realista, la confianza en una correspondencia mimética entre las leyes del arte y las leyes del mundo, una especie de capacidad natural «narrativa» de la vida que garantiza, al margen de cualquier veracidad documental, la verdad profunda de la representación.

Pero tal equilibrio no está destinado a durar mucho. A lo largo de todo el siglo XIX, la tradición de la antinovela conserva una vitalidad no desdeñable (repárese, en España, en Ros de Olano o Braulio Foz); y, al marcar un alejamiento definitivo de aquella confianza, la crisis de fin de siglo involucra tambien a la novela en la temática más general de la vanguardia (§ 23). Como es sabido, se trata de un proceso en verdad no exclusivamente literario. Todas las normas heredadas de la tradición se someten a una crítica corrosiva que desvela la sustancia de su artificio: la perspectiva lineal en pintura es una aplicación aproximativa de la geometría óptica, no una fiel transposición —baste observar, por ejemplo, que las líneas paralelas están dibujadas como convergentes cuando son horizontales, pero como paralelas cuando son verticales: confróntese el dibujo de una calle con el de una casa—; las normas de la tonalidad en la música se fundan en una adaptación aproximativa de las relaciones matemáticas entre las frecuencias (sólo hay que pensar en el temperamento, en música), etc. Si esas leyes no preexisten en la naturaleza, sino que son una construcción arbitraria de nuestro intelecto, un hábito adquirido, ¿qué impide construir otras leyes, adquirir otros hábitos?

Ya a finales del siglo XIX la filosofía de la ciencia discute abiertamente la imagen positivista de la investigación como acumulación de «hechos», que por vía puramente inductiva sugerirían las hipótesis explicativas adecuadas. Las categorías de la razón no equivalen necesariamente a las de la realidad; y las leyes que aquélla descubre son invenciones corroboradas por la experiencia más que emanaciones de una verdad ontológica de las cosas. No por casualidad, ésta es la etapa de la «crisis de los fundamentos» en las matemáticas y del ocaso de los modelos deterministas en la física.

Sobre ese telón de fondo, también la novela parece cortar el último vínculo que la mantenía unida a la epopeya: la «relación de legalidad» entre los sucesos y los personajes narrados, aquella coherencia lógica y causal que, durante el siglo XIX, había hecho de la novela una «épica» justamente «de la realidad».

«Menos de un siglo ha transcurrido —observa Debenedetti— desde que, bajo los nombres de realismo, naturalismo, experimentalismo, verismo o como se quieran llamar matices no muy perceptibles, aquella épica celebró uno de sus triunfos conscientes. Aparte de las obras, nos ha transmitido un abundante sistema doctrinal. Paul Bourget, que no era un jefe de escuela y, por tanto, tiene la diligencia oficiosa del buen discípulo, escribía en 1884: "La escuela llamada muy impropiamente realista y naturalista, debería llamarse con mayor propiedad escuela de la observación." Guardemos como preciosa esa equivalencia de épica de la realidad y épica de la observación. Quiere decir que, según aquellos escritores, para narrar bastaba observar la realidad. Quiere decir que, según ellos, bastaba dejar hacer a la realidad, notar sus comportamientos y aquélla se ocuparía de contarse por sí sola: era una épica en acto. La Tierra aceptaba revelarse a través de la obra de arte. El comportamiento de la Tierra, su modo de manifestarse, la "lógica" —si así podemos llamarla— de sus fenómenos era homogénea y acorde con aquella *"logique"* que, según Stendhal, profeta de la escuela, debía devanar el hilo narrativo. Las razones del mundo coincidían con las de la mente, que ratificaba la arquitectura de la novela o del drama; y lo mismo en las razones del corazón que en los motivos de la vida hallaba a la vez confirmación y alimento amargo, intenso o placentero para las propias emociones» (1947: 113-14). Ahora bien, la sintaxis lógica de la narración deja de ser conforme con la del mundo y nace la «novela del siglo XX», con sus arquitecturas inconclusas y suspendidas: al viaje de Odiseo corresponde en el *Ulises* de Joyce una jornada cualquiera de un empleado dublinés, revivida en su caótico e informe monólogo interior; al personaje, que, dentro de la red funcional del relato, ve la propia experiencia transformarse en un destino, sucede el «hombre sin abributos» de Musil; al determinismo causal de la novela decimonónica se contrapone la índole consecuente del universo kafkiano, no menos implacable, pero privada de explicaciones.

La novela del siglo XX, así pues, parece recuperar, a un nivel de crítica problemática, el impulso a la «carnavalización» que se daba en los orígenes. Tal proceso, sin embargo, se da en términos relativos. La tradición decimonónica de la intriga bien formada persiste no sólo en la literatura de consumo, sino también en escritores altamente representativos de nuestro siglo, como Thomas Mann. No está claro que se hayan disipado definitivamente las razones que en el pasado han nutrido la representación narrativa: «todo nos lleva a pensar que el cielo más favorable a la manifestación de una épica tiene forma de cúpula, en cuyas curvaturas los destinos de los personajes se inscriben y se dibujan. Lanzados hacia un cielo sin fronteras, estos destinos se pierden como estrellas fugaces o caen en una maraña. Se entiende, sin embargo, que nosotros somos quienes debemos hacer girar aquella cúpula del cielo sobre nuestras cabezas, orientándola, haciéndola gravitar sobre las respuestas que en cada ocasión hayamos dado a nuestras constantes incógnitas» (Debenedetti 1947: 131).

48. LA NOVELA Y SU PÚBLICO

La relación entre literatura y sociedad se manifiesta con particular evidencia en la novela, sobre todo en el plano de los contenidos representativos. *Robinson Crusoe* de Defoe ofreció la imagen paradigmática de la iniciativa individual que estaba inaugurando el moderno mundo burgués; *La Cartuja de Parma* de Stendhal contiene un cuadro de la Restauración en Italia que, en su ejemplaridad, puede rivalizar con las reconstrucciones históricas más analíticas; *El conde de Montecristo* de Dumas dio voz al deseo popular de un Gran Vengador que enderece los entuertos y rescate a los oprimidos; y de *Madame Bovary* de Flaubert a *Anna Karenina* de Tolstoi, pasando por *La Regenta* de Clarín, el lector decimonónico ha sido convocado a reflexionar sobre las contradicciones de la institución familiar, mediadora por excelencia entre individuo y colectividad en una época de alteraciones tumultuosas de las costumbres, tanto públicas como privadas.

Cada uno de esos ejemplos merecería naturalmente una discusión aparte. Tampoco se pueden pasar por alto los obstáculos que la naturaleza intrínsecamente metafórica de la representación literaria pone a toda interpretación directa de los contenidos. Pero ignorar esta posición «realista» y su tenaz presencia en la historia del género sería igualmente erróneo. Lo cierto es que la novela cuenta entre sus componentes originales también un ingrediente antiestilista e incluso antiliterario, en el que resalta la apelación a una inmediatez de reconocimiento, no por ilusoria menos característica. Crónicas judiciales, *faits divers*, grandes cuestiones morales sobre las que cavila la conciencia colectiva: de todo ello se alimenta la fantasía del novelista del XIX, hasta hacer de la novela en algunos casos una especie de antecedente directo del reportaje.

En efecto, el «escándalo» causado por la novela en el campo de la literatura podría ser comparado eficazmente con el de la fotografía en el campo de las artes visuales. Con todo, nótese que la lectura de una fotografía es tan «convencional» como la de un fresco: pero lo que caracteriza la fotografía es justamente esta ilusión de contacto directo con la realidad y no el hecho de que por sí misma toda visión sea una construcción artificial por alguna faceta. (Tanto en un caso como en otro, hay quien, como Flaubert o Nadar, se propone reabsorber esta condición «ingenua» de la novela o de la fotografía en una práctica artística «aristocrática»; pero es justamente la condición de partida la que aquí nos interesa y que califica incluso aquellos propósitos como reacciones a un dato imposible de anular.)

Una misma tendencia antiliteraria, por otra parte, nutre también la tradición opuesta (pero estrechamente ligada): aquella por la que la novela se propone satisfacer una necesidad emotiva y sentimental de evasión fantasiosa, de entretenimiento y de *rêverie*, con una inmediatez en la identificación que una vez más contrasta con el ideal clásico del arte como equilibrio, disciplina y decantación interior. De un modo u otro, es así fácil de comprender por qué la sociología de la literatura ha escogido la novela, si no como banco de pruebas, como objeto ideal de indagación.

Muy esquemáticamente, cabría indicar al propósito dos orientaciones fundamentales. La primera, de tipo ideológico, tiene su mayor maestro en Lukács y subraya la capacidad de la novela para reflejar verídicamente el desarrollo histórico de la sociedad. El pensamiento de Lukács es, desde luego, demasiado complejo para que de él se pueda dar cuenta aquí en forma adecuada. Hay que puntualizar, no obstante, que su noción de realismo se funda en la categoría, específicamente estética, de lo «típico»: un personaje o una situación son típicos cuando están dotados de una propia individualidad fenoménica, pero a través de ella se vislumbran simultáneamente las tensiones esenciales de la historia. Lukács sostiene que tal equilibrio dialéctico entre invidivual y general, conquistado por la gran novela europea de principios del siglo XIX, ha decaído con el agotamiento de la función progresiva de la burguesía; desde entonces, el escritor renuncia a «narrar», para limitarse a «describir» la superficie de los acontecimientos, la apariencia —naturalista o psicológica— de los hechos o de los datos de la conciencia (Lukács 1936).

Esta fractura drástica entre una fase de «clasicismo» renovado, identificada en Balzac o Tolstoi, y una «decadencia» que incluye un tanto apresuradamente a escritores como Zola o Kafka (con la excepción, en el siglo XX, de Mann), con todo, sería revisada a la luz de reflexiones más tardías de Lukács (1956). Pero la dificultad más grave se halla quizá en otra parte, en la escasa autonomía reconocida por Lukács a la composición formal de la obra, considerada en sustancia como una consecuencia de decisiones tomadas en otros planos. Tal dificultad sólo en parte es superada por Goldmann (1964), para quien el vínculo entre literatura y sociedad se manifiesta más en términos de «homología» estructural —supongamos, de los procesos de alienación neocapitalista y los procedimientos de escritura del *nouveau roman*— que de «reflejo».

Una segunda orientación, que llamaríamos de tipo funcional, parte, en cambio, de una consideración de la literatura como «hecho social», antes que como representación (más o menos reveladora) de hechos sociales. Se funda en primer lugar, digamos, en datos objetivos, como el análisis del público en su composición cualitativa y cuantitativa, de los procesos de recepción y de transmisión, así como de la organización global de la cultura (situación profesional del escritor, industria editorial, etc.). De esos problemas arrancan, además de las investigaciones inspiradas en una sociología funcional, propuestas de índole bastante distinta: piénsese en las agudas observaciones de Gramsci (*CC*) sobre la falta de una literatura popular en Italia, ligada a la incapacidad de la burguesía del *Risorgimento* para ejercitar una auténtica hegemonía progresista en el país.

Es típico de tal orientación el interés por la literatura de masas; y es significativo que, precisamente en torno al tema de la literatura de masas, la crítica sociológica ha podido encontrar alguna vez coincidencias con la crítica estructural y semiológica (Eco 1976; Tortel 1970). A pesar del indudable anticonformismo implícito en la elección de tal objeto de estudio, a menudo sigue vivo también el prejuicio sobre una intrínseca inferioridad estética de la «paraliteratura», que denuncia, por ejemplo, Schulz-Buschhaus (1983). Persiste, sin embargo, la convicción de que el encuentro entre análisis sociológico y modelos formales constituye quizá el *experimentum crucis* de la crítica contemporánea (§ 11); y en esa óptica, la noción de público puede asumir una función esencial.

Más aún que sus contenidos, a fin de cuentas, la forma-novela revela una inequívoca matriz histórica. Aquélla representa de hecho la forma literaria por excelencia de la modernidad y en esa óptica se explica su carácter anticanónico. «La novela: esa Revolución literaria del Tercer Estado, que, después de haber satisfecho sus necesidades económicas y nivelado a su propia imagen la sociedad, se buscaba una poesía propia precisamente en el carácter gris y nada poético de sus días monótonos»: así la define Debenedetti (1977: 51). Por tanto, la novela nació para romper «el cerco de lo libresco», para entrar «en el patrimonio de los lectores más ingenuos, que no saben y no quieren distinguir entre la literatura y la vida», «para quienes el leer no es un placer solitario e intelectual, casi huraño, sino un modo de vibrar por y con la vida» (*ibid.*: 88).

La fortuna de la novela, en suma, está ligada al ingreso en la República de las Letras de un público socialmente nuevo. Y no sólo eso: son diferentes las mismas modalidades materiales de lectura respecto a los géneros precedentes. «Género de apartamento» (y la burguesía fue la primera en llamar «apartamento» a la propia vivienda, notaba todavía Debenedetti), la novela se destina a una lectura silenciosa e individual, mientras que todos los géneros precedentes habían nacido en previsión de una lectura oral y pública (§ 22). Hasta el final de la Edad Media, el manuscrito siempre había sido el soporte para una lectura en voz alta y aún Leopardi concebía explícitamente la poesía —ya desde hacía siglos confinada a una existencia puramente escrita— como ejecutada oralmente, al menos en potencia. La novela nace, en cambio, cuando la solidaridad entre escribir, leer y decir ya se ha roto y se ha impuesto el modelo de la lectura visual, efectuada sólo mentalmente. Cuando se aprecia que en una lectura oral se pueden pronunciar alrededor de 50.000 signos alfabéticos en una hora, mientras que en una lectura visual se pueden descifrar de 100.000 a 300.000 (Richaudeau 1969: 24), es fácil percatarse de que todo el arsenal técnico, retórico y estilístico de la obra narrativa está obligado a verse modificado en profundidad.

En fin, la novela sostiene y, al mismo tiempo, presupone el desarrollo de una industria editorial fundada en tiradas elevadas. Con ello la literatura se revela una mercancía y toma conciencia —de modo positivo o negativo— de la imposibilidad de eludir la invasión condicionante de la economía moderna. Bien pensado, no era tan irónica la idea de Savinio: «En vez de perderse en los problemas de forma y contenido, los críticos literarios habrían de dedicarse a investigaciones menos tontas, como establecer la analogía entre el ritmo de la obra literaria y el medio de transporte. La *Iliada* se mueve con la andadura del carro, la *Odisea* con la de la nave de vela, el *Orlando furioso* con la del caballo; y es seguro que esas mismas obras literarias se moverían con paso distinto si se hubieran escrito en el tiempo de la tracción a vapor.» Así, «los *contes* de Maupassant son los antecesores de los relatos detectivescos, unidos ambos en un común destino ferroviario».

Por inteligente que sea, una metáfora no puede ciertamente resolver un problema teórico. La relación entre la novela y su público, así como la que se da entre el autor y la sociedad, presenta muchos niveles de análisis: semiológico, psicológico, sociológico y, en ciertos aspectos, antropológico. Pero las metáforas de Debenedetti o de Savinio tienen por lo menos el mérito de hacer perceptibles algunas de esas relaciones: el análisis textual del relato no puede desdeñarlas en sus procedimientos reflejos, si no quiere verse reducido a ser una simple descripción. Es bien cierto que a menudo los métodos «extrínsecos» acumulan datos a ciegas, sin organizarlos en torno a la obra sola que les da sentido. Es también cierto, sin embargo, que si quisiéramos describir un texto de un modo puramente «intrínseco» acumularíamos no menos a ciegas, otros datos que quedarían a su vez a la espera de una finalidad. En cualquier caso, sólo mediante un diálogo asiduo entre métodos extrínsecos e intrínsecos (§ 10) se construirá un marco teórico capaz de medirse con la historia de aquel género proteico que es la novela.

BIBLIOGRAFÍA. Además del ya citado Forster (1927), algunos clásicos de la reflexión sobre la novela, que en general siempre se pueden consultar con provecho, son Ortega y Gasset (1925), Muir (1928), Caillois (1942). También útiles en una perspectiva general, aunque abordan problemas circunscritos, los no menos clásicos Chase (1957) y Girard (1961). Para la historia de la forma novelística, son fundamentales Debenedetti (1971, 1977), Kermode (1967), aparte naturalmente de los autores a los que aquí hemos hecho referencia; añádanse, al menos, las reflexiones de dos novelistas contemporáneos, Butor (1969) y Calvino (1980). La confrontación con la fotografía, propuesta en el § 48, es puramente analógica: véanse, no obstante, sobre la «ingenuidad» de la fotografía Barthes (1980) y Bollati (1979). Por lo que toca a la sociología de la novela, Zéraffa (1971) ofrece un panorama de conjunto. Diversos aspectos tratados en éste y en todos los párrafos anteriores se estudian en los volúmenes colectivos reunidos por A. y G. Gullón (1974) y Sanz Villanueva y Barbachano (1976). Para una breve historia del género ensayístico, entendido como expresión de la autoconciencia laica, véase Berardinelli (1986).

V
ARTE Y LITERATURA

EL TEXTO EN LAS ARTES

49. La clasificación de las artes

Lo que es y lo que no es arte varían según las culturas y las épocas. Si es cierto que cabe reconocer un objeto artístico porque dentro de una sociedad goza de un trato especial, como su protección y conservación, su exhibición, eventualmente su restauración, etc., advirtamos que no todas las culturas se comportan del mismo modo y que, por consiguiente, el concepto de arte es variable. Podríamos pensar que, al menos las artes «mayores», como la literatura, la música, la arquitectura y las artes figurativas, han poseído un rango de categoría estética en cualquier época y lugar; pero si reflexionamos sobre el hecho de que sólo una mínima porción de la producción artística de los siglos y milenios transcurridos ha llegado hasta nosotros, hemos de concluir que la actitud de conservar, aunque ciertamente no es exclusiva de nuestra época (admitiendo que lo sea), ha sido intermitente en el curso del tiempo, al permitir la destrucción —sólo accidental en una proporción muy pequeña— de tesoros de los que nada o sólo algo por vía indirecta conocemos. Por lo que hace a las artes «menores», en las que muy a menudo el objeto artístico consiste en un objeto utilitario (una coraza, un mueble, un instrumento musical), las pérdidas han sido ciertamente más considerables: lo que ha perdurado acaba en la práctica por confundirse con el hallazgo arqueológico. Por lo demás, para toda una serie de productos, el juicio que confiere valor estético aún nos resulta problemático; además, se entrecruzan factores de diverso tipo, como la antigüedad del objeto, su valor intrínseco, su rareza, etc. Por ejemplo, ¿una colección de sellos es artística? ¿Es un objeto artístico el manifiesto que colgamos en casa en lugar de un cuadro? ¿Es una obra de arte una máquina de escribir, una pluma, un libro? Esas preguntas no parecen sin fundamento en un siglo en que las salas de los museos de arte contemporáneo se han abierto a automóviles, televisores o molinillos de café.

Ahora bien, no se trata de ampliar el inventario de las artes o de los objetos que pueden considerarse artísticos, porque se halla virtualmente abierto; más bien interesa postular una dimensión estética en todo aspecto de la realidad, admitir un carácter estético «diluido» y no encerrado en categorías. Es obvio que estético, necesariamente no significa «bello», sino también todo lo contrario de bello. Sin embargo, cualquier objeto que se sitúe o sea situado en una dimensión estética solicita en quien lo mira, lee, usa, un juicio de valor.

Esas observaciones pueden inducirnos a reconsiderar en términos distintos el problema del juicio estético en las artes institucionales, y para empezar, en la misma literatura: por un lado, a revalorizarlo, contra el desinterés de la crítica formalista y estructuralista; por otro, a desdramatizarlo. Un soneto de Garcilaso representa un objeto estético lo mismo que una canción «pop», y no está dicho, o al menos no se da por descontado, que los resultados de Garcilaso sean siempre e inevitablemente mejores, desde un punto de vista cualitativo, que los de Bob Dylan. Más bien se destaca que el estatuto particular de los clásicos de la literatura, de la música, de la pintura, etc., deriva de que nos acercamos a ellos no sólo, o quizá no tanto, por su excelencia estética, sino acaso porque son eslabones indispensables de una tradición cultural, o «lingüística» en sentido amplio, de la que formamos parte y en la que, forzando los términos de la argumentación, entran también la canción «pop», los «comics», el diseño, etc.

Desde este punto de vista, no son catalogables los objetos artísticos, que terminan por quedar asimilados, en cierto sentido, a la realidad misma. Existen, sin embargo, varios intentos de clasificación de las artes sobre la base de los diversos «lenguajes» artísticos, que podrían extenderse legítimamente a lo que no corresponde a las categorías canónicas del arte. El interés de tales teorizaciones radica también en poner en evidencia, unas veces implícita, otras explícitamente, el uso social que se hace del arte en un determinado contexto histórico. El semiólogo Luis J. Prieto recientemente ha replanteado la cuestión de la clasificación de las artes en el marco más amplio de la «comunicación artística» (1975: 69-72).

Que el arte sea, en su conjunto, «comunicación», constituye una noción ampliamente difundida. Prieto distingue, sin embargo, dos casos: «el fenómeno artístico, que es siempre un fenómeno comunicativo a nivel de la connotación, puede serlo solamente a este nivel, o serlo también a nivel de la operación de base. Ahora bien, estas dos posibilidades nos parecen corresponder a dos formas fundamentales del fenómeno artístico: tendríamos por una parte las artes que podemos llamar "literarias", es decir, aquellas en las que la operación de base es ya por sí misma una operación comunicativa, y entre las cuales habría que contar a la literatura, por supuesto, pero también a la danza, y las artes plásticas figurativas, el cine, el teatro, los comics, etc.; y por otra parte, las artes que podemos llamar "arquitectónicas", en las que la operación de base no es en sí misma una operación comunicativa, y cuyo dominio estaría cubierto por la arquitectura y el *design*. Es interesante subrayar que, en toda manifestación artística perteneciente a uno de estos dos grandes dominios, el "contenido artístico" sólo es accesible al receptor, a condición de que consiga saber, cuando se trata de un arte literario, lo que "quiere decir" o "representar" con la señal que en el caso concreto constituye el objeto artístico, o, cuando se trata de un arte arquitectónico, lo que se "quiere hacer" con el útil de que se trata en este caso. [...] Quedan, por supuesto, después de las artes literarias y las artes arquitectónicas, las artes que llamaremos "musicales", y entre las que ciertamente contamos a la música, pero también a la danza y las artes plásticas no figurativas. En las manifestaciones pertenecientes a estas artes, la presencia de la operación de base, y con más razón, su naturaleza, son mucho menos evidentes que en el caso de las artes literarias o de las artes arquitectónicas» (1975: 69-70). Pero también en las artes literarias, lo admite el mismo Prieto, la operación de base comunicativa puede estar privada, al menos en cierta medida, de su función primaria (§ 55).

No faltan obviamente otros tipos de clasificación, más o menos convincentes. Cabe recordar, por ejemplo, la distinción entre artes temporales (música, literatura, danza, etc.) y artes no temporales (pintura, arquitectura, escultura, etc.): todo disfrute de las artes, en efecto, se desenvuelve en el tiempo y tiende contrariamente a constituir la obra en una totalidad, cuyos elementos conviven en una sincronía ideal. Se trata, como se ve, de una distinción, al igual que la establecida entre artes semánticas y asemánticas, recogida y formulada por Prieto, que se basa sustancialmente en la naturaleza del medio expresivo empleado en las artes.

En este nivel, la clasificación tal vez más interesante ha sido propuesta por Goodman (1968).

Goodman distingue entre artes que usan un lenguaje notacional y artes que usan un lenguaje no notacional (§ 54). Una notación, por ejemplo la alfabética o la musical, permite reproducir el texto o partitura en un número ilimitado de copias correctas del original, donde la copia B es equivalente a A, C a B, y así sucesivamente. Las *Rimas*, por ejemplo, no se identifican con el autógrafo de Bécquer, sino con cualquier copia correcta del autógrafo (manuscrita o impresa) que tenga yo delante.

Situación análoga se presenta en la música, en la que es posible pasar un número ilimitado de veces de la partitura a la ejecución y viceversa, sin que se modifique la identidad de la obra. Las artes que poseen una notación son alográficas, las otras, autográficas. La copia de un cuadro, por ejemplo, podría no distinguirse del original, pero no abriría camino a una cadena como la descrita arriba; tal copia, de hecho, no es equivalente, sino sólo similar al original, y la relación de semejanza no es una relación transitiva: si B se parece a A y C a B, C podría, no obstante, empezar a diferenciarse de A, y Z podría terminar por parecernos del todo distinta. Entre las artes alográficas distinguiremos aquellas que exigen la mediación de un ejecutante (como la música) y aquellas en las que tal mediación no es necesaria (como la literatura, pero no el teatro), aunque, como se verá en seguida (§ 50), quizá es conveniente mantener de algún modo difuminada esa distinción. Valdrá la pena advertir, en fin, que la distinción entre artes notacionales y no notacionales no coincide con la establecida entre artes constituidas por «obras» (la literatura o la música, pero también la pintura o la arquitectura) y artes «efímeras» (la danza, pero también la ejecución de una obra musical) (§ 3). Y ciertos experimentos de vanguardia, que tienden a superar la noción de «obra», invaden las artes típicamente notacionales como la música: determinadas notaciones no normalizadas, usadas por ejemplo por John Cage, no permiten el tránsito de partitura a ejecución y viceversa, de tal modo que la identidad de la «obra» ya no puede conservarse y la obra deja de existir como ideal regulativo. De manera análoga, en el pasado, otras artes normalmente constituidas por obras conocían versiones efímeras: basta pensar en las esculturas de azúcar «esculpidas» incluso por artistas ilustres en el Renacimiento.

50. ARTES MIXTAS

Al igual que la fusión de dos o más géneros puede dar lugar a nuevos géneros, sucede con las artes. Cabe considerar artes «mixtas», por ejemplo: la ópera lírica, en la que la música se apoya en un texto, por lo común versificado, y está inserta en una acción dramática; el cine sonoro, en el que la imagen se acompaña de un diálogo o de unas palabras de fondo y, por lo común, de una banda musical; la poesía visual, en la que el texto es al mismo tiempo figura, etc. Pero, por lo demás, desde ciertos puntos de vista, casi todas las artes se presentan como mixtas. En el teatro, por ejemplo es impensable el diálogo solo sin que los personajes actúen en el escenario, compongan figuras, sean imágenes, mientras que el escenógrafo proporciona una estructura arquitectónica o el decorado de un interior. Incluso en la poesía inciden elementos extratextuales: el texto manuscrito o impreso es también, en la página, figuración, como lo prueba el esmero con que están adornados los antiguos códices; en la poesía destinada al canto o a la recitación la ejecución desempeñará un papel nada secundario. Podrá objetarse que la mala ejecución de un juglar o la interpretación de un actor aficionado no empañan la validez de la obra; pero es importante resaltar que la mayor parte de las artes debe confiarse a otras artes, auxiliares si se quiere, como las del juglar, del actor, del músico, del amanuense o del tipógrafo, del restaurador, del urbanista, etc. El arte con mayúscula nunca prescindirá de las artes que desde siempre le acompañan y le sirven de vehículo, «artes» también en la acepción medieval de oficios y profesiones. A esas artes se encomienda el papel de interpretar la obra, que, según los casos, puede ser más o menos importante: está claro que el margen de interpretación concedido a un tipógrafo (o a un grafista) es muy reducido en comparación con el del actor o del músico; pero, en mayor o menor medida, un margen siempre se da, como corrobora el hecho que algunas de esas artes interpretativas son objeto de estudio por parte de ramas especiales de la crítica, por ejemplo, de la crítica musical o de la teatral, que se ocupan de la ejecución (músicos, cantantes, actores, directores), no de la obra.

Si, por tanto, incluso las artes en apariencia más «puras» requieren una ejecución que, en definitiva, es un rato de interpretación, variable en cuanto tal y expresión de un gusto y una ideología, también es verdad que en ciertas artes la obra nace como el producto de habilidades diversas: en la ópera lírica, por ejemplo, de las de un músico y de un escritor. Más complejo es el caso del cine, donde las competencias en juego son mucho más numerosas. El inventario de las artes mixtas es ampliable quizá hasta el infinito, pero también aquí no incumbe más que a los destinatarios atribuir la condición de objeto artístico a ciertos productos. Un ejemplo de un arte mixto nacido en los últimos decenios es el de los *videos*. Un *video*, como es sabido, es un cortometraje, o, con mayor frecuencia, un *video-tape* (de ahí el nombre), destinado a ser transmitido o difundido en cines, discotecas, bares musicales, basado en una canción —de los primeros, los de los Beatles—, en el que, de ordinario, se muestra al cantante o el conjunto que interpreta la pieza; pero el realizador del *video* es libre de interpretar como crea conveniente el texto y la música, de forma que el resultado es algo bien distinto de una pura y simple toma de quien canta y puede incluir fragmentos de animación, trozos de documentales, paisajes, actores, bailarines, etc. Que tales productos hayan de considerarse o no obras de arte es una cuestión secundaria: a veces se trata de trabajos de calidad muy baja, otras veces totalmente respetables; y el hecho de que tengan un fin comercial tampoco es determinante, porque no se puede negar que un libro de Cela o de Aleixandre sean también, en cuanto libros, productos comerciales. No se descarta que en un futuro se les considere como una forma de arte figurativa asociada a una secuencia musical, a su vez asociada a un texto (imagen, música y palabras superpuestas). El que esta forma expresiva se incluya en un canon artístico, esto es, se institucionalice y se haga objeto de una búsqueda estilística —por parte de realizadores, diseñadores, etc.—, depende del interés despertado en el público y en la propia crítica. Algo similar ha sucedido con las tiras dibujadas o *comics*, que, de ser productos en su origen bastante poco elaborados, se han ido refinando cada vez más, gracias sobre todo a operaciones de rehabilitación y de estímulo desencadenadas por operadores culturales, críticos de arte o estudiosos de la comunicación de masas.

51. EL TEATRO

Entre las artes que se basan en un texto, pero al mismo tiempo no se agotan en éste, el teatro es históricamente el más importante, planteando toda una serie de problemas en lo relativo a las convenciones que llegan a establecerse entre actores y público en la representación.

En el origen de la tragedia se halla la lírica. Según las hipótesis más autorizadas, apoyadas en la supervivencia de las odas cantadas por el coro en las tragedias más tardías, el texto trágico debía de ser al principio enteramente lírico. En la segunda mitad del siglo VI, Tespis introdujo al actor (un único actor), que recitaba el prólogo y dialogaba con el corifeo; sólo a principios del siglo V, con Esquilo, se emplearon más actores en la representación. La presencia simultánea de canto, recitación y, además, danza caracteriza, así, las primeras manifestaciones del teatro occidental como una forma de arte mixta en extremo compleja y encomendada a distintas habilidades, sobre todo en la fase de la ejecución.

Pero lo que más impresiona cuando se evocan los orígenes del teatro son las variadas técnicas que tienden a presentar el suceso dramático como algo distinto de lo real cotidiano, y por tanto como algo fundado en el artificio, comenzando por el uso de la máscara, que privaba al actor de toda expresividad, los trajes especiales, el calzado alto. El teatro, que en abstracto puede aparecer como la forma más inmediata y «realista» de comunicación artística, resalta desde los inicios la naturaleza puramente convencional de la representación.

A la pobreza de la ficción dramática en el mundo antiguo (los decorados no existían o se reducían al mínimo y sólo más tarde se embelleció la escena con estructuras arquitectónicas) se contrapone, sin embargo, la precisión con que desde los comienzos se demarcaba el espacio escénico, la «orquesta» frente al «teatro» propiamente dicho, en donde tomaban asiento los espectadores. La definición del «marco» se halla en realidad en la base de la convención dramática.

El «marco», concepto elaborado por Bateson (1972) y Goffman (1974) y adoptado por Elam (1980: 87-89), ha sido subrayado o «puesto entre comillas» por numerosos artificios, como la oscuridad en la sala, el telón, el escenario, etc., que ayudan a mantener separado lo que está dentro y lo que está fuera de la ficción dramática. Y si los actores se mueven como si no existiera el público, los espectadores, por su parte, han de pasar por alto todo lo que ocurra fuera del marco (como ruidos en la sala o accidentes de la escena, etc.). A estas convenciones se pueden añadir otras, de tipo «metadramático», como el prólogo o el epílogo en los que un actor (o el autor) interpela directamente al público, haciendo así explícita la ficción teatral: «en estos casos se produce propiamente una "ruptura del marco", ya que el actor debe salir de su papel y reconocer la presencia del público; por otra parte, se trata de una técnica codificada para *reafirmar* el marco recalcando la naturaleza puramente ficticia de la representación» (Elam 1980: 90). Las vanguardias del xx desde luego no se privarán de hacer saltar el marco, «abriendo» la representación al público y quebrando así la membrana de separación entre actor y espectador, con posterior confirmación —cabe decir— de la importancia de estas convenciones.

Basado así en los comportamientos bien distintos de quien recita y de quien está mirando, el teatro es, por otra parte, un arte en el que el contacto con la obra es inmediato, consumándose en el tiempo de la representación; e igualmente inmediata es la respuesta de la audiencia (aplausos y silbidos, flores y tomates...). En cierto sentido, el teatro es el arte que más que ningún otro se ofrece a manifestaciones de asentimiento y reprobación y solicita, aquí y ahora, la valoración por parte de los destinatarios, de todos ellos y no sólo de los pertenecientes al trabajo: el crítico podrá elogiar o demoler en las columnas de su reseña teatral, pero al público, caso prácticamente único en las artes, es al que corresponde en primer lugar el juicio.

En cuanto al texto, que sigue siendo, con todo, protagonista en muchas formas de teatro, se debe señalar que la ilusión mimética, esto es, la imitación de los enunciados que se producen en el mundo real, es propia sólo de campos bastante delimitados en la historia del arte dramático (pero también ahí existe un desvío inevitable respecto al habla común: véase de nuevo Elam 1980: 178-82). El discurso dramático se presenta habitualmente como un discurso diferente: para acentuar la distancia frente a la lengua hablada, se da, en primer lugar, el empleo del verso en la mayor parte de las tradiciones teatrales hasta la época moderna. De ahí el evidente contraste entre la forma del diálogo, que es la forma ordinaria de comunicación, y la expresión versificada, cuya literariedad pone después en evidencia la ficción escénica.

Pero no obstante su carácter manifiestamente literario, se ha de notar que, a diferencia de la obra literaria, la obra de teatro de ordinario se somete a un tratamiento más libre, está abierta a las contribuciones de los ejecutantes: con frecuencia el texto es remodelado, reducido, ampliado, esto es, renovado en relación a una audiencia. Quiere decirse que la interpretación o ejecución se presenta en el teatro como un arte en sentido estricto, hasta el punto de reivindicar la legitimidad de la reelaboración. Por otra parte, es verdad que en el teatro los personajes y los acontecimientos están «cerrados» definitivamente, esto es, realizados físicamente en un rostro, una voz, unos gestos, unos ambientes, mientras que en la literatura todo eso se deja a la imaginación del lector. Una representación teatral constituye respecto al texto un acto interpretativo y creativo al mismo tiempo.

Todavía a propósito de la relación de teatro y literatura, quizá resulte superfluo recordar que la forma teatral a menudo ha sido entendida por muchos escritores, antiguos y modernos, como un verdadero género literario, es decir, literatura escrita, con el resultado de obras irrepresentables, cuya circulación se encomendaba por entero al libro. Pero, aparte estos casos límite, el texto en el teatro siempre ha sido una presencia embarazosa en tradiciones, como la del teatro burgués del XIX, que aspiraban a colocar en un primer plano la representación de sucesos, ambientes, situaciones y caracteres, antes que el texto. De ahí (entre otras razones) que recuperen el verso, por ejemplo, las piezas de García Lorca. En cualquier caso, en la historia milenaria del teatro persiste una tensión continua, a veces levemente disimulada, pero jamás resuelta, entre representación y palabra.

BIBLIOGRAFÍA. Sobre algunos problemas de la clasificación de las artes, sobre artes menores y «mixtas», puede verse Banfi (1962), Formaggio (1977), Dufrenne (1981). Sobre artes en particular, se remite a la bibliografía contenida en Dufrenne y Formaggio (1981: II, 360-66). Una útil introducción a la semiótica del teatro es el libro ya citado de Elam (1980); véanse además, entre la bibliografía más reciente, Ubersfeld (1977) y los ensayos reunidos por Díez Borque y García Lorenzo (1975), Canziani y otros (1978) y Ferroni (1981); véase Segre (1984) sobre las relaciones entre narrativa y teatro. Un análisis general del teatro, en sus aspectos sociales y antropológicos, no figuraba entre nuestros fines: véase con todo Duvignaud (1965) para una visión de conjunto.

LA COMUNICACIÓN ARTÍSTICA

52. LA DIMENSIÓN ESTÉTICA

La imposibilidad de identificar en los objetos literarios o artísticos propiedades específicas que los hagan ser tales (§ 14) no significa que los intentos de avanzar en esta dirección carecieran de razón: sin duda, parece mucho más «empírico» tratar de definir el arte, antes que sobre la base de alguna facultad inaprensible del espíritu, describiendo simplemente cómo están hechos en concreto aquellos objetos particulares que reciben el nombre de obras de arte. Es evidente, sin embargo, el círculo vicioso. Esa descripción, de hecho, da como presupuesto lo que justamente habría de ser contenido de la definición buscada, o sea, que se trata de obras de arte: en la medida que una descripción de tal género pueda ser útil, en cada ocasión tropezaríamos con una llamativa petición de principio.

El argumento presentado aquí ha sido ampliamente utilizado por la estética idealista: véanse, por ejemplo, Croce (1902) y Heidegger (1936). El problema se complicaba también por el hecho que por «obra de arte» se entendía «obra válida o lograda artísticamente». No impide que el argumento siga siendo eficaz incluso cuando simplemente nos propusiéramos distinguir un criterio de demarcación entre objetos artísticos (bellos o feos) y objetos no artísticos, dejando de lado la cuestión del mérito. Tampoco en ese caso cambiaría el problema, desde el punto de vista estrictamente lógico.

Como ya sostuvieron Mukařovský (1936), Sartre (1947) y otros, ningún objeto es en sí un objeto estético. Existen, si acaso, maneras estéticas de mirar a los objetos. Partiendo de esas maneras, comportamientos o actitudes es como se podrá entender mejor la distinción entre arte y no arte.

La actitud estética, al parecer, se reduce a dos componentes constitutivos. El primero es una disposición «ejemplificativo»: en vez de vincular inmediatamente los objetos a las categorías bajo las que habitualmente las percibo, me preparo a reconocer en aquéllos todas las propiedades que puedan ejemplificar (§ 2), percibiéndolos como miembros de otras clases menos usuales. Sé que esta máquina de escribir *es* una máquina de escribir; pero también es una forma, un color, incluso un sonido. La suspensión de las categorías habituales, por otra parte, no abre sólo la vía a una penetración más analítica del objeto. Promueve en el sujeto la activación de especiales mecanismos psicológicos de proyección e identificación.

Según Lotman (1973) cabe distinguir «dos direcciones posibles de la transmisión de un mensaje»: la dirección YO-ÉL y la dirección YO-YO. En el primer caso, el sujeto de la enunciación (YO) posee una información y la comunica a un interlocutor que no la posee (ÉL). En el segundo caso, el sujeto se transmite el mensaje a sí mismo. ¿De qué se trata más exactamente?

En el sistema YO-ÉL varía el sujeto (el destinatario sustituye al emisor), mientras que el código y el mensaje permanecen (en tendencia) constantes. En el sistema YO-YO, por el contrario, permanece constante el sujeto, mientras que varían el código y el mensaje: «Esto es la consecuencia de que se introduce un segundo código suplementario y el mensaje de partida se vuelve a cifrar en las unidades de su estructura, recibiendo así las connotaciones de un mensaje *nuevo*» (*ibid.*: 113); es lo que sucede, por ejemplo, en la versificación. El mensaje, construido en una lengua natural, se estructura al mismo tiempo según las reglas de «un código suplementario sintáctico» (*ibid.*: 119).

Desde ese punto de vista, el mensaje se propone a sí mismo como un código, un objeto ejemplar, un paradigma. Y a esa transformación del mensaje en código está ligada la particular «capacidad modelizadora de la poesía»: «El crecimiento de los nexos sintácticos dentro del mensaje debilita los nexos semánticos primarios, y el texto en un nivel determinado de percepción, puede comportarse como un mensaje asemántico de construcción compleja. Pero los textos asemánticos de alta organización sintagmática tienden a convertirse en organizadores de nuestras asociaciones y se les atribuyen significados asociativos. Así, al escudriñar los dibujos del papel pintado de la pared o al escuchar música no descriptiva, atribuimos a los elementos de esos textos significados concretos. Cuanto más resaltada está la organización sintáctica, tanto más asociativos y libres se vuelven los nexos semánticos. Por eso, el texto del canal YO-YO tiende a revestirse de significados individuales y recibe la función de organizar las asociaciones desordenadas que se acumulan en la conciencia del invidivuo. Eso reorienta la personalidad que participa en el proceso de autocomunicación» (*ibid.*: 124). Así, «si se comunica a una lectora que una señora de nombre Anna Karenina, a causa de un amor desgraciado, se ha arrojado bajo un tren, y aquélla, en vez de agregar en su memoria este mensaje a los ya poseídos, concluye: "Ana Karenina soy yo", y revisa la concepción de sí misma, de sus relaciones con ciertas personas y tal vez su propio comportamiento, entonces es evidente que emplea el texto de la novela de Tolstoi no como un mensaje del mismo tipo que todos los demás, sino como un código en un proceso de comunicación consigo misma» (*ibid.*: 126).

A la disposición «ejemplificativa» se añade, así pues, un segundo componente: la actitud psicológica que permite a los fantasmas de la vida interior fluctuar en el umbral de la conciencia, ligándose libremente a las estructuras rítmicas, a las formas, a las correlaciones o a las imágenes que emergen en el proceso de la percepción. En términos psicoanalíticos, se podría hablar incluso de «regreso de lo reprimido», consciente o inconscientemente: desde el simple deseo de «juego» desinteresado (que por lo común sacrificamos a la «seriedad» de la vida en sociedad) hasta los impulsos inconfesables del inconsciente (que por lo común encuentran manera de expresarse sólo a través de actos no comunicativos, como el lapsus, el acto fallido o el sueño).

La actitud estética, desde luego, está extendida y se halla también fuera del arte. La suspensión de las categorías habituales, con la finalidad de encontrar relaciones nuevas entre las cosas, es por ejemplo un estímulo fundamental en la investigación científica. Y eso no es todo. Ambos componentes obedecen a una necesidad vital. Una necesidad cognoscitiva, porque si mi percepción del mundo cristalizara en categorías inmutables, no estaría ya en condiciones de reaccionar ante la continua modificación de la realidad. Una necesidad ética, porque una personalidad cristalizada en un equilibrio demasiado rígido no estaría en condiciones de reaccionar a las pulsiones del inconsciente y quedaría expuesta a crisis desgarradoras.

Y sin embargo, no podríamos ejercitar esas dos actitudes de modo indiscriminado sin enfrentarnos a un peligro radical. Si por sistema mirase el mundo con una búsqueda incondicional e ininterrumpida de lo que cada objeto puede ejemplificar, ya no estaría en condiciones de construir ninguna clasificación y me perdería en una multitud amorfa de percepciones. Así, si por sistema mirase todo objeto como un modelo, un código, un símbolo en que proyectar los fantasmas de mi vida interior, caería simplemente en poder de los automatismos psíquicos que gobiernan el inconsciente, perdiendo toda identidad personal. Por una parte, la disposición a percibir la individualidad irrepetible de cada cosa o suceso se transformaría en una obsesión disgregante. Por otra parte, el ejercicio ilimitado de proyectar fantasmas me sumiría en la más dolorosa confusión de impulsos. Perdería el mundo, que trataba de aferrar; y me perdería a mí mismo, al que trataba de liberar.

De ahí deriva una tercera necesidad, la del control. El comportamiento estético se vivirá con tanta mayor intensidad cuanto más regulado esté por una institución capaz de neutralizar sus riesgos: de otro modo se vería afectado por una continua inhibición por parte de nuestros mecanismos de defensa. Esa institución justamente es el arte. Éste nos ofrece un espacio explícitamente definido y regulado con precisión, donde el comportamiento estético está legitimado por una aprobación social y confrontado a objetos delimitados, muy estructurados. El «regreso de lo reprimido» no comporta culpa, angustia, soledad. La movilización de la subjetividad persigue la penetración del objeto; y ésta se resuelve en una reafirmación de la identidad dentro de un nuevo equilibrio.

Desde ese punto de vista, el arte se nos aparece como una típica «formación de compromiso». Como veremos, permite reformular en términos nuevos muchos problemas clásicos de la estética. Por el momento, basta destacar que, al subrayar el carácter institucional del arte, podemos ahorrarnos buscar una definición más precisa. La dimensión estética no coincide con el dominio del arte: si acaso, éste se define por ciertos comportamientos regulados (como, por ejemplo, el uso repetido [§ 3] u otras normas análogas), que fijan de modo convencional en el espacio y el tiempo formas casi rituales de interacción entre sujetos. Pero en este punto la idea misma de una definición pierde interés. La cuestión es, en realidad, ya otra y afecta directamente a los mismos objetos estéticos.

El carácter institucional del arte recurre a las responsabilidades de los sujetos: el autor, que «crea» la obra según un proyecto, una intención, una finalidad; el lector, que la hace vivir según las normas y las convenciones que rigen la comunicación artística, la «recrea» en su mente y su imaginación, la reconoce y la interpreta. Desde este punto de vista, repetimos, los objetos estéticos no son tales en sí mismos: simplemente, son objetos estéticos aquellos que confrontamos en general con una actitud estética. Al decir eso, sin embargo, no se degrada en modo alguno el papel de la obra. Tanto la creación como la interpretación se hallan orientadas hacia la obra; y ésta, a su vez, deberá garantizar, en su dinámica interna, las condiciones posibles para que tenga lugar la experiencia estética. Si el objeto está estructurado con demasiada rigidez, la búsqueda de las ejemplificaciones se empobrecerá en una repetición monótona de referencias a propiedades siempre idénticas; por otra parte, el impacto psíquico quedará inhibido si la obra está demasiado poco estructurada.

Desde luego, eso no permite suponer algún criterio «objetivo» de valoración por el simple motivo que tal equilibrio puede realizarse de maneras infinitamente variables, dependiendo no sólo de las obras, sino también de los que las disfrutan, de sus competencias, de sus presupuestos y de sus expectativas. En particular, en lo que respecta a la literatura, es evidente que la estructuración lingüístico-formal del texto alcanzará un relieve fundamental: basta pensar en los anagramas investigados por Saussure y, en el dominio creativo, en las elaboraciones sofisticadas de la literatura latina medieval o los experimentos modernos del *Ouvroir de Littérature Potentielle* (Oulipo), inspirados por escritores como Quenau y Perec. A este respecto, la literatura aparece efectivamente como un laboratorio de producción y de invención lingüísticas. Pero una vez más, sería ilusorio creer que en eso consiste su carácter específico o su finalidad (§ 14).

En cualquier caso, conviene valorar al mismo tiempo todos los «factores» (subjetivos y objetivos) de la comunicación. Una defensa celosa de la «autonomía» de la obra acaba, en realidad, por menoscabarla: el ojo que quiere mirar fijamente la punta de la aguja, recorre sin cesar sus contornos, oscilando entre el foco y el fondo; si estuviera perfectamente inmóvil, la imagen se desvanecería de inmediato. Así, la concentración sobre el texto terminaría por impedirnos restituirle la vida, obteniendo el efecto contrario al deseado. Sólo una vez liberada de la paralizante misión de autodefinirse que le atribuyen las estéticas formalistas, podrá la obra franquearnos de verdad la riqueza «semiológica» de que es portadora (§ 56). Como precisamente lo que hace artística una obra es la institución en la que se la integra, y no la existencia de presuntas propiedades específicas, la obra no nos invita a una lectura meramente «estética» o «intrínseca», que se presumiría la única «pertinente», sino que nos pide verificarla en todos sus posibles significados y valores.

53. Creación

Hablar de creación siempre es un poco embarazoso. La palabra sugiere irresistiblemente la imagen del artista como demiurgo, testigo absorto y ejecutor febril de un proyecto del que él mismo sólo es en parte consciente. La creación corresponde a la máxima plenitud del individuo, que moviliza todos sus recursos, y juntamente le trasciende, le convierte en un desconocido para sí mismo; del mismo modo que en las figuraciones de Homero los sueños «visitan» a los personajes como si tuvieran una existencia independiente, la visión de la obra futura llega al artista del exterior, llevada a sus sentidos palpitantes por una inspiración soberana, en una iluminación milagrosa de la conciencia.

Una descripción de este género no es necesariamente falsa (la psicología de lo profundo, por ejemplo, tendría mucho que decir al respecto). Por desgracia es inservible para cualquier reflexión. Valdrá la pena, entonces, reformular el concepto de creación en términos más analíticos. El modo más sencillo de proceder será, por eso, definir ante todo el comportamiento opuesto, no creativo. No creativo es, en general, todo lo que puede efectuarse mediante un cálculo: ¿pero qué es un cálculo?

El ejemplo más característico de cálculo es la aritmética. Aquí tenemos a) un repertorio finito de unidades elementales, b) un conjunto finito de reglas para combinar esas unidades y realizar operaciones: cada secuencia debe estar bien formada (debe respetar los requisitos impuestos por las reglas); todo problema debe poderse resolver en un número finito de pasos, siguiendo procedimientos mecánicos fijados por las reglas (algoritmos). Resulta superfluo para nuestros fines exponer de modo más técnico el asunto. Es importante notar que en un cálculo no podemos introducir nuevas unidades ni nuevas reglas en el momento en que lo aplicamos: en esta perspectiva, un cálculo no es creativo. Ciertamente, permite formar infinitas combinaciones y efectuar infinitas operaciones, y en ese sentido posee una creatividad propia. Pero ahora podemos distinguir la creatividad «gobernada por reglas» (*rule-governed*) de la creatividad «que cambia las reglas» (*rule-changing*). Ahí donde introducimos nuevos términos estableciendo su significado en el curso de la operación, o ahí donde modificamos sobre la marcha sus significados y las reglas con que los combinamos, estamos obrando de modo «incalculable».

Con toda evidencia, es mucho más fácil que nuestro comportamiento sea creativo que no creativo. Muy poco en nuestro mundo puede ser reducido a cálculo: y también la invención de un cálculo es, a su vez, un acto de creación. Todo ello, naturalmente, nos impide dar muchos pasos adelante, pero por lo menos nos ayuda a disipar algunos equívocos.

Ante todo, nada nos autoriza a atribuir una connotación negativa a la noción de no creatividad. El que un cálculo no sea creativo (mejor aún, no deba serlo), es una condición indispensable para sus fines específicos: un cálculo ahorra tiempo, ofrece garantías de poderse repetir y controlar, es válido universalmente y, dondequiera que ayude al conocimiento empírico, hace posible una medición y una organización sistemática de los datos, facilitando la formulación y el control de las hipótesis. La física moderna no se concebiría sin las matemáticas; y la utilidad de las calculadoras está fuera de discusión. No quita que, mientras nos movamos dentro del cálculo y sus leyes, es imposible la novedad. Desde siempre sé que soy capaz de sumar dos números cualesquiera, incluso números que hasta el presente nunca se hayan encontrado ni imaginado. La ventaja del cálculo es que justamente lo sé desde siempre, pero precisamente por eso una lista de sumas entre números cualesquiera no aumenta en modo alguno nuestro conocimiento. Así, una calculadora hace posibles operaciones tan complejas que exceden nuestra paciencia e incluso la capacidad física de nuestro cerebro, pero nunca será capaz de realizar una operación para la que no haya sido programada.

Al revés, no es preciso creer que, fuera de los cálculos, nuestras conductas forzosamente sean arbitrarias, injustificadas, desprovistas de sentido. Algunas partes de las matemáticas (como la topología) no se basan en el cálculo, para no hablar de las ciencias empíricas y de su metodología. Desde ese punto de vista, la contraposición entre no creativo y creativo se asemeja bastante a la que se da entre argumentación y demostración, discutida más arriba (§ 16). Y si, fuera de las operaciones matemáticas, no contamos ya con la ayuda de reglas formalizadas, no significa que no nos amoldemos a convenciones, implícitas o explícitas, según criterios aceptables racionalmente.

Los comportamientos regulados por normas se llamarán, en general, «juegos», de los que muchos pueden describirse con aparatos formales suficientemente rigurosos. El término lo ha empleado, para la interacción lingüística, por ejemplo, Wittgenstein (1953); y ha abordado sistemáticamente todo el asunto la llamada «teoría de los juegos» de Neumann y Morgenstern (1943), con aplicaciones de extensión muy vasta (desde la economía a la estrategia militar). Desde nuestro punto de vista, es especialmente esclarecedor el tratamiento de la convención propuesto por Lewis (1969), en los términos de la teoría de los juegos (y más específicamente, de los juegos de cooperación). De forma simplificada:

tú tienes interés en hacer x a condición que yo haga y	yo tengo interés en hacer y a condición que tú hagas x
tú esperas que yo haga y a condición que tú hagas x	yo espero que tú hagas x a condición que yo haga y
tú esperas que yo espere que tú hagas x a condición que yo haga y	yo espero que tú esperes que yo haga y a condición que tú hagas x
tú haces x	yo hago y

La convención es una expectativa de expectativas fundada en precedentes en los que la interacción haya tenido éxito. Puede hacerse explícita, pero también sobrevivir largo tiempo de forma implícita. Las convenciones pragmáticas que forman la base de la institución literaria son justamente expectativas de expectativas.

Al pasar del cálculo a la convención cambia profundamente el ámbito en el que nos desenvolvemos. Si escribo «2+2=5», no introduzco ninguna «novedad», sino que simplemente cometo un error; o, si estoy introduciendo una nueva operación matemática, debo declarar explícitamente sus reglas. Las discontinuidades son aquí netas y rigurosas. Bien distinto es, en cambio, el caso en las convenciones: nuestros comportamientos pueden satisfacerlas de manera más o menos fuerte; pueden violarlas, pero sin que por ello pierdan un sentido reconocible; pueden, en fin, introducir nuevas convenciones en determinado campo sin necesidad de hacerlas explícitas, pero sugiriéndolas y confiando en la capacidad de nuestros interlocutores para interpretar correctamente los indicios, las trazas, las señales, que nuestros gestos les transmiten.

A este propósito, es oportuno distinguir dos tipos de reglas. Si estoy jugando al ajedrez, no podré mover el alfil como la torre o el caballo como la reina, y si lo hiciera, ya no estaría jugando al ajedrez: esas reglas son constitutivas, hacen que el juego sea aquél y no otro juego y no pueden ser violadas. Pero también cuando juego al ajedrez, seguiré al mismo tiempo otras «reglas»: en respuesta a determinada apertura, me adecuaré a ciertas líneas estratégicas que, por experiencia, conozco que son eficaces; alternativamente seré cauto, audaz, brillante, o bien medroso, arbitrario, descuidado, según el estilo de juego que más o menos bien logre adoptar. Es decir, al lado de las reglas constitutivas se encuentran reglas regulativas, o sea, reglas que se limitan a regular actividades que, no obstante, podrían desarrollarse incluso cuando no se desarrollasen de conformidad con aquéllas. Así, seguiría comiendo aunque no respetase la etiqueta y seguiría hablando aunque no me esforzase en ser claro.

Crear significa, por tanto, introducir novedades. Pero no basta. Hay que recalcar que, de hecho, la novedad es posible sólo dentro de sistemas y condiciones dadas. La noción de novedad, además, es en sí misma de valor neutro: es decir, no siempre lo nuevo es por ello eficaz, verdadero, bello o moralmente aceptable. La rueda no deja de ser útil por el hecho de que la conozcamos desde hace millares de años; la teoría de la relatividad no deja de ser verdadera porque ya nos hayamos habituado a ella (si dejase de serlo, no ocurriría porque hemos encontrado una teoría nueva, sino porque sería una teoría más explicativa); *Don Quijote* no nos desagrada necesariamente después de treinta lecturas; y no siempre los regímenes políticos flamantes son los más recomendables.

Naturalmente, nuestros criterios de eficacia, verdad, belleza o moralidad cambian con el tiempo, de modo que una novedad a la que neguemos valor hoy, mañana podrá reconocerse como una anticipación profética. Por ello, la exploración de lo desconocido y la atención hacia lo emergente han de convertirse en un componente esencial de nuestra visión del mundo, sobre todo en una civilización que, como la moderna, ha conocido una aceleración tan llamativa de la historia. Sería un error fatal, sin embargo, confundir la espontaneidad (que ignora las reglas, confiándose a los automatismos elementales de las reacciones irreflexivas) con la creatividad (que modifica las reglas, de acuerdo con fines y valores de los que podemos adquirir conciencia). Y no menos fatal sería sustituir la búsqueda, siempre provisional pero inherente a nuestra humanidad, de los significados y valores por una mera ideología de lo nuevo, sólo en apariencia liberadora y sin prejuicios.

54. Interpretación

Como se habrá notado, hemos hablado de creación sin hacer referencia específica a la literatura o al arte. En realidad, es obvio que cualquier teoría científica, por ejemplo, será el producto de una creación al mismo título que una obra de arte. Por otro lado, el concepto de creación se resiste a una reflexión analítica a no ser a través de lo que puede delimitarse, por vía negativa, de su contrario, la no creatividad.

Para entrar en la cuestión de ciertas distinciones importantes, como la que se da entre arte y ciencia, más bien se habría debido hablar de producción: la producción es una actividad (mientras que la creación es, en todo caso, una propiedad), y cabe analizarla en relación a las técnicas, a las modalidades, a las reglas con las que es congruente, así como a la materia que es su objeto y al tipo de producto que resulta. El científico produce teorías, el escritor, obras. Pero justamente las técnicas, las modalidades, las reglas de la producción literaria, constituyen el tema general de este libro y no hace al caso insistir en lo ya notado.

La interpretación se contrapone a la producción, no a la creación. Respecto a la producción, por así decirlo, se coloca del otro lado: debe ser congruente con la obra y, a este fin, tratará de ajustarse a métodos más o menos rigurosos que garanticen su eficacia. En el sentido que hemos usado más arriba, sin embargo, también la interpretación es una actividad creativa.

En el lenguaje corriente, la palabra posee una vasta gama de acepciones: interpretación es la del actor o la del violinista, que podría rebautizarse como ejecución, o bien la del lector común o del crítico que atribuyen cierto significado a la obra (mediatizada más o menos, según las artes o la ejecución).

Algunas artes, de hecho, como la literatura o la pintura, nos colocan ante productos terminados; otras, como la música, la coreografía o el teatro, confían la obra a un ejecutante. Hemos visto (§ 49) que tal distinción no corresponde a la que se da entre artes notacionales (alográficas) y artes no notacionales (autográficas): las artes que no nos sitúan ante productos terminados entrañan, sin embargo, que al menos parte de la obra está escrita en forma notacional. Será útil por eso hacer hincapié de modo sistemático en el concepto de notación.

Un *esquema* notacional está constituido por símbolos que respetan dos condiciones: *a*) deben estar separados entre sí (cada vez que encuentro un signo de nota en una partitura, aquél pertenecerá a una y sólo una clase: esto es, debe ser o un *do* o un *re* o un *mi*, etc.); *b*) los símbolos han de estar diferenciados entre sí de manera finita (esto es, ha de ser posible distinguir entre signos pertenecientes a clases diversas sobre la base de un número finito de características distintivas). Los signos que simbolizan cada nota serán entonces equivalentes entre sí, esto es, gozarán de las propiedades reflexiva, simétrica y transitiva. Así, para dar un ejemplo familiar, el signo *a* pertenece a la misma clase de letras a la que pertenece cualquier otro signo *a* incluido en el texto que estamos leyendo, y a ninguna otra; esos signos son equivalentes entre sí. Y cualquier signo *a* puede distinguirse de cualquier signo *b* sobre la base de un número finito de rasgos distintivos.

Un *sistema* notacional asocia a un esquema notacional una interpretación semántica: en el caso de la música, por ejemplo, asocia a los signos de las notas los sonidos correspondientes o congruentes. También en el plano semántico se deben respetar los dos requisitos de la separación y de la diferenciación (los sonidos congruentes con una nota están en relación de equivalencia entre sí y cada sonido debe distinguirse de los sonidos congruentes con notas diversas sobre la base de un número finito de rasgos distintivos). Así, el signo *a* está asociado con una clase de sonidos «a», equivalentes entre sí, y todo sonido «a» se diferenciará de todo sonido «b» a través de un procedimiento finito. Una última condición es la no ambigüedad: todo símbolo se refiere a una, y sólo una clase de congruentes. Si se respetan esos requisitos, entonces podré pasar de un signo *a* a un sonido «a», de éste a otro signo *a* equivalente al primero, y así sucesivamente, o de una partitura a una ejecución y de ésta a otra partitura equivalente a la primera, y así sucesivamente, por un número virtualmente ilimitado de veces.

La notación musical y la notación alfabética satisfacen fundamentalmente estos requisitos. Pero es fácil percatarse (incluso omitiendo las indicaciones no notacionales presentes en las partituras, como «andante», «presto con moto», «diminuendo», etc.) de que muchas propiedades significativas de una obra musical no pueden reducirse a este modelo. Una obra ejemplifica (§ 2) y expresa (§ 20) propiedades a las que se refiere de modo no notacional: pompa, desenvoltura, arrebato, brío, intensidad, malicia cautivante, sentimiento que involucra o angustia abstracta. Así, una lengua natural, aunque fundada en subsistemas notacionales (como el código fonológico), nunca será un sistema notacional: aceptado que la palabra «mesa» identifica inequívocamente las mesas, una mesa a su vez no remite necesariamente a la palabra «mesa», sino en principio a cualquier otra etiqueta («mueble», «madera», «blanco», «estilo Luis XV», etc). Y está claro que una obra literaria, ya de por sí escrita en un sistema sólo en parte notacional, ejemplificará o expresará a su vez propiedades a las que se refiere de un modo irreducible a este modelo.

Repárese, finalmente, en que la distinción entre lenguajes articulados en notación y lenguajes densos, no articulados de manera notacional, es totalmente ajena a la que se da entre científico y no científico (la misma matemática no es un sistema notacional). Menos puede considerarse la densidad una característica del arte: un instrumento no graduado de medida de presión es punto de referencia en un sistema denso, pero no por eso su lenguaje es poético.

En la medida que no es formal, este tratamiento resultará para el lector quizá demasiado técnico. El punto esencial, sin embargo, es intuitivamente bastante simple: muchas operaciones que efectuamos al leer un texto o escuchar la música están rigurosamente estructuradas por fuertes códigos (como las notaciones), en los que rigen discontinuidades netas, correlaciones inequívocas, criterios necesarios y suficientes que garantizan la adecuación de nuestras decisiones. Pero la mayor parte de las operaciones que se nos invita a efectuar (y sobre todo aquellas estéticamente significativas) están confiadas a la capacidad de discernir lo más y lo menos dentro de un *continuum*, estableciendo relaciones ambiguas entre entidades vagas, sobre la base de criterios inseguros, variamente entrelazados. El lenguaje que estamos interpretando no está articulado notacionalmente, sino que es denso. ¿Cuándo un agudo es demasiado enfático en una ópera de Mozart o cuándo está falto de pasión en una ópera de Verdi? En el *Don Giovanni*, ¿el personaje de don Ottavio es noblemente patético, ridículamente voluntarioso o líricamente absorto? Y en la *Traviata*, ¿el padre de Alfredo Germont ha de ser un guardián comedido de la moralidad burguesa, que repara demasiado tarde en su error, o el instrumento inconsciente de una fatalidad trágica?

En esta óptica, los mismos problemas se plantean al ejecutante que al oyente o al lector. El oyente deberá percibir en una determinada ejecución las opciones estilísticas y expresivas de los intérpretes y valorar luego la eficacia, la adecuación a la obra o la capacidad de sacar a la luz aspectos inéditos. Y el lector habrá de percibir la ironía, el arrojo vehemente, la elevación, la perplejidad, el deseo enamorado o la fría determinación que caracterizan a un personaje, a una frase, a una fórmula estilística. Todas esas operaciones no se pueden decidir de modo definitivo. Y no sólo afectan a los niveles periféricos del placer: como sabe cualquier lector de Dante o del Arcipreste de Hita, a menudo ni siquiera es posible zanjar ciertos problemas gramaticales o sintácticos del texto (fenómeno que, por otra parte, caracteriza, con voluntad deliberada, a mucha literatura moderna) (§ 21).

Cabría, así pues, indicar con la palabra descodificación las operaciones, vinculadas y obligatorias, que obedecen a códigos estrictos, y reservar la palabra interpretación a aquellas otras que se ajustan a los aspectos no estructurados rígidamente y no notacionales de la obra. Ahora bien, es evidente que, desde ese punto de vista, la interpretación es creativa, por cuanto se desarrolla fuera de un cálculo. Pero quizá sea oportuna alguna precisión ulterior.

Ya hemos aludido (§ 12) a la distinción entre conocimiento teórico y conocimiento práctico. Como observa Putnam (1978), nuestras capacidades en su mayor parte son demasiado complejas para describirse en una teoría formal: «Puedo aprender a traducir de una lengua a otra. Pero no puedo describir la habilidad que he adquirido con una teoría (explícita). Tal vez mi *cerebro* tenga una teoría [...] Pero aunque mi cerebro posea una "hipótesis analítica" completa, "formulada" por entero en algún hipotético "lenguaje del cerebro", *yo* no la tengo, ni tampoco hoy por hoy los científicos. El dato crucial es que las *habilidades* no siempre dependen de las *teorías* (como ya demuestra el ejemplo del *caminar*). Y el conocimiento —incluso el conocimiento verbalmente formulado— puede ser incorporado en una *habilidad* y no en una teoría.» De ahí deriva una consecuencia significativa en particular: «es una característica del conocimiento "científico" (al menos si se toma la *física* como paradigma) el hecho que usamos instrumentos de medición que entendemos. La teoría no se aplica simplemente a los objetos que se miden, sino tambien a los instrumentos de medición y a sus interacciones con lo que suelen medir. Al revés, es una característica del conocimiento *práctico* el que se haya de usar a sí mismo (o a otras personas) como instrumento de medición (y *no* se posee una teoría explícita de esas interacciones)» (*ibid.*: 71-2).

Usarse a sí mismos como instrumentos de medición es evidentemente la norma, no la excepción. Ni siquiera la ciencia, por lo demás, podría pasarse sin el conocimiento práctico: «Decidir si las condiciones se han abordado bien en un caso dado (e incluso si vale la pena aplicar el modelo ideal a *este* caso) depende típicamente de un conocimiento práctico no formalizado. La moraleja es que el llamado "método científico" es sólo una formalización de algunos aspectos de la metodología científica. La misma física no podría proceder usando *sólo* el "método científico"» (*ibid.*: 72).

Hay que añadir que no podrá superarse verdaderamente tal situación, por más que el conocimiento de sí mismo pueda a su vez formalizarse progresivamente (gracias a la biología, la neurología, la psicología y las demás ciencias humanas). No porque sea lógica o físicamente imposible construir un sistema de cálculo, capaz, por ejemplo, de prever mis reacciones, sino porque muy difícilmente me permitirá obtener previsiones suficientemente rápidas para contar verdaderamente como tales: «puede darse el caso de que un sistema óptimo de cálculo, que se sirva de una teoría ideal de mí mismo y de un programa óptimo de demostración de teoremas, emplee más de mil años para completar la deducción más breve de lo que voy a hacer dentro de cinco minutos». Precisamente la revolución informática nos obliga a tener en cuenta la noción de *tiempo real* y nos ofrece paradójicametne un argumento muy fuerte para apoyar (si se quiere) una aproximación «humanística» a los problemas de la interpretación (*ibid.*: 64).

Cálculo, notación, descodificación, conocimiento teórico; creatividad, densidad, interpretación, conocimiento práctico: esas oposiciones, insistimos, no nos autorizan a hacer con una obra cualquier cosa que nos pase por la cabeza. Deberemos identificar significados que el texto denota verdaderamente y propiedades (ejemplificadas o expresas) que posee el texto verdaderamente. Los criterios usados con tal fin no son tan necesarios y suficientes, que permitan decisiones inequívocas; pero son siempre criterios, y las decisiones que se tomen podrá cada uno controlarlas sobre la base de la propia experiencia. Si el proceso está destinado a resultar infinito, también es verdad que ninguna lectura o interpretación procede de la nada y se mueve en un vacío absoluto. Se seguirán modelos acreditados y procedimientos considerados ejemplares, corroborándolos por medio de una confrontación abierta con otros concurrentes; las hipótesis consolidadas por la tradición nos servirán de trampolín para afrontar nuevos problemas. Además de inversiones de perspectiva y revoluciones radicales, también se acumulará y crecerá el conocimiento.

Como en otro tiempo se habría dicho, esto pertenece al dominio del gusto. Con este término, desde luego, no pretendemos evocar saboreamientos estáticos y transportes carentes de contenido. Indica más bien una suma diferenciada de habilidades y hábitos, corresponde a un adiestramiento y pertenece siempre al comportamiento motivado y responsable. De todos modos, no tiene nada que ver con cualquier privilegio del arte: al contrario, tiene que ver con las operaciones con las que por lo común percibimos, organizamos e interpretamos el mundo de nuestra propia vida cotidiana.

Las siguientes conclusiones de Putnam en torno a la metodología de las ciencias sociales podrán ser útiles para meditar también en relación a la teoría de la literatura: «Es cierto que la metodología empírica pretendía indicarnos el camino para salir de las tinieblas de la discordia y de la controversia. Pero a veces, cuando se ha tomado un sendero equivocado, la mejor manera para salir de un bosque obscuro es penetrar en él de nuevo. No sé qué esplendor puedan alcanzar las ciencias sociales en el futuro [...]. Pero estoy seguro de que "cientificar" las ciencias sociales (un término bárbaro que he acuñado para expresar una idea bárbara) es una confusión y una fuente de confusión [...]. ¿Debemos *lamentarnos* de que las ciencias sociales no puedan realisticamente parecerse a la ciencia física? Preguntar esto es como preguntar si debemos lamentarnos de no lograr entendernos a nosotros mismos y mutuamente, como el físico entiende el oscilador armónico [...]. Si la visión que tenemos de nosotros mismos y la que cada uno tiene del otro no pueden ser la de una computadora ni la de Dios, ¿es ése un destino tan terrible? Somos hombres y mujeres; y seremos ya afortunados si logramos permanecer como tales. Tratemos de conservar nuestra humanidad, asumiendo, entre otras cosas, una actitud humana hacia nosotros mismos y nuestro conocimiento de nosotros mismos» (1978: 76-7).

BIBLIOGRAFÍA. La tesis del arte como «formación de compromiso» y la noción de «retorno de lo reprimido» en relación a la obra de arte se deben a Orlando (es fundamental su ensayo de 1973). Para una aplicación de los conceptos de creatividad y de no creatividad a un ámbito vinculado a la literatura como el lenguaje, véase De Mauro (1980); análogamente, la distinción entre reglas constitutivas y reglas regulativas ha sido aplicada al estudio de los actos lingüísticos por Searle (1969); pero para un tratamiento más amplio del tema, véase Koestler (1964). La teoría de las notaciones ha sido elaborada de modo sistemático por Goodman (1968: 137-181). Sobre los problemas de la interpretación, la bibliografía es muy amplia. Véanse al menos, desde perspectivas muy diferentes y a menudo discordantes, Hirsch (1967), de Man (1971), Bloom (1975), Jauss (1977), Fish (1980), Fry (1983) y, para un balance, Di Girolamo (1986).

LA FRUICIÓN DEL ARTE

55. Autonomía y funciones del arte

Como hemos tenido ocasión de recalcar otras veces en páginas anteriores, no existen motivos válidos para considerar la literatura como una forma especial de lenguaje, identificable por propiedades exclusivas; ni es posible distinguir lo literario de lo no literario recurriendo a la noción de referencialidad (el discurso corriente sería referencial, por tanto, comunicante, el literario no comunicante o sólo de sí mismo). Hemos visto, en cambio, cómo la literatura puede o debe ponerse en relación con otros usos del lenguaje y, más en general, con otras prácticas comunicativas. Las «formas» literarias no hacen más que institucionalizar ciertos aspectos de la actividad lingüística que también existen fuera y con independencia de la literatura. Lo mismo vale para la dimensión estética, que no cabe asignar en exclusiva a los objetos literarios o, en general, artísticos.

Por ello, se ha insistido en el hecho de que una obra de arte, sea o no sea (o haya o no haya sido) un objeto de uso, existe como tal sólo si quien entra en contacto con ella la toma o la lee como obra de arte y posee ciertas competencias adquiridas con la educación, la experiencia, la práctica personal. Es arte aquello que consideramos arte o, más bien, podemos o solemos considerar arte dentro de nuestra cultura: por ejemplo, un cuadro o incluso un objeto de diseño, como una máquina de escribir o una pluma, pero no una pared pintada de azul o la disposición de unas plantas en una habitación, aunque también dicte esas operaciones (pintar una pared y arreglar plantas) un proyecto estético.

Si, por consiguiente, el arte, comprendida la literatura, existe sólo en el reconocimiento por parte de los destinatarios, que, por lo demás, se renuevan de generación en generación, ¿puede hablarse aún de una función social propia o se suscribe sin más la tesis de su autonomía? El tipo de enfoque propuesto no permite dar una respuesta inequívoca a esa pregunta, porque, precisamente, compete a los destinatarios el «uso» de las obras del pasado y contemporáneas, en el que también se puede prescindir totalmente de las intenciones de los autores.

La historia de las teorías literarias del siglo XX, a la que se ha hecho a menudo referencia indirecta, es particularmente instructiva a este respecto. La creencia, aún extendida, de que el arte literario se proscribe a sí mismo la posibilidad de comunicar o de incidir en lo real, arranca del movimiento, en los siglos XIX y XX, del arte por el arte, que tenía entre sus fines la liberación del artista del canon moral e ideológico vigente: en nombre de un arte libre y «autónomo», por ejemplo, se justificaban ante los tribunales obras como *Les fleurs du mal* y *Madame Bovary* (ambas publicadas en 1857). Posteriormente, en algunos programas, esta autonomía se convirtió también en rechazo de la comunicación. Ciertamente no era la primera vez en la historia de la literatura, porque la obscuridad, con varias motivaciones, desde siempre es un modelo recurrente de escritura; pero es verdad que en el siglo XX la alteración de la comunicación figura como capital en muchos programas, aunque no en todos. Ahora bien, la cuestión es ésta: las teorías literarias, por así decirlo, han sido influenciadas (si bien luego ha pasado al revés) por los movimientos literarios, cuyos programas, con frecuencia polémicos, se han proyectado hacia lo anterior y se han transformado, con las salvedades necesarias, en modelos universales de lectura, sin tener en cuenta que un buen número de autores antiguos y modernos se proponían fines exactamente opuestos o, al menos, distintos. Ahora bien, que cada época mira de modo nuevo los monumentos del pasado y, en suma, tiene una concepción propia del arte y su función, es del dominio del más elemental sentido común histórico. De hecho, en el siglo XX este modo de mirar el arte y en particular la literatura se ha presentado como el único modo «objetivo»: se ha creído poder aislar del arte la «sustancia» o la «naturaleza», y de esas creencias conviene desembarazarse para establecer un contacto libre con los objetos artísticos.

Se ha producido una «desfuncionalización» de la operación (comunicativa) de base (§ 49) que, según Prieto, caracteriza el arte fictico. En la ficción, junto a la «funcionalización» de las connotaciones —significa, en palabras sencillas, el «cómo», no el «qué»—, la operación de base «pierde su razón de ser particular y ya no se justifica sino en cuanto soporte de la connotación y de la función de que ésta ha sido cargada. Cuando la operación que está en la base de la obra de arte ha sido "desfuncionalizada" de este modo, puede decirse que nos enfrentamos con una obra de "ficción". Esta definición cuadra por igual perfectamente a la novela y al film de ficción, a la ficción arquitectónica que constituye un arco de triunfo, y a los productos de ese arte esencialmente ficticio que es la bisutería. Deja, en cambio, fuera obras que sin duda no son de ficción, como el film documental, el retrato, el cuadro religioso, o, evidentemente, el puente y la casa [...]. La "desfuncionalización" de la operación de base en la obra de ficción está ciertamente ligada al contexto social en que tiene lugar. Así, a la hora de enfrentarse a una obra de arte no fictiva, el desciframiento de ésta, limitado como está a la operación de base, incluso si no llega a alcanzar el "contenido artístico", posee ya un sentido en sí mismo, mientras que, si se trata de una obra artística de ficción, en la que la operación de base no es más que un pretexto para la connotación, los desciframientos de este tipo carecen de sentido. Tan pronto como hay ficción artística, el desciframiento de la obra de arte a nivel de la operación de base, que está al alcance de la mayoría de los miembros del grupo social, no tiene sentido a menos que conduzca al desciframiento connotativo, reservado a una minoría. El burgués, según Pierre Bourdieu, ha encontrado en la cultura y en particular en el "amor al arte" el principio de legitimación de su privilegio social. Ahora, es evidente que la ficción artística perfecciona este principio llevando su eficacia al máximo, lo que hace verosímil la hipótesis de una ligazón entre el hecho de que la ficción artística se haya convertido en norma en la producción de obras de arte y el advenimiento del orden burgués» (1975: 71-2). Al margen de estas páginas de Prieto, hay que notar que esta «desfuncionalización de la operación de base» puede afectar también a obras de no ficción y ser realizada no por el autor, sino por el público, con lo que tendría lugar en la fase de la recepción, no en la de producción; la operación de base, en sustancia, sería neutralizada de entrada por los destinatarios, incluso en obras en las que aquélla no es en absoluto un pretexto para la connotación.

Si, en general, cabe extraer una constante en el «uso» del arte a lo largo de los siglos, por encima de la supresión de los significados promovida por algunas teorías literarias contemporáneas, esta constante parece radicar en la recuperación de lo ideológicamente diferente y la puesta al día de lo remoto. La recuperación de lo diferente puede asumir formas variadas: en la Edad Media se leía a Virgilio en clave cristiana, mientras que Ovidio, que era tomado a la letra, se justificaba como paradigma de la decadencia pagana. Y, al igual que cada época establece afinidades estilísticas con épocas pasadas, puede también hablarse de afinidades ideológicas: la inquietud de Quevedo, el progresismo de Galdós, el escepticismo de Baroja, pueden según los casos repeler o atraer, y en esta última hipótesis, actualizarse y «resemantizarse», es decir, releerse a la luz de significados contemporáneos. Más complejo es el procedimiento de la crítica marxista, a la que no se puede acusar ciertamente de suprimir los significados, pero en la que se puede salvar lo ideológicamente opuesto, si se lee como documento ejemplar (en los contenidos y en la expresión) de las contradicciones de un modelo histórico: aparte del ejemplo clásico de Balzac, es significativo, entre otros muchos, el caso de Céline, cuya obra se ha visto como testimonio delirante de una apocalipsis autodestructiva, más allá de la letra y de la poco edificante postura ideológica del autor, racista y filonazi. Por otra parte, las poesías de Brecht pueden leerse, y se han leído, como panfletos de propaganda o como ejercicios de retórica; en el fondo son ambas cosas, depende del sistema de valores, de la ideología, del gusto de los lectores, insistir en un aspecto más que en otro o incluso pasar por alto uno en beneficio del otro.

Con esto, no se quiere en absoluto invitar a la total anarquía de la lectura, siguiendo las proposiciones polémicas de Enzensberger (1977). Una lectura anárquica, en el modo de leer los textos y la misma selección de éstos, tiene un sentido sólo para quien ya sepa moverse con destreza a través de las tradiciones, las instituciones y las convenciones literarias, así como manejar en los textos una violencia mesurada en relación con los objetivos que se fije. Se pretende decir con ello que existe toda una serie de factores que orientan y condicionan nuestro contacto con las obras y a los que hemos de tener en cuenta incluso cuando nos enfrentamos a los textos en una lectura aislada y ocasional. Quizá sólo de esta manera, si nos hacemos dueños de los mecanismos de la comunicación literaria, una lectura pueda ser más completa y libre; y a este respecto nunca se insistirá bastante sobre la importancia de la filología que, entendida como instrumento (y así estrechamente ligada al acto interpretativo) y no como fin en sí misma, representa la forma principal de «control» de la comunicación literaria y artística frente a los deterioros del tiempo en la tradición manuscrita, a nuestro desconocimiento de sistemas lingüísticos, estilísticos y culturales de épocas pasadas y al propio instrumento de la traducción, que filtra y deforma buena parte de nuestras lecturas (§§ 7-9).

A una concepción que no vea en el arte más que un modo eficaz de comunicar (sentimientos, ideologías, historias, fábulas, verdades y mentiras) y de expresar las cosas —y no es poco, en verdad—, se le plantea la posibilidad de que el contacto con la obra comporte también la conformidad o el desacuerdo con los contenidos propuestos. Es probable que semejante punto de vista esté aún lejos históricamente de nosotros, que seguimos viendo el arte como rodeado por un aura sagrada: pero el destinatario tomará una postura acerca de los contenidos del mensaje (que por ahora es implícita o tácita, o deducible indirectamente de ciertas preferencias críticas), si bien se mira, como consecuencia última de una lectura integral, y no meramente formalista, de la obra.

Las propuestas en esta dirección no son muchas. A una lectura «impura» (más que «anárquica») apela Berardinelli: «Cierta crítica impura del pasado hacía bien en dejarse márgenes de maniobra a un lado y otro de los estrictos criterios de análisis inmanente. Edificación moral, apunte autobiográfico, propaganda ideológica, divagación, nota de aprendizaje: buena parte de la gran crítica clásica sabía jugar sus cartas. Hoy, la ciencia del texto muestra sobre todo sus mejores capacidades para celebrar las exequias de la crítica y sofocar en la cuna las pretensiones de lectura. La ciencia del texto no tolera que se tenga del texto una experiencia no formalizable mediante sus modelos. Esta intolerancia totalitaria se vuelve más ridículamente rígida en cuanto se sale del cerco de los laboratorios de vanguardia para descender a los bajos fondos de la lectura de masas. En estos ámbitos se lee para ascender en la jerarquía profesional, para hacerse una cultura, para documentarse y ponerse al día, para entender el mundo, para evadirse. La ciencia del texto ha de pasar por alto y erradicar en el lector el entramado de sus intereses y motivaciones. El saneamiento que emprende en la cabeza de quien quiera aparejarse a leer con rigor, acaba por establecer un orden letal» (1983: 58).

Pero «impuros» son también, en amplia medida, los procedimientos críticos practicados en algunas artes jóvenes, como el cine o la fotografía, ante las cuales, por lo demás, la actitud del público medio parece menos condicionada por vínculos interpretativos, siquiera por faltar la mediación de la enseñanza. La impureza obviamente corre el riesgo de la aproximacion, ciertamente presente en algunas críticas «menores», que, sin embargo, siempre representan, en sus mejores productos, un interesante punto de referencia para instituciones en buena medida decrépitas, como el análisis literario o la crítica del arte. En suma, el problema de qué hacer sobre, de y con un texto literario o un objeto artístico puede y debería desvincularse de las rejillas interpretativas impuestas por una larga tradición de estudios: tradición que, sin embargo, y ahí está quizá la paradoja, no puede ignorarse, puesto que ha contribuido al enfoque histórico y a la puntualización filológica de las obras; pero que es tarea de los destinatarios, los lectores, los usuarios del arte, superar, cuando sea necesario, en los puntos de arribada interpretativos, y, si se quiere, en el juicio sobre las obras.

56. ARTE Y CONOCIMIENTO

Si es cierto que en un texto literario no existen propiedades específicas que lo hagan ser tal y que, por tanto, no estamos obligados a leerlo privilegiando tales propiedades por encima de las demás, entonces el texto literario, una vez situado de modo institucional en la dimensión estética, sigue desempeñando todas las funciones que puede desempeñar: en particular, si dice o denota algo, seguirá diciendo y denotando. No sólo él. También la ejemplificación (§ 2) y la expresión (§ 20) son formas de referencia, así como la connotación, la ambigüedad, la polisemia. Es verdad que, cuando leo *El examen de ingenios* como una obra literaria, el acento sobre cada elemento se redistribuirá y modificará con respecto a una lectura filosófica o científica: pero es más un proceso de traducción de uno a otro sistema simbólico que de supresión; e incluso cuando me refiera a sus características de estilo o de forma seguiré, justamente, haciendo referencias. No cabe sostener que, a diferencia de la lectura filosófica o científica, una lectura literaria se fija en el texto en sí según un espíritu de autonomía desinteresada contrapuesto a su uso instrumental, ya que el *Examen de ingenios* en sí no connota más de lo que denota. Hasta que no lo coloco en el interior de uno u otro sistema de referencias, un texto permanece simplemente mudo; y, para ser de veras consecuente, el formalismo nos debería invitar a mirar la página escrita antes que a leerla.

La insistencia sobre los valores referenciales del texto literario evoca un fantasma bien conocido: la concepción del arte como forma de conocimiento. El tema es de lo más insidioso y requeriría una discusión muy complicada. Es indispensable, sin embargo, aclarar algunos puntos, para evitar al menos los equívocos más nocivos.

A menudo se imputa —y con justicia— a las estéticas que ponen el acento en el aspecto cognoscitivo un «contenidismo». Si una obra debe ser un instrumento de conocimiento, lo que importa a fin de cuentas es «lo que dice», no «como» lo dice. Aparte de las objeciones evidentes (por ejemplo, la denuncia de la llamada «falacia de la paráfrasis»: cualquier texto de historia, de sociología o de psicología diría mucho mejor «lo que dice» al propósito un texto literario), el error principal radica claramente en la acepción limitada de «decir»: identifica el «contenido» pretendido de la obra con las denotaciones o los significados. Pero una obra «dice» al denotar, ejemplificar, expresar; su «contenido» se constituye a través de *todos* esos modos de referencia. Desde ese ángulo, el error del «contenidismo» es igual y opuesto al del formalismo: según éste, los significantes dejarían a la mitad la tarea de remitir a los significados y quedarían disponibles en su espléndido aislamiento a la contemplación silenciosa del lector.

La contraposición de forma y contenido carece totalmente de consistencia. Emplear un metro en vez de otro, buscar o evitar una simetría, construir un orden reconocible según ideales de «simplicidad», «naturalidad», «sinceridad» o «autenticidad» constituyen actos altamente significativos; en ellos se traduce un modo de concebir la institución literaria, la relación con el público, el oficio mismo del escritor (§ 36). El punto crucial, en suma, consiste en reconocer la semanticidad radical de todos los aspectos presentes en el texto.

Esa semanticidad radical, desde luego, no deriva automáticamente de la estructura material del objeto. El trazado de un electrocardiograma podría ser idéntico a un cuadro de Hokusai que represente el Fujiyama. En el primer caso, sin embargo, sería irrelevante el color de las líneas, su espesor, su intensidad; nos interesa sólo la posición relativa de ciertos puntos respecto a coordenadas cartesianas. En el cuadro de Hokusai, en cambio, todo es pertinente justamente porque, de entrada, asumimos que todo es pertinente: todo puede denotar, ejemplificar o expresar algo. No es distinto el objeto, sino el sistema simbólico con el que lo interpretamos; y no determinan las características del objeto a qué sistema simbólico se atribuye, sino que el sistema simbólico al que se le atribuye determina qué características del objeto tienen relevancia (§ 52).

Cualquier combinación o relación de signos puede ser significativa; no lo es necesariamente. Por ejemplo, en la primera estancia de «A Silvia» de Leopardi, la última palabra (*salivi*, subí) es anagrama de la inicial (*Silvia*). La correlación hace que las dos palabras ejemplifiquen sus sonidos. Pero establecer si es casual o significativa depende de nuestra capacidad para encontrar un referente plausible: supongamos, como sugiere Agosti (1972: 39-41), la obsesión del recuerdo como «causa» de la repetición fónica.

Ciertamente, no se exagera lo variables que son opiniones, reacciones y percepciones derivadas de todo esto. Justamente porque, en principio, no se pone ningún límite a la indagación del texto, será mayor el papel desempeñado por los sistemas constituidos para orientar la percepción: estructuras métricas, géneros, modelos, formas retóricas, estereotipos, quedan ejemplificados en el texto y, con su capacidad de ser reconocidos «de inmediato», garantizan un principio de orden convenido. Sin embargo, semanticidad no equivale aún a conocimiento. Cabe ad-

mitir que un sistema simbólico —como el del medidor de presión
no graduado— nos dé informaciones vagas, ambiguas, de difícil
interpretación. Pero el conocimiento debe ser verdadero. No por
casualidad las teorías del conocimiento plantean explícitamente
la cuestión de la correspondencia con los hechos postulando
como fundamento del arte el principio de la mímesis. Cualquiera
que sea nuestro juicio sobre tal principio, no nos permite sus-
traernos a la objeción más insidiosa. Discutir si es de verdad
funesto para el hombre el día de su nacimiento es por regla
general un asunto serio; pero preguntarnos si «el delito mayor del
hombre es haber nacido» es verdadero o falso parece, en cierto
modo, poco pertinente e incluso frívolo (aunque, de hecho, la
poesía diga eso y necesitemos entenderlo). Cualquier criterio,
incluso el más débil corre peligro de verse desmentido por la
prueba más trivial de lo contrario. Y decir que provisionalmente «creemos» verdadero este mensaje, o fingimos creerlo verdadero, no sería una respuesta aunque reflejase nuestro comportamiento efectivo: la «suspensión de la incredulidad», de que hablaba Coleridge, no es una prueba de verdad, sino todo lo contrario.

El problema de la verdad (creída, comprobada o irrelevante)
puede, sin embargo, dejarse sin solución, porque en realidad no
es decisivo. La relación entre conocimiento y verdad no es tan
estrecha como se cree. Un libro que por millares de páginas no
hiciera más que efectuar correctamente sumas aritméticas, sin
duda ofrecería una multitud de verdades, pero carecería totalmente de valor cognoscitivo (§ 53). En una teoría lo que cuenta
no es sólo que sea verdadera, sino que posea poder explicativo;
una teoría dudosa, que en parte no se ajuste a ciertos hechos y esté plagada de contradicciones, puede conservarse porque presenta correlaciones audaces e interesantes entre fenómenos y sugiere una imagen nueva y sorprendente del mundo.
Ahora bien, ¿no es precisamente esto lo que pedimos a la obra
literaria? Del mismo modo que en relación a una teoría hablamos
de poder explicativo, en relación a una obra hablaremos de
«eficacia representativa». Y si, en última instancia, la correspondencia con la realidad es siempre una condición necesaria para
aceptar una teoría, simplemente sucede así porque ésa es una
pretensión de las teorías, no de las obras literarias. No es el
problema de la verdad lo que demuestra que el arte no es
conocimiento, más bien es el arte el que certifica que la verdad
no es inherente al conocimiento.

Naturalmente, la afirmación es, en esa forma, demasiado paradójica, pero no es difícil motivarla de modo más aceptable. Como observa Putnam, «la imaginación de modos de vida o de aspectos particulares de modos de vida» puede ser enormemente importante. «Un hombre está escalando una montaña. A medio camino se detiene, porque está inseguro sobre cómo avanzar. Se imagina ascendiendo por otra vía. En su imaginación, prosigue hasta cierto punto y entonces tropieza con una dificultad que, en su imaginación, no sabe cómo sortear. Se imagina entonces subiendo por un camino diferente. Esta vez es capaz de imaginar que recorre todo el trayecto hasta la cumbre sin dificultad. Así, toma el segundo camino.» Desde esa perspectiva, «la retórica no es necesariamente un mero expediente propagandístico, como generalmente se piensa; puede ser un instrumento legítimo para la finalidad de hacer a alguien imaginar *vívidamente* cómo serían las cosas de un modo más bien que de otro» (1978: 85-6).

Así, en el momento en que reproducimos en nuestra imaginación lo que el texto nos está representando, se nos transmite un tipo bien preciso de conocimiento. Prosigue Putnam: «Me parece equivocado decir que las novelas proporcionan un conocimiento del hombre, pero también afirmar categóricamente lo contrario. La situación es más complicada de lo que puede sugerir una simple afirmación en uno u otro sentido. Por profundas que parezcan las intuiciones psicológicas de un autor de novelas, no pueden llamarse *conocimiento* si no se han comprobado. Decir que el lector atento es plenamente capaz de *comprender* que las intuiciones psicológicas de un novelista no son simplemente plausibles, sino que contienen cierto tipo de verdad universal, implica volver a la idea del conocimiento por intuición respecto a datos de hechos empíricos [...]. Si leo el *Viaje al término de la noche* de Céline, no *aprendo* que el amor no existe, que todos los seres humanos son detestables e intolerantes (incluso si —y estoy seguro de que ése no es el caso— aquellas proposiciones hubieran de ser verdaderas). Lo que aprendo es a ver el mundo como aparece a uno que cree que tal hipótesis es correcta [...]. Todo eso no es aún conocimiento empírico. No obstante, es incorrecto decir que no es en absoluto conocimiento: ser consciente de una nueva interpretación de la realidad, por repugnante que sea, de una construcción que puede —me doy cuenta ahora— ofrecer la realidad, es un tipo de conocimiento. Es el conocimiento de una posibilidad. Conocimiento *conceptual*» (*ibid.*: 89-90).

Mientras que una explicación nos remite al mundo real, la representación instituye un mundo posible: será, entonces, una verdad metafórica (§ 20), no literal. Y, como los criterios con que se establece si una metáfora «corresponde a los hechos» son no poco inciertos, una verdad metafórica no es menos verdadera que una verdad literal. Un cuadro puede ser tan triste como gris: así, inversamente, la obra de arte puede representar, al denotar, ejemplificar o expresar, propiedades que el mundo no posee, pero expresa. El amor será llama, hielo, viento, la vida será sueño, nave, laberinto, el hombre será una sombra, un destino, un microcosmos; y la rosa, como en un famoso verso de Gertrude Stein, incluso podrá ser «una rosa una rosa una rosa».

Por lo demás, ni siquiera la oposición de explicación y representación es tan nítida. La primera es una actividad predicativa, la segunda una actividad imaginativa; pero también el mundo real es, *a fortiori*, un mundo posible y predicar es un modo de imaginar condicionado por especiales restricciones. Al invitarnos a reproducir dentro de nosotros la imagen de un mundo posible, la literatura ofrece, más que declaraciones sobre el modo de ser de la realidad, modos de mirarla. Como decía Debenedetti (1929) a propósito de los personajes novelísticos, las representaciones son «nombres» que identifican los fenómenos inestables e intermitentes de nuestra experiencia, haciéndolos reconocibles. En el transcurso de los siglos, la literatura incansablemente ha «socializado» nuestro mundo interior, transponiendo su trama secreta al plano de la comunicación y disponiéndolo para hacer propias las resonancias de los acontecimientos públicos; lo ha hecho participativo y, al mismo tiempo, lo ha enriquecido de manera diferente; ha medido nuestro tiempo vivido con sus ritmos, nuestros sentimientos con sus formas. En suma, ha moldeado nuestro modo de percibir la realidad, nuestra conducta y nuestras emociones. Desde ese punto de vista, la función cognoscitiva se difumina y se convierte en una función ética. Al mediar entre lo público y lo privado, al promover el conformismo o la inquietud tanto en una como en otra vertiente, ha constituido un instrumento formidable de consenso colectivo y, a la vez, el lugar en el que las insinuaciones de la conciencia existencial podían madurar con la ejemplaridad de la expresión.

57. El valor

La cuestión del valor estético es ya un antiguo rompecabezas filosófico. Cualquier tentativa de definirlo en términos de placer, de belleza, de conocimiento o de emoción siempre ha tropezado con contradicciones insuperables; y cualquier criterio propuesto para valorar el mérito estético de la obra choca con la evidencia que nos enfrenta a la relatividad irreductible de los juicios. Todo razonamiento sobre el valor, por eso, corre el riesgo de convertirse en un razonamiento normativo, imponiendo al lector una actitud preestablecida y simplificando la variedad de comportamientos con que nos acercamos a la obra. Lo que también podría ser deseable, si no fuese justamente una operación destinada a revelarse, por uno u otro lado, arbitraria e injustificada.

La hegemonía del método estilístico, con su énfasis en el juicio estético, ha terminado por provocar una verdadera reacción de rechazo. Apenas alguien suscita la cuestión del valor, irresistiblemente nos imaginamos a un señor severo que, con respiración comprimida, juzga y manda: «esto es poesía, eso no es poesía». La vaguedad de términos como «lirismo», «sentimiento cósmico», «síntesis *a priori* de intuición y expresión», etc., en cierto modo ha desacreditado irremisiblemente la fase del juicio, considerado en otro tiempo casi el fin último de la crítica. Mejor dedicarse al análisis escrupuloso del texto, describir su funcionamiento, explicarlo y comentarlo en su realización lingüística. No es que de este modo quede abolido el juicio, pues la elección de la obra ya implica un juicio. Pero sometido a un análisis semejante, un texto puede resultar pobre, insípido, torpe, de modo que nuestra desaprobación estará motivada sobre bases algo más sólidas que una simple impresión.

De todos modos, el problema no tiene una solución completamente satisfactoria. Si se deja implícito el juicio, se consigue simplemente soslayar la discusión, lo que no representa un gran paso adelante en el camino hacia la ciencia. Si pretendemos deducirlo del análisis formal de texto, terminaremos por favorecer criterios de valor muy débiles (§ 54), como la desviación de la norma, la novedad o la originalidad. Más en general, por poco que omitamos la cuestión del valor, contribuimos en realidad a la supervivencia subrepticia de los prejuicios más variados y de las costumbres más inveteradas. Todo el patrimonio literario tendería a nivelarse en una «literariedad» uniforme, desprovista de jerarquías plausibles, ante lo que no quedaría otra opción que confiar en los modelos tradicionales o en el capricho individual.

Hay que reconocer, por otro lado, que esa tendencia tiene sus raíces en algunas características típicas de nuestra civilización literaria, podría decirse incluso, de nuestros hábitos literarios. Somos mucho más tolerantes que nuestros predecesores. Si nos atenemos al consumo del lector corriente, cada vez más la literatura es *Weltliteratur* (literatura universal); sólo hace falta repasar las listas de las mayores ventas mensuales. La vanguardia ha enseñado que, en la práctica, cualquier texto, presentado dentro de la comunicación literaria, *es* literatura. El historicismo, al relativizar todo producto literario del pasado, nos induce a legitimarlos todos: en previsión de errores, añadiendo a la lista también aquellos productos que no eran literarios, pero que, a la luz de algún criterio autorizado de discriminación al uso, podrían considerarse como tales.

El filtro de la tradición nacional o de un patrimonio técnico consolidado al que deba adecuarse la obra o de un canon estético asumido como normativo, es, por tanto, inoperante. En otro tiempo, pertenecer a la literatura o incluso sólo a determinado género literario significaba para una obra obedecer a requisitos fuertemente restrictivos. Una obra literaria debía ser al mismo tiempo un modelo de literatura digno de ser imitado —al menos, en ciertos aspectos— por su fidelidad a la norma o por la libertad simbólica respecto a la norma. Hoy, las mismas jerarquías internas del sistema literario, como la oposición de alto y bajo, literatura seria y literatura de consumo, arte «verdadera» y arte de masas resultan cada vez más ficticias e inconsistentes.

Es éste, quede bien claro, un dato positivo de progreso, tanto en el plano cognoscitivo como por lo que hace al enriquecimiento de la experiencia de los lectores. Ahí, por otra parte, se encuentra la justificación histórica de la crítica estructural y semiológica, así como de la que proporciona instrumentos de lectura, independientes de cualquier requisito restrictivo impuesto a las obras literarias (al menos, en principio). Y sin embargo, justamente por eso el problema adquiere mayor urgencia que nunca. Por las razones que se han dado, es necesario proceder a una nueva ordenación del patrimonio literario a nuestra disposición y no renunciar a cualquier ordenación abandonando la tarea al determinismo espontáneo o a la coacción incontrolable de la realidad.

Nadie siente ya nostalgia por los tiempos en que Bembo excluía de su canon la *Divina Comedia* de Dante o Giordani rechazaba el romanticismo como una criatura deforme de la fantasiosa alma nórdica o Menéndez Pelayo execraba toda la poesía culterana. Sin embargo, hay un dinamismo inherente al campo literario que no se puede dejar de lado. Como objeto propuesto al uso repetido, la obra de arte lleva consigo una pregunta constitutiva: ¿posee los títulos para ser aceptada? ¿Vale la pena transmitirla? En definitiva, es natural para la noción misma de obra la problemática de la legitimación. Como ya se ha tenido ocasión de decir (§ 49), no se trata de restituir un acento excesivo a la cuestión del valor. Precisamente por eso, preferimos utilizar el término «legitimación», que parece atribuir el peso justo a la fase valorativa sin por ello dramatizarla. El valor estético, por lo común, se concibe como algo dado en el texto; la legitimación, en cambio, es un proceso, a través del cual se decide leer un texto, transmitirlo, hacerlo objeto de enseñanza, *atribuyéndole* un valor, que justifique el uso repetido. Es un problema de hecho y no de derecho: en su conjunto, un *corpus* literario se considera un bien que ha de conservarse, independientemente de la excelencia estética de cada obra. Este proceso de legitimación siempre ha tenido lugar, aunque nadie ha sabido jamás proporcionar un criterio objetivo de valoración que defina de una vez por todas *el* valor estético. Y en tal proceso participamos siempre, a través de cada acto de leer.

Además, el juicio de valor desempeña un papel fundamental en el goce mismo de la obra. Abandonado a mis fuerzas, jamás aprenderé a distinguir una pintura cualquiera de un cuadro que haya cambiado la historia de la pintura. Si en cambio alguien me dice que ese cuadro es mucho más bello que aquel otro, empezaré a mirarlos de manera diferente, a hacerme preguntas que antes no me planteaba, a distinguir los aspectos en los que eventualmente se fundaba aquel juicio. Al final, acaso podré disentir radicalmente, pero ahora mi percepción es totalmente distinta. El juicio de valor no es sólo la conclusión adicional, en el fondo extrínseca, de un proceso perceptivo del que, por sí mismo, cabría perfectamente prescindir. Por el contrario, guía e informa todo nuestro comportamiento ante una obra de arte, así como, simétricamente, al autor en el proceso de su producción (§ 3). No es un fin, sino un medio para el conocimiento de la obra.

La confrontación y la discusión explícita de los juicios nunca podrán ser reemplazados por una descripción del texto, por rigurosa y científica que sea. Uno no aprende solo a juzgar como tampoco a describir; y si el juicio, a su vez, es un instrumento de descripción, no se ve por qué no hay que usarlo. Tampoco se trata sólo de eso. También ofrece una motivación a la lectura. Porque si alguien me dice que merece la pena, es mucho más probable que me lance a la empresa: la expectativa de una satisfacción me estimula a superar las dificultades eventuales, los límites de mi gusto, la inercia de mis hábitos.

El problema de la legitimación, por tanto, se replantea bajo otra perspectiva, la de la motivación al uso repetido efectivo —y no simplemente potencial— de una obra. En la realidad, cada uno sabe bien que no es indiferente leer una obra en vez de otra. Una vez comprobado que son todas literarias al mismo título, con mayor razón precisaremos de alguien que nos aconseje ésta o aquélla. Pero, ¿qué criterios emplearemos?

La pregunta no es de aquellas a las que se pueda responder de una vez por todas, incluso sólo en una perspectiva de descripción de hechos. Parece, sin embargo, que alguna hipótesis pueda formularse en los términos del razonamiento desarrollado hasta ahora. Vimos que el uso repetido postula tres criterios: semánticos (relevancia del dominio), expresivos (estructuración finalizada del texto), etiológicos (autoridad de la fuente, tanto si se trata de la tradición, como si de un autor individual)

(§ 3). Hemos visto, además, que la actitud estética puede reducirse a dos componentes, uno de naturaleza cognoscitiva (ejemplificador), otro de naturaleza ético-psicológica (identificación, proyección, «retorno de lo reprimido»); pero esa actitud se califica como propiamente estética en relación a las normas de un «juego» comunicativo y, más específicamente, a una institución, caracterizando el arte como una «formación de compromiso» (§ 52). En particular, recordemos, los objetos que llamamos obras de arte se convierten en tales porque se integran dentro de esa institución. Pero, una vez sentado eso, siguen diciendo lo que dicen, representando lo que representan, ejemplificando o expresando lo que ejemplifican o expresan; son símbolos y siguen funcionando como símbolos (§ 56).

Ahora bien, desde el momento que la responsabilidad de hacer estético un objeto compete a la institución (o a la situación en que se percibe) y no al objeto mismo, es posible una drástica simplificación del problema del mérito. Siguiendo, y modificando en parte, la propuesta de Goodman (1968: 256-62), diremos que no hay ninguna necesidad de postular el concepto de «valor *estético*»: éste no es más que el mérito de los objetos que clasificamos como obras de arte. Ese valor, o mejor esos valores son ni más ni menos los que hacen digna de ser vivida cualquier otra experiencia: por el extrañamiento, por la revelación de un rostro nuevo de las cosas, alcanzo un objetivo de conocimiento; por la conquista de un nuevo equilibrio entre las fuerzas psíquicas, un objetivo de edificación; por el compromiso con tendencias —ya intelectuales, ya instintivas— que abandonadas a sí mismas serían destructivas, una «disminución de tensión», y por tanto, un objetivo de placer. Todo ello podrá ser, en su caso, útil; de todos modos, insistimos, no existe necesidad alguna de añadir a éstos un valor especial estético o —si a uno le hubiera pasado alguna vez por la cabeza— una especial edificación o utilidad estética.

Ninguno de esos fines o valores es específico o propio del arte. En tanto institución, naturalmente, el arte asume un objetivo: el de hacer ejercitar la actitud estética de un modo que no desestabilice nuestra personalidad, permitiéndonos así vivirla más intensamente. Y naturalmente se podrá juzgar si alcanza más o menos bien ese objetivo la institución, tal como ha tomado forma en la historia. Pero el conocimiento, el placer, la edificación o la utilidad de una obra de arte no requieren criterios distintos de aquellos con que se establece el valor cognoscitivo, placentero, moral o práctico de cualquier otro objeto del que se tenga experiencia. Desde ese punto de vista, el concepto de valor estético puede abandonarse a la misma suerte que otras nociones, en un tiempo familiares, como «flogisto», «caballidad» (en filosofía), o —quizá— «literariedad».

La solución expuesta aquí no ofrece, a decir verdad, ninguna sugerencia sobre cómo medir objetivamente los valores. Ni tampoco podría. Al fin y al cabo, somos nosotros los únicos jueces de nuestras experiencias. Pero si nadie ha hallado nunca un criterio para medir la verdad, el placer, la moralidad o la utilidad, no quiere decir que nuestras decisiones sean irracionales; significa simplemente que se trata de un proceso típicamente argumentativo, en el que se enfrentan finalidad, opciones, voluntades diversas en competencia entre sí, presentadas en argumentaciones idóneas para suscitar un consenso motivado a expensas de las demás. Así, cada uno de nosotros pide a la literatura que sea tal o cual cosa; y viceversa, puede bastarnos la *pietas* por el documento, insignificante pero conmovedor, de una civilización amada. El lector profesional puede contentarse con muy poco; para él, con todo, la literatura posee un significado, aunque culturalmente mediatizado. El lector no profesional por lo general es más selectivo y exige una evidencia de significado más directamente perceptible en términos de satisfacción de la imaginación (hasta el límite de la instrumentalización emotiva).

No tiene nada de extraño que ese proceso de «valorización» (Spinazzola 1984) resulte fluido, dominado por la relatividad, la precariedad, la contingencia. Ello no pone en duda la racionalidad fundamental de nuestra conducta, en tanto se halla justificada por objetivos susceptibles de discutirse. Tampoco hay que sorprenderse si en la sociedad contemporánea han decaído los grandes parámetros colectivos que durante siglos han guiado las elecciones y los juicios de valor del público, de los autores, de los críticos. Pero cuando todo se pone en discusión y toda certeza se transforma en duda, hay que debatir, enfrentarse públicamente, proponer hipótesis y someterlas al control intersubjetivo, aunque sea en las formas «no computables» que son propias de toda auténtica indagación intelectual. Suspender el juicio en nombre de un presunto rigor científico significa sólo renunciar a gobernar lo existente. Y más porque, a menudo como los literatos que quieren apropiarse tal rigor cometen el mismo error que aquellos que lo desprecian: tanto unos como otros lo imaginan mucho más estricto de lo que verdaderamente es.

Bɪʙʟɪᴏɢʀᴀꜰíᴀ. Sobre el papel del destinatario en el contacto con la obra se tienen presentes enfoques diversos como el de la escuela de Tartu (Lotman 1970, 1980; Lotman y Uspenskij 1975; Lotman y otros 1979; Ivanov, 1980), con ramificaciones en Mignolo (1978) y en Segre (1985); el de la estética de la recepción (Weinrich 1967; Mayoral 1987b, Jauss 1970b; Iser 1978, 1980 y otros, Holub 1985), el fundado en la teoría de los actos lingüísticos (Pratt, 1977; Fish, 1970-71, 1976a, 1976b, etc.); dos útiles colecciones de ensayos sobre el asunto han sido reunidas por Tompkins (1980) y por Suleiman y Crosman (1980). Véanse también Merola (1978), Di Girolamo (1978) y Brioschi (1983: 57-114). Sobre el secular problema de la relación de arte y conocimiento, así como sobre el problema del valor, la discusión parece estancada desde hace algunos decenios: una aportación casi aislada, pero de gran interés teórico, presenta Goodman (1968: 229-65), cuyas tesis hemos parafraseado libremente aquí; agréguese, en fin, Schmidt (1983: 81-88).

EL SIGNIFICADO DEL ARTE

58. EL ARTE COMO EXPERIENCIA

Entre las adquisiciones más notables del pensamiento estético del siglo XX se halla la idea del arte como comunicación: en este marco, se han abierto nuevas perspectivas de investigación analítica sobre la obra, sobre los modos de su funcionamiento simbólico, sobre las técnicas y los estilos que rigen la creación, así como sobre las expectativas y las convenciones que rigen la lectura. El desarrollo de la lingüística, de la semiótica, de la teoría de la comunicación, ha valorizado de manera decisiva esta línea de investigación y ha enriquecido con metodologías complicadas e inéditas el patrimonio tradicional de instrumentos críticos a disposición de los estudiosos.

El arte es comunicación —y por tanto, es legítimo considerarlo en esta perspectiva—, pero no es, sin embargo, sólo comunicación. Y no porque el mensaje estético sea un mensaje «autorreflector» o «autorreferencial», que pretende comunicarse a sí mismo, como algunas teorías de raíz semiológica gustan de decir. Bien es verdad que no escucho el *Don Juan* de Mozart ni miro *La última cena* de Leonardo para obtener informaciones fidedignas sobre el mundo; pero, como cualquier símbolo, empezando por las palabras del diccionario, una obra nos ayuda a interpretar y modelar el mundo. Muchos sentimientos, como el amor, no serían lo que hoy son, si la literatura no los hubiera analizado durante siglos, proponiendo modelos de comportamiento, peripecias ejemplares, situaciones paradigmáticas. Si no tuviéramos el nombre de la cosa, a menudo la misma cosa se nos escaparía y no sería lo que es para nosotros.

De manera simétrica, como sucede con cualquier símbolo, el mundo ayuda a interpretar y modelar la obra. Difícilmente entendería algo de *Tiempo de silencio* si no supiera que Martín Santos está hablando de Ortega y Gasset sin pronunciar jamás su nombre; y si el universo de Kafka no hallase en alguna zona de mi experiencia cierta resonancia, todo lo que leyese me resultaría impenetrable. Si no tuviera cierta familiaridad con la cosa, en fin, cualquier nombre se quedaría en un puro *flatus vocis*.

Hemos de interpretar, así pues, paralelamente la obra en los términos del mundo y el mundo en los términos de la obra: ambos procedimientos se presuponen recíprocamente. Pero, en este punto, hemos salido del ámbito de la comunicación (en el sentido de «comunicar informaciones») y entrado en el de la experiencia, que, naturalmente, no es comunicación.

En la tesitura de intentar ya una síntesis concluyente rebasando el razonamiento hasta ahora desarrollado, habrá que insistir en primer lugar en la perspectiva a la que remiten muchas de nuestras observaciones: el carácter individualizador de la percepción estética (§ 2) y, al mismo tiempo, la función modelizante de la obra (§ 52); el carácter creativo de la interpretación (§ 54) y, al mismo tiempo, su orientación hacia un objeto que está fuera de nosotros y que hemos de captar en su concreción material (§ 52); todo eso justamente hace de nuestra lectura una experiencia, que, lejos de encontrar su fin en sí misma, a cada paso se juzga según parámetros valorativos, ciertamente heterogéneos y difícilmente definibles, pero no por eso menos relevantes (§§ 3, 57). Desde tal punto de vista, el arte trenza lazos estrechos con nuestra vida psíquica y sus mecanismos profundos; pero a la vez nos enseña a superar el mecanismo elemental de nuestras emociones, ajustándolo a un mundo preexistente. El fantasma que construimos en la imaginación obedece a leyes que no inventamos y, mientras se desenvuelve en un plano existencial, nuestra experiencia también es intelectual. Todo lo que somos capaces de hallar en la obra depende de nosotros, pero en última instancia es exclusivamente suyo. Al tiempo que adquirimos familiaridad con nosotros mismos, estamos dispuestos a escuchar con respeto la palabra de otro. Cuando experimentamos admiración por una obra de arte, nos sorprende porque enlaza la contemplación con la interrogación, un reconocimiento más intenso del yo con la sensación de formar parte de una comunidad que, después de todo, no es tan despreciable si ha sabido crear el *Quijote* o las *Variaciones Goldberg*.

Nada nos asegura, sin embargo, que una experiencia de tal género no esconda también posibilidades negativas. Esa admiración puede ser un simple sucedáneo gratificador y, sin duda, la humanidad a la que remite es por desgracia, en una amplia medida, una ficción. Hay quien ama el arte como otros aman a los animales porque detestan a los propios semejantes. Al revés, cualquier humanismo consolador se arriesga a verse desmentido fácilmente, como en esta definición fulminante de Ambrose Bierce, sacada de su *Diccionario del diablo* (1911): «Inhumano: rasgo típico del ser humano.» Por eso, más allá de toda apología, el arte será en verdad un fermento de nuestra experiencia si le pedimos aquello en lo que debemos convertirnos, no si lo utilizamos para reconciliarnos con lo que somos.

Es un hecho que en la experiencia estética intervienen, de modo a menudo calificativo, factores subconscientes. No sólo ciertos contenidos representativos de la obra hallan correspondencia en ciertos fantasmas interiores más o menos universales, sino que sus propios principios de organización formal revelan a veces analogías sorprendentes con la estructura del subconsciente. Y tras la retórica literaria se trasluce a trechos, la «antilógica» que gobierna el sueño o el lapso. Como el sueño o el lapso, en definitiva, el arte es una «formación de compromiso» (§ 52). Pero, a diferencia del sueño o del lapso, una obra es principalmente un acto de comunicación social: éste es el segundo aspecto sobre el que, a modo de conclusión, querríamos hacer hincapié.

Hablar de comunicación puede parecer, si no contradictorio con todo lo dicho más arriba, al menos un modo de volver al punto de partida. En realidad, ahora el punto de vista es otro, no ya semiótico, sino pragmático: la existencia de un código, venimos a decir, remite a la colectividad que concretamente lo usa; toda convención debe ser compartida por sujetos reales; toda comunicación presupone un comportamiento.

En sustancia, aquello de lo que estamos hablando constituye el aspecto institucional del arte: ante todo se expresa su relación con la sociedad. No se da propiamente arte si no es en sociedades funcionalmente diversificadas; ni es posible identificar a qué nos referimos cuando nos ocupamos de arte o de literatura, si no tenemos en cuenta, además de los objetos literarios o estéticos, las actitudes con que los miramos (§§ 14, 49). Y aquí también, antes aun que los contenidos representativos, son las normas de organización estilística las que toman forma en conexión muy estrecha con la historia de las ideas, de la cultura, de la imaginación colectiva (§§ 24, 36, 46), así como con las condiciones materiales que determinan la actividad literaria o artística (§ 48).

Como la experiencia no puede ser vivida más que por un individuo concreto, la literatura comienza a existir sólo cuando los «factores» de la comunicación —emisor, mensaje, destinatario— se vuelven personas, objetos históricamente reconocibles: autor, obra, lector; y el «canal» se convierte en el libro, el «código», en la tradición, el «contexto», en el mundo, o comoquiera que prefiramos llamarle (§ 4). La condición social y profesional del autor, las vicisitudes de la transmisión y la fisonomía del público, el desarrollo del negocio editorial y de las relaciones jurídicas que regulan la propiedad intelectual, son elementos activos en la creación de la obra y en su disfrute, sobre todo en el plano formal (§ 11).

Desde ese punto de vista, ninguna teoría de la literatura puede prescindir de una sociología del público, del libro, de la actividad literaria en su conjunto. Y sin que hayamos de entregarnos a un análisis estrictamente «inmanente», la estructura «intrínseca» del texto puede constituir el punto de encuentro de disciplinas en apariencia guiadas por premisas opuestas e irreconciliables.

No obstante, todo ello no es aún suficiente. Una institución vive a la luz de la historia, y los comportamientos que nos induce a adoptar son convenciones sociales. Pero este punto de vista, esta cara del fenómeno, se extingue, se difumina espontáneamente en la que le es simétrica o en su complementaria. Por una parte, la experiencia que obtenemos de una obra tiene lugar dentro de convenciones sociales, pero en sí misma es una experiencia existencial. Por otra, la institución ha tomado la forma conocida en la historia, pero sus orígenes nos remontan a un pasado antropológico, anterior a la memoria de la civilización. Sobre ese último aspecto, en fin, quizá merezca la pena reflexionar todavía.

59. Una perspectiva sociológica

En realidad, si se quisiera encontrar a toda costa un carácter verdaderamente específico del arte, habría que buscarlo, paradójicamente, fuera de los lenguajes que fundamentan la producción artística y, en cierto sentido, fuera de la sustancia constitutiva —palabras, formas o sonidos— de las obras, es decir, en el comportamiento de los destinatarios.

Tómese el caso de la literatura. Un texto literario está formado de palabras y representa un acto comunicativo al igual que cualquier otro tipo de comunicación lingüística. Pero la diferencia primordial es que aquí emisores y destinatarios son personas distintas, que desempeñan papeles no intercambiables. Si, de hecho, es verdad que el escritor se dirige a un público o más sencillamente a un interlocutor, no es menos cierto que éste es mudo, en el sentido que no se le permite nunca una respuesta en el mismo plano en que se coloca el escritor. Se echa de menos en la literatura la condición del diálogo, teorizada por Benveniste como «constitutiva de la *persona*, pues implica con reciprocidad que me torne *tú* en la alocución de aquel que por su lado se designa por *yo*», y juzgada por tanto como «la condición fundamental en el lenguaje» (1966: 181); y así la oposición interior/exterior no es invertible. El escritor puede ser, y normalmente es, lector de otros escritores y de sí mismo —y a veces crítico y autocrítico—, mientras que el lector como tal no es escritor. La competencia literaria se distingue de cualquier otro tipo de competencia por consistir de dos capacidades completamente diferentes: la de producir obras literarias y la de entenderlas. Sólo el escritor posee ambas, pero la segunda es una simple consecuencia de su papel de lector. La competencia literaria se realiza, por tanto, al confrontarse dos papeles distintos: escritores y público. Es como si en una comunidad lingüística se reservara el uso de la palabra exclusivamente a ciertos grupos, mientras que el grueso de la población fuera capaz sólo de escuchar: el código es el mismo, pero sólo a unos pocos les está permitido usarlo. La situación es casi paradójica, porque cabe también admitir que la competencia pasiva de ciertos lectores —por ejemplo, de los críticos— supere a la de los escritores, sin que la competencia pasiva, por grande que sea, llegue a convertirse en competencia activa.

Con esto se toca lo que es el rasgo específico por excelencia de la producción literaria. En la literatura sin adjetivos, el texto literario es el producto de un autor, conocido o anónimo. El escritor es un profesional de la escritura, y se le acepta cualquier escrito. Actitud indicativa, pues se acepta a menudo incluso lo que nadie llamaría literario, pero que de algún modo acaba por serlo, una vez sometido a tratamientos de ordinario destinados a los textos literarios: impresión, edición crítica, comentario, etc. Del mismo modo, de los artistas se conservan, se venden, se cuelgan en los museos, toda clase de bosquejos, esbozos, ensayos preparatorios. Por eso el escritor es un tipo especial de escribidor: escribir es su oficio; escribir, publicar, casi siempre ser remunerado —poco o mucho, en oro o en vino— por su actividad. Desde hace algunos milenios, la sociedad delega en los escritores el ejercicio de lo bello, el uso estético del lenguaje, aceptando para sí la función del consumo; y eso con independencia de la dignidad social que se les atribuye y que puede variar desde la del humilde juglar a la del humanista aristocrático.

Más o menos es lo que sucede en cualquier otro arte: desde la pintura a la música y hasta las llamadas artes mixtas. Con la única diferencia importante de que en ciertas artes, y sobre todo en aquellas no comprendidas entre las artes liberales en la Edad Media, la tradición «artesanal» ha resistido por más tiempo y todavía no parece estar totalmente muerta. Por otra parte, se entiende bien que la profesión a tiempo completo del escritor, como la de cualquier otro artista, sólo puede existir en culturas fundadas en la división del trabajo, incluido el lingüístico.

Y lo mismo cabe decir de toda forma de trabajo intelectual. A este propósito, recuérdense las páginas famosas de Gramsci, en las que se atenúa y anula la distinción entre *Homo faber* y *Homo sapiens*: «Cuando se establece el distingo entre intelectuales y no intelectuales, en realidad se está haciendo mención al inmediato ejercico social de la categoría profesional de los intelectuales; es decir, se considera la dirección en que recae el mayor volumen de la actividad profesional: si se produce en energía intelectual o en esfuerzo nervio-muscular. Esto significa que si bien se puede hablar de intelectuales, no podemos referirnos a no intelectuales, porque el no intelectual no existe. Pero la relación entre el esfuerzo de trabajo intelectual-cerebral y el muscular-nervioso, no es siempre uniforme, ya que se presentan diversas calidades de ocupación intelectual. No existe humana facultad de obrar de la que quepa excluir toda intervención intelectual; no se puede separar el *Homo faber* del *Homo sapiens*. En fin, todos los hombres, al margen de su profesión, manifiestan alguna actividad intelectual, y ya sea como *filósofo*, artista u hombre de gusto, participa de una concepción del mundo, observa una consecuente línea de conducta moral y, por consiguiente, contribuye a mantener o a modificar un concepto universal, a suscitar nuevas ideas» (Gramsci: 26). Por otra parte, recientes desarrollos de la estética tienden a rechazar la posibilidad de formular —y delimitar— rigurosamente lo bello; pensamos especialmente en la posición de Goodman (1968: 253-65).

En cualquier caso, estas reflexiones atraen la atención sobre una dialéctica quizá más típica del arte que de cualquier otra actividad intelectual: por una parte, la especialización y la división del trabajo promueven de hecho un dominio mayor de la materia, un progresivo perfeccionamiento técnico, un aumento de las competencias; por otra parte, sin embargo, el arte institucional no podría dejar de confrontarse con aquella estética «diluida» de la que se origina y a veces cobra contenidos y formas. Y probablemente en ello, en el rescate de lo inestético, encuentra el arte moderno un rasgo específico.

Ciertamente no son años, estos en que escribimos, a los que cuadre la utopía. Pero no es una invitación a la utopía, sino una contribución a la comprensión de la realidad presente, recalcar que la problemática de la especificidad del arte —y la misma distinción de funciones entre productores y consumidores— carecería de sentido en una sociedad sin clases y ya no fundada sobre la división del trabajo. Una perspectiva semejante podrá ser tan lejana como se quiera, pero en cierta medida el propio arte contemporáneo prefigura, a distancia, la posibilidad de anular cualquier barrera entre producción y consumo. Una parte conspicua del arte del siglo XX se caracteriza en realidad por haber ideado y realizado productos estéticos que, despojados del intelectualismo del gesto original y provocativo, se distinguen por la simplicidad de sus procedimientos, por la infracción polémica de los códigos más complejos, por su reproductibilidad, en muchos casos a niveles artesanales. Paralelamente, las modernas estéticas y teorías de la literatura han lanzado su mirada más allá del dominio fijado por las instituciones y tradiciones, resaltando que la dimensión estética es un componente ineludible del comportamiento humano. En esas corrientes artísticas y de pensamiento no se valoran tanto sus resultados concretos o sus programas como las tendencias que, más o menos claramente, aquéllas manifiestan y, sobre todo, la apertura hacia aspectos de la realidad tradicionalmente excluidos del tratamiento artístico o literario. Por otra parte, no hay que olvidar que las revoluciones artísticas no bastan para modificar las relaciones entre los hombres y, por tanto, tampoco sirven para cambiar la función del arte en la sociedad.

60. UNA PERSPECTIVA ANTROPOLÓGICA

La obra es un objeto individual e insustituible sometido a uso repetido. Pero, por sí mismo, ser un individuo insustituible no tiene nada de extraño o particular. La cuestión es que el arte invita a repetir lo que es irrepetible, propone como paradigmático —incluso cuando no se da bajo la forma de obra— lo que es singular. Por ahí se revelan sus raíces hundidas en la dimensión arcaica del ritual.

Como individual e insustituible, entre otros rasgos, caracterizaba Benjamin (1936) la «aureola» de la obra de arte, enlazándola de manera justa con un origen mágico-simbólico. La otra propiedad, decisiva, es la lejanía, la incomensurabilidad con el tiempo y el espacio reales. A su juicio, sin embargo, a la edad moderna le corresponde dejar a sus espaldas esa condición, liberando el arte de todo halo sagrado. El artista contemporáneo tiene su prototipo en el poeta de que habla Baudelaire, que al atravesar la calle pierde la «aureola» y la abandona en el fango (Benjamin 1939: 74-76). La multitud, la ciudad, la vida de la metrópoli industrial, el horizonte del mercado capitalista, al que corresponde el surgimiento paulatino de artes reproductibles técnicamente (fotografía y cine), destinadas orgánicamente a un público de masas: a todo eso, según Benjamin, va ligada la decadencia del valor «cultural» para ventaja del valor «expositivo» de la obra.

El «arte» mágico-religioso, explica Benjamin, en rigor podía incluso no ser visto: lo que cuenta es que la incisión rupestre o la estatua sacra en el templo *esté*, estableciendo una relación con la divinidad y no necesariamente con el «público». La época de la reproductibilidad técnica exalta, en cambio, la disponibilidad del objeto a ser disfrutado en cualquier lugar y momento. A diferencia del cuadro, la fotografía no es prisionera de un *hic et nunc* definido, de un tiempo y un espacio rituales, no plantea problemas de autenticidad, vive en la vecindad o, como habría dicho Bajtín, en la «esfera del contacto familiar» (§ 46). El autor deja de representarse como un profeta o un «exponente del espíritu» y se convierte en un «productor»: a la recepción en el recogimiento o la veneración, análogamente, sucede la «recepción en la distracción» (Benjamin 1934; 1936).

Se pone de relieve aquí la presencia de una problemática intrínseca al pensamiento de Benjamin: la idea de una vanguardia racionalista, que sepa aprovechar las nuevas posibilidades ofrecidas por la técnica y la industria, desvinculando sin prejuicios el arte de toda connotación mítica para asignarlo a un secularismo integral. Es una invitación a aceptar el desafío del mundo moderno, un mundo ya desacralizado, a punto de ser conquistado por un hombre, dueño plenamente de sí, que asimismo haya sabido emanciparse de la explotación de clase.

Al margen de esta problemática militante y de las respuestas que cada uno pueda darle, el proceso descrito por Benjamin aparece menos lineal e irreversible de lo que se desprende de su análisis (que, por lo demás, en una consideración de conjunto de su obra, resultaría bastante más ambiguo). La pérdida de la aureola está lejos de ser un hecho consumado. Tampoco se trata sólo de establecer si las previsiones de Benjamin se han verificado o no. Lo que interesa desde un punto de vista teórico es que la noción de «aureola» puede reconstruirse sin dificultad y justificarse racionalmente.

Tal como hemos visto, el carácter insustituible, la individualidad o, en términos de Benjamin, la singularidad del objeto estético, derivan del sistema simbólico en que lo colocamos (§§ 2, 52). Su uso paradigmático o repetido se somete cada vez a un control y a una discusión que lo legitima en términos de valor (§ 3, 57). Ciertamente, como decía Goethe, «todo lo que ha ejercido una gran influencia ya no puede, en realidad, ser juzgado»; pero la conciencia histórica, en definitiva, no es necesariamente una forma de misticismo. La lejanía ritual de la obra, asumida como emblema dentro de la dimensión estética, está mediatizada por convenciones, reducida a la experiencia, reabsorbida en la viva interacción de los sujetos. Y, finalmente, el contacto familiar con el arte tiene que ver tanto con la competencia y la educación del lector como con la reproductibilidad técnica de los objetos estéticos.

Queda, sin embargo, un residuo, que difícilmente puede eliminarse ni siquiera en una perspectiva de radical democracia literaria. Ciertamente, el autor no es un sacerdote, igual que el lector no es un juez en el sentido legal del término. A pesar de todo, si se coloca la literatura en el umbral entre un uso repetido ritual y uno mundano, no traspasa ese umbral por entero. A diferencia de la filosofía o de la ciencia, su ideal normativo no es la superación del uso repetido. La imposibilidad de superarlo no es sólo una desdichada incapacidad de orden práctico, que permite actuar (ideal y provisionalmente) como si no existiera. No, la literatura asume como propia la condición del uso repetido; hace de él su reino y su divisa.

Con toda probabilidad, desde ese punto de vista el arte sigue remitiendo a una condición antropológica «arcaica», a un tiempo humano diferente del de la revolución industrial, tecnológica o informática. Pero no hemos de dejarnos engañar por la modernidad como «superación» y la ciencia como crecimiento del conocimiento o conquista progresiva de fronteras cada vez más avanzadas. Esta representación, que la aceleración de la historia ha transformado en una nueva condición antropológica, no reduce el pasado a mera arqueología ni lo anula dentro de nosotros. En todo caso, valora sus términos según modalidades nuevas; y, a su vez, espera ser interpretada en aquellos términos. Como acostumbran a decir los historiadores, nuestra experiencia se obtiene simultáneamente en tiempos distintos, que se superponen y no se eliden: el tiempo biológico, existencial, psicológico, natural, no sólo el de la historia, del trabajo, de la sociedad; el tiempo de lo permanente y de lo efímero, no sólo el de la mudanza y la acumulación. El arte vive ante nosotros en este entramado y nos da testimonio de ello.

BIBLIOGRAFÍA. Algunos puntos de referencia general para los problemas tratados en esta sección podrán hallarse en Dewey (1934), Schmidt (1979) y en los ensayos citados de Benjamin. El § 59 replantea algunas conclusiones de Di Girolamo (1978), condensando las páginas finales. Sobre aspectos particulares de la relación de estética y antropología, véase Carchia y Salizzoni (1980).

BIBLIOGRAFÍA

Abrams, Meyer H.
  1953 *El espejo y la lámpara. La teoría romántica y la tradición crítica*, trad. del ing., Barcelona, Barral, 1975.
Acutis, Cesare (ed.)
  1978 *Insegnare la letteratura*, Parma, Pratiche.
Agosti, Stefano
  1972 *Il testo poetico. Teoria e pratiche d'analisi*, Milán, Rizzoli.
Aguiar e Silva, Vítor Manuel de
  1967 *Teoría de la literatura*, trad. del port., Madrid, Gredos, 1972.
  1977 *Competencia lingüística y competencia literaria*, trad. del port., Madrid, Gredos, 1980.
Alonso, Dámaso
  1950 *Poesía española. Ensayo de métodos y límites estilísticos*, Madrid, Gredos, 1966.[5]
Armisén, Antonio
  1982 *Estudios sobre la lengua poética de Boscán. La edición de 1543*, Zaragoza, Universidad de Zaragoza.
Asor Rosa, Alberto (ed.)
  1982 ss. *Letteratura italiana*, vol. I y ss., Turín, Einaudi.
Auerbach, Erich
  1946 *Mimesis. La representación de la realidad en la literatura occidental*, trad. del al., México, Fondo de Cultura Económica, 1950.
  1958 *Lenguaje literario y público en la Baja Latinidad y en la Edad Media*, trad. del al., Barcelona, Seix Barral, 1969.
Austin, John L.
  1962 *Palabras y acciones. Cómo hacer cosas con las palabras*, trad. del ing., Barcelona, Paidós, 1971.
Avalle, d'Arco Silvio
  1970 *Formalismo y estructuralismo. El análisis literario en Italia*, trad. del it., Madrid, Cátedra, 1974.
  1972 *Principi di critica testuale*, Padua, Antenore.
  1974 *La poesia nell'attuale universo semiologico*, Turín, Giappichelli.
  1975 *Modelli semiologici nella «Commedia» di Dante*, Milán, Bompiani.
Baehr, Rudolf
  1962 *Manual de versificación española*, trad. del al., Madrid, Gredos, 1970.
Bajtín, Mijail
  1929 *Problemas de la poética de Dostoievski*, trad. de la 2.ª ed. rusa (1963), México, Fondo de Cultura Económica, 1986.

1934-1935 «Du discours romanesque», en Batjín (1978: 83-233).
1941 «Récit épique et roman (Méthodologie de l'analyse du roman)», ponencia leída e inédita hasta 1970, en Batjín (1978: 441-73).
1965 *La cultura popular en la Edad Media y en el Renacimiento. El contexto de François Rabelais* (1.ª redacción, no publicada, 1940), trad. del ruso, Barcelona, Barral, 1974.
1978 *Esthétique et roman*, ensayos (1924-1970), trad. del ruso, París, Gallimard (hay trad. cast.: *Problemas literarios y estéticos*, La Habana, Editorial Arte y Literatura, 1986).

Bal, Mieke
1977 *Teoría de la narrativa (Una introducción a la narratología)*, trad. del fr., Madrid, Cátedra, 1985.

Balbín, Rafael de
1968 *Sistema de rítmica castellana*, Madrid, Gredos (2.ª ed. aum.).

Balduino, Armando
1979 *Manuale di filologia italiana*, Florencia, Sansoni.

Banfi, Antonio
1962 *Filosofia dell'arte*, ed. D. Formaggio, Roma, Editori Riuniti.

Barthes, Roland
1980 *La chambre claire*, París, Gallimard.

Barthes, R., A. J. Greimas, C. Bremond, U. Eco, J. Gritti, V. Morin, Ch. Metz, Tz. Todorov, G. Genette
1966 *El análisis del relato*, trad. del fr., Buenos Aires, Tiempo Contemporáneo, 1970.

Bateson, Gregory
1972 «A Theory of Play and Fantasy», en *Steps to an Ecology of Mind*, Londres, Intertext, pp. 177-93.

Battaglia, Salvatore
1968 *Mitografia del personaggio*, Milán, Rizzoli.

Beccaria, Gian Luigi
1975 *L'autonomia del significante. Figure del metro e della sintassi in Dante, Pascoli, D'Annunzio*, Turín, Einaudi.

Bédier, Joseph
1893 *Les fabliaux. Études de littérature populaire et d'histoire littéraire du Moyen Âge*, París, Champion, 1969[5].

Beltrami, Pietro G.
1981 *Metrica poetica, metrica dantesca*, Pisa, Pacini.

Benjamin, Walter
1923 «La tarea del traductor», en Benjamin (1971: 127-144).
1934 «El autor como productor», en Benjamin (1975: 117-134).
1936 «Sobre algunos temas en Baudelaire», en Benjamin (1971: 27-76).
1939 «La obra de arte en la época de su reproductibilidad técnica», en Benjamin (1973: 15-60).
1971 *Angelus novus*, ensayos trad. del al., Barcelona, Edhasa.
1973 *Discursos interrumpidos*, I, ensayos trad. del al., Madrid, Taurus.

1975 *Tentativas sobre Brecht. Iluminaciones, III,* ensayos trad. del al., Madrid, Taurus.

Benveniste, Emile
1966 *Problemas de lingüística general,* trad. del fr., México, Siglo XXI, 1971.

Berardinelli, Alfonso
1983 *Il critico senza mestiere. Saggi sulla letteratura oggi,* Milán, Il Saggiatore.
1986 «La critica come saggistica», en di Girolamo y otros (1986: 39-77).

Berengo, Marino
1980 *Intellettuali e librai nella Milano della Restaurazione,* Turín, Einaudi.

Berruto, Gaetano
1974 *La sociolingüística,* trad. del it., México, Nueva Imagen, 1979.
1981 «Tipologia dei testi e analisi degli atti comunicativi», en Goldin (1981: 29-46).

Bertinetto, Pier Marco
1973 *Ritmo e modelli ritmici. Analisi computazionale delle funzioni periodiche nella versificazione dantesca,* Turín, Rosenberg & Sellier.

Blecua, Alberto
1983 *Manual de crítica textual,* Madrid, Castalia.

Bloom, Harold
1973 *La angustia de las influencias,* trad. del ing., Caracas, Monte Ávila, 1977.
1975 *A Map of Misreading,* Nueva York, Oxford University Press.

Bollati, Giulio
1983 *L'italiano,* Turín, Einaudi.

Booth, Wayne Clayson
1961 *La retórica de la ficción,* trad. del ing., Barcelona, A. Bosch, 1974.

Bourneuf, Roland y Réal Ouellet
1972 *La novela,* trad. del fr., Barcelona, Ariel, 1975.

Bousoño, Carlos
1953 *Teoría de la expresión poética,* Madrid, Gredos, 1976[6], 2 vols.

Bradbury, Malcolm y David Palmer (eds.)
1970 *Crítica contemporánea,* trad. del ing., Madrid, Cátedra, 1974.

Brambilla Ageno, Franca
1975 *L'edizione critica dei testi volgari,* Padua, Antenore.

Bremond, Claude
1973 *La logique du récit,* París, Seuil.

Brik, Osip
1927 «Metro y sintaxis», trad. del ruso en Todorov (1978[3]: 107-14).

Brioschi, Franco
1983 *La mappa dell'impero. Problemi di teoria della letteratura,* Milán, Il Saggiatore.

1986 «La questione della storia letteraria», en Di Girolamo y otros (1986: 79-133).

Burke, Kenneth
1950 *A Rhetoric of Motives*, Berkeley y Los Ángeles, University of California Press, 1969.

Butor, Michel
1969 *Essais sur le roman*, París, Gallimard (varios ens. trad. del fr. en *Sobre literatura*, II, Barcelona, Seix Barral, 1967).

Caillois, Roger
1942 *Puissances du roman*, Marsella, Saggitaire.
1948 *Babel*, París, Gallimard.

Calvino, Italo
1980 *Punto y aparte. Ensayos sobre literatura y sociedad* (1955-1978), trad. del it., Barcelona, Bruguera, 1983.

Campbell, James
1956 *El héroe de las mil caras. Psicoanálisis del mito*, trad. del ingl., México, Fondo de Cultura Económica, 1959.

Canepari, Luciano
1979 *Introduzione alla fonetica*, Turín, Einaudi.

Canziani, A., K. Elam, R. Guiducci, P. Gulli-Pugliatti, T. Kemeny, M. Pagnini, R. Rutelli, A. Serpieri
1978 *Come comunica il teatro: dal testo alla scena*, Milán, Il Formichiere.

Carchia, Gianni y Roberto Salizzoni (eds.)
1980 *Estetica e antropologia. Arte e communicazione dei primitivi*, Turín, Rosenberg & Sellier.

Cavallo, Guglielmo (ed.)
1975 *Libri, editori e pubblico nel mondo antico*, Bari, Laterza.
1977 *Libri e lettori nel medioevo*, Bari, Laterza.

Chabrol Claude (ed.)
1973 *Sémiotique narrative et textuelle*, París, Larousse.

Chase, Richard
1957 *La novela norteamericana*, trad. del ing., Buenos Aires, Sur, 1958.

Chatman, Seymour
1965 *A Theory of Meter*, La Haya, Mouton.
1978 *Story and Discourse. Narrative Structure in Fiction and Film*, Ithaca-Londres, Cornell University Press.

Chatman, Seymour (ed.)
1971 *Literary Style: A Symposium*, Oxford, Oxford University Press.

Chaytor, H. J.
1945 *From Script to Print*, Cambridge, Cambridge University Press.

Chiarini, Giorgio
1970 «Osservazioni sulla tecnica poetica del *Cantar de Mio Cid*», *Lavori Ispanistici*, serie II, pp. 7-45.

Círculo Lingüístico de Praga (B. Havránek. R. Jakobson, V. Mathesius, J. Mukařovský, N. S. Trubetzkoy y otros)

1929 «Tesis», en *El círculo de Praga*, ed. J. Argente, trad. del fr., Barcelona, Anagrama, 1972, pp. 30-63.

Cohen, Jean
1966 *Estructura del lenguaje poético*, trad. del fr., Madrid, Gredos, 1970.

Conte, Maria-Elisabeth (ed.)
1977 *La linguistica testuale*, Milán, Feltrinelli.

Contini, Gianfranco
1961 «Esperienze di un antologista del Duecento poetico italiano», en *Studi e problemi di critica testuale*, ed. R. Spongano, Bolonia, Commissione per i testi di lingua, pp. 241-72.
1965 «Una interpretazione di Dante», reimpr. en Contini (1970: 369-405).
1970 *Varianti e altra linguistica. Una raccolta di saggi*, Turín, Einaudi.
1974 *Esercizi di lettura. Nuova edizione aumentata di «Un anno di letteratura»*, Turín, Einaudi.
1977 «Filologia», entr. de la *Enciclopedia del Novecento*, Roma, Istituto dell'Enciclopedia Italiana, 1977 ss., II, pp. 954-72.

Copi, Irving M.
1961 *Introducción a la lógica*, trad. del ingl., Buenos Aires, Eudeba, 1962.

Cornulier, Benoît de
1982 *Théorie du vers. Rimbaud, Verlaine, Mallarmé*, París, Seuil.

Corti, Maria
1976 *Principi della comunicazione letteraria*, Milán, Bompiani.

Corti, Maria y Cesare Segre (eds.)
1970 *I metodi attuali della critica in Italia*, Turín, ERI.

Cremante, Renzo y Mario Pazzaglia (eds.)
1973 *La metrica*, Bolonia, Il Mulino.

Croce, Benedetto
1902 *Estética como ciencia de la expresión y lingüística general*, trad. del it., Madrid, Beltrán, 1912.
1936 *La poesía*, trad. del it., Buenos Aires, Emecé, 1954.

Culler, Johnathan
1975 *La poética estructuralista*, trad. del ing., Barcelona, Anagrama, 1978.

Curtius, Ernst Robert
1947 *Literatura europea y Edad Media latina*, trad. del al., México, Fondo de Cultura Económica, 1955.

Dalla Chiara Scabia, Maria Luisa
1974 *Lógica*, trad. del it., Barcelona, Labor, 1975.

Dällenbach, Lucien
1977 *Le récit spéculaire. Essai sur la mise en abyme*, París, Seuil.

Debenedetti, Giacomo
1971 *Il romanzo del Novecento* (ensayos 1960-1966), Milán, Garzanti.
1977 *Personaggi e destino*, Milán, Il Saggiatore.

De Mauro, Tullio
 1982 *Minisemantica*, Bari, Laterza.
Devoto, Daniel
 1980-1982 «Leves o aleves consideraciones sobre lo que es el verso»,
     en *CLHM*, 5 y 7.
Dewey, John
 1934 *El arte como experiencia*, trad. del ing., México-Buenos Aires,
     Fondo de Cultura Económica, 1949.
Díez Borque, José M.ª y Luciano García Lorenzo (eds.)
 1975 *Semiología del teatro*, Barcelona, Planeta.
Díez Borque, José M.ª (ed.)
 1985 *Métodos de estudio de la obra literaria*, Madrid, Taurus.
Díez Echarri, José M.ª
 1970 *Teorías métricas del Siglo de Oro*, Madrid, CSIC.
Di Girolamo, Costanzo
 1976 *Teoria e prassi della versificazione*, Bolonia, Il Mulino, 1983².
 1978 *Teoría crítica de la literatura*, trad. del it., Barcelona, Crítica,
     1982.
Di Girolamo, Costanzo, Alfonso Berardinelli, Franco Brioschi
 1986 *La ragione critica. Prospettive nello studio della letteratura*, Tu-
     rín, Einaudi.
Di Girolamo, Costanzo e Ivano Paccagnella (eds.)
 1982 *La parola ritrovata. Fonti e analisi letteraria*, Palermo, Sellerio.
Dionisotti, Carlo
 1967 *Geografia e storia della letteratura italiana*, Turín, Einaudi,
     1980³.
Dittmar, Norbert
 1973 *Manuale di sociolinguistica*, trad. del al., Bari, Laterza, 1978.
Domínguez Caparrós, José
 1985 *Diccionario de métrica española*, Madrid, Paraninfo.
Dubrow, Heather
 1982 *Genre*, Londres, Methuen.
Dufrenne, Mikel
 1981 «L'arte e le arti», en Dufrenne y Formaggio (1981: II, 149-55)
Dufrenne, Mikel y Dino Formaggio (eds.)
 1981 *Trattato di estetica*, Milán, Mondadori.
Duvignaud, Jean
 1965 *Sociología del teatro*, trad. del fr., México, Fondo de Cultura
     Económica, 1966.
Eagleton, Terry
 1983 *Literary Theory. An Introduction*, Oxford, B. Blackwell.
Eco, Umberto
 1962 *Obra abierta*, trad. del it., Barcelona, Seix Barral, 1965.
 1976 *Il superuomo di massa. Studi sul romanzo popolare*, Milán, Co-
     operativa scrittori.
 1979 *Lector in fabula. La cooperación interpretativa en el texto na-
     rrativo*, trad. del it., Barcelona, Lumen, 1981.

EFF
1976 *Enciclopedia Feltrinelli-Fischer: Letteratura*, ed. Gabriele Scara-
      muzza, 2 vols., Milán, Feltrinelli.
Elam, Keir
1980 *The Semiotics of Theatre and Drama*, Londres, Methuen.
Eliot, T. S.
1920 *The Sacred Wood*, Londres, Methuen.
Enzensberger, Hans Magnus
1977 «Una modesta proposta per difendere la gioventú dalle opere di
      poesia», reimpr. en *Sulla piccola borghesia*, trad. del al., Milán,
      Il Saggiatore, 1983, pp. 15-26.
EPP
1965 *Princeton Encyclopedia of Poetry and Poetics*, ed. Alex Premin-
      ger, Princeton, Princeton University Press.
Erlich, Victor
1964 *El formalismo ruso*, trad. del ing., Barcelona, Seix Barral,
      1974.
Escarpit, Robert
1973 *Escritura y comunicación*, trad. del fr., Madrid, Castalia, 1975.
Faral, Edmond
1924 *Les arts poétiques du XIIe et du XIIIe siècle*, París, Champion.
Febvre, Lucien y Henri-Jean Martin
1958 *La aparición del libro*, trad. del fr., México, Uteha, 1962.
Fernández, Pelayo H.
1971 *Estilística. Estilo-figuras estilísticas-tropos*, Madrid, J. Porrúa Tu-
      ranzas, 1981[5].
Ferroni, Giulio (ed.)
1981 *La semiotica e il doppio teatrale*, Napoli, Liguori.
Feyerabend, Paul
1975 *Tratado contra el método*, trad. del ing., Madrid, Tecnos, 1981.
1978 «Teatro come critica ideologica. Poscritto 1977», trad. del al., en
      Feyerabend (1983: 175-89).
1978 «*La struttura delle rivoluzioni scientifiche* di Kuhn. Consolazioni
      per lo specialista», trad. del al., en Feyerabend (1978: 193-251).
1983 *Il realismo scientifico e l'autorità della scienza*, ensayos trad. del
      al. y del ing., Milán, Il Saggiatore.
Finnegan, Ruth
1977 *Oral Poetry*, Cambridge, Cambridge University Press.
Fish, Stanley E.
1970-1971 «Literature in the Reader: Affective Stylistics», reimpr. en
      Fish (1980: 21-67).
1973-1974 «How Ordinary is Ordinary Language?», reimpr. en Fish
      (1980: 97-111).
1976a «Interpreting the *Variorum*», reimpr. en Fish (1980: 174-81).
1976b «How to Do Things with Austin and Searle: Speech Act Theory
      and Literary Criticism», reimpr. en Fish (1980: 197-245).
1980 *Is There a Text in This Class? The Authority of Interpretive
      Communities*, Cambridge, Mass., Harvard University Press.

Florescu, Vasile
1960 *La retorica nel suo sviluppo storico*, Bolonia, Il Mulino, 1971.
Fokkema, Douwe y Elrud Kunne-Ibsch
1977 *Teorías de la literatura del siglo XX*, trad. del ing., Madrid, Cátedra, 1981.
Formaggio, Dino
1973 *Arte*, trad. del it., Barcelona, Labor, 1976.
Forster, Edward M.
1927 *Aspectos de la novela*, trad. del ing., Madrid, Debate, 1983.
Fortini, Franco
1966 «Le due avanguardie», en *Avanguardia e neoavanguardia*, ed. G. Ferrata, Milán, Sugar, pp. 1-21.
1974 *Saggi italiani*, Bari, De Donato.
1979 «Letteratura», en *Saggi italiani*, Milán, Garzanti, 1987. .
Fowler, Alastair
1982 *Kinds of Literature: An Introduction to the Theory of Genres and Modes*, Oxford, Clarendon Press.
Fowler, Roger
1977 *Linguistics and the Novel*, Londres, Methuen.
1981 *Literature as Social Discourse. The Practice of Linguistic Criticism*, Londres, Batsford Academic and Educational.
Fränkel, Hermann
1964 *Testo critico e critica del testo*, trad. del al., Florencia, Le Monnier, 1983[2].
Friedman, Melvin
1955 *Stream of Consciousness: A Study in Literary Method*, New Haven, Yale University Press.
Friedrich, Hugo
1956 *La estructura de la lírica moderna*, trad. del al., Barcelona, Seix Barral, 1958.
Fry, Paul H.
1983 *The Reach of Criticism: Method and Perception in Literary Theory*, New Haven, Yale University Press.
Frye, Northrop
1957 *Anatomía de la crítica*, trad. del ing., Caracas, Monte Ávila, 1977.
1963 *The Well-Tempered Critic*, Bloomington, Indiana University Press.
1965 «Verse and Prose», en *EEP*, pp. 885-90.
Fubini, Mario
1962 *Métrica y poesía*, trad. del it., Barcelona, Planeta, 1970.
García Berrio, Antonio
1973 *Significado actual del formalismo ruso*, Barcelona, Planeta.
Garrido Gallardo, Miguel A. (ed.)
1988 *Teoría de los géneros literarios*, Madrid, Arco/Libros.
Garvin, Paul L. (ed.)
1964 *A Prague School Reader on Esthetics, Literary Structure and Style*, Washington, Georgetown University Press.

Genette, Gérard
    1966   *Figuras. Retórica y estructuralismo*, trad. del fr., Córdoba (Argentina), Nagelkop, 1970.
    1972   *Figures III*, París, Seuil.
    1979   *Introduction à l'architexte*, París, Seuil.
Geninasca, Jacques
    1973   *Les Chimères de Nerval*, París, Larousse.
Genot
    1967   «Strutture narrative della poesia italiana», *Paragone*, XVIII: pp. 35-52.
Getto, Giovanni
    1942   *Storia delle storie letterarie*, Florencia, Sansoni, 1969².
Giglioli, Pier Paolo (ed.)
    1973   *Language and Social Context*, Harmondsworth, Penguin.
Girard, René
    1961   *Mentira romántica y verdad novelesca*, trad. del fr., Barcelona, Anagrama, 1985.
Goffman, Erving
    1974   *Frame Analysis*, Harmondsworth, Penguin.
Goldin, Daniela (ed.)
    1981   *Teoria e analisi del testo*, Padua, CLEUP.
Goldmann, Lucien
    1955   *El hombre y lo absoluto*, trad. del fr., Barcelona, Península, 1968.
    1964   *Para una sociología de la novela*, trad. del fr., Madrid, Ayuso, 1975².
Goodman, Nelson
    1968   *Los lenguajes del arte*, trad. del ing., Barcelona, Seix Barral, 1976.
Gorni, Guglielmo
    1984   «Le forme primarie del testo poetico», en A. Asor Rosa (1982 ss.: III/1, 439-518).
Gramsci, Antonio
    CC   *Cuadernos de la cárcel* (1929-35), trad. del it., 6 vols., México, Juan Pablos, 1975-1980 (las citas en el texto se sacan, sin embargo, de su antología *La formación de los intelectuales*, Barcelona, Grijalbo, 1974²).
Greimas, A. J.
    1973   «Les actants, les acteurs et les figures», en Chabrol (1973: 161-76).
Grupo μ (J. Dubois, F. Edeline, J. M. Klienkenberg, P. Minguet, F. Pire, H. Trinon)
    1970   *Retórica general*, trad. del fr., Barcelona, Paidós, 1987.
Guillén, Claudio
    1985   *Entre lo uno y lo diverso. Introducción a la literatura comparada*, Barcelona, Crítica.
Gullón, Germán y Agnes (eds.)
    1974   *Teoría de la novela*, Madrid, Taurus.

Hall, John
1979   *Sociology of Literature*, Londres, Longmans.
Hallyn, Ferdinand (ed.)
1980   *Onze études sur la mise en abyme*, Gante, *Romanica Gandensia*, XVII.
Hamburger, Käte
1957   *Logique des genres littéraires*, trad. del al., París, Seuil, 1986.
Hamon, Philippe
1972   «Pour un statut sémiologique du personnage», en R. Barthes y otros, *Poétique du récit*, París, Seuil, 1977, pp. 115-80.
Hanson, Norwood R.
1958   *Patrones de descubrimiento. Observación y explicación*, trad. del ing., Madrid, Alianza, 1985[2].
Havelock, Eric y Jackson P. Hershbell (eds.)
1978   *Communication Arts in the Ancient World*, Nueva York, Hastings.
Heidegger, Martin
1936   «El origen de la obra de arte», en *Arte y poesía*, trad. del al., México, FCE, 1958, pp. 37-123.
Hempfer, K. W.
1973   *Gattungstheorie*, Munich, Fink.
Henríquez Ureña, Pedro
1920   «La versificación irregular en la poesía castellana», en Henríquez Ureña (1961: 19-251).
1961   *Estudios de versificación española*, Buenos Aires, Universidad.
Hirsch, E. D.
1967   *Validity in Interpretation*, New Haven, Yale University Press.
Hjelmslev, Louis.
1943   *Prolegómenos para una teoría del lenguaje*, trad. del danés, Madrid, Gredos, 1968.
Holub, Robert C.
1984   *Reception Theory. A Critical Introduction*, Nueva York, Methuen.
Howson, Colin (ed.)
1976   *Method and Appraisal in the Physical Sciences*, Cambridge, Cambridge University Press.
Hrushovski, Benjamin
1960   «On Free Rhytms in Modern Poetry», en Sebeok (1960: 173-90).
Hudson, Richard A.
1980   *La sociolingüística*, trad. del ing., Barcelona, Anagrama, 1981.
Hymes, Dell
1974   *Foundations of Sociolinguistics*, Londres, Tavisctock.
Iser, Wolfgang
1972   *The Implied Reader*, trad. del al., Baltimore, Johns Hopkins University Press, 1974.
1976   *El acto de leer. Teoría del efecto estético*, trad. del al. y del ing., Madrid, Taurus, 1987.

1980   «Interaction between Text and Reader», en Suleiman y Crosman (1980: 106-19).

Ivanov, V. V., J. M. Lotman, A. M. Pjatigorskij, N. V. Toporov, B. A. Uspenskij.
1980   *Tesi sullo studio semiotico della cultura*, trad. del ruso, Parma, Pratiche, 1980.

Jakobson, Roman
1921   «Fragments de *La nouvelle poésie russe*», trad. del ruso en Jakobson (1973: 11-24).
1933-1934   «Qu'est-ce que la poésie?», trad. del checo en Jakobson (1973: 113-26).
1956   «Dos aspectos del lenguaje y dos tipos de afasia», trad. del ing. en R. Jakobson y M. Halle, *Fundamentos del lenguaje*, Madrid, Ciencia Nueva, 1967, pp. 71-102.
1959   «En torno a los aspectos lingüísticos de la traducción», trad. del ing. en Jakobson (1963: 67-77).
1960   «Lingüística y poética», trad. del ing. en R. Jakobson (1975: 347-95) y, en forma de libro, *Lingüística y poética*, Madrid, Cátedra, 1981.
1973   *Questions de poétique*, ensayos (1919-1972), trad. del ruso, checo, ing., al. (con ensayos originariamente en fr.), París, Seuil. Parcialmente traducido en Jakobson (1977).
1975   *Ensayos de lingüística general*, trad. del fr. (1963), Barcelona, Seix Barral.
1977   *Ensayos de poética*, México, FCE.

Jakobson, Roman y Paolo Valesio
1966   «*Vocabulorum constructio* en el soneto de Dante "Se vedi li occhi miei"», trad. cast. en R. Jakobson (1977: 31-52).

Jauss, Hans Robert
1967   «La historia de la literatura como provocación de la ciencia literaria», trad. del al. en *Jauss* (1976: 133-211).
1970a   «Littérature médievale et théorie des genres», *Poétique*, I: 79-101.
1970b   *Literatura como provocación*, trad. del al., Barcelona, Península, 1976.
1977   *Experiencia estética y hermenéutica literaria*, trad. del al., Madrid, Taurus, 1986.

Jolles, André
1930   *Formes simples*, trad. del al., París, Seuil, 1972.

Kermode, Frank
1967   *El sentido de un final. Estudios sobre la teoría de la ficción*, trad. del ing., Barcelona, Gedisa, 1983.

Kibédi-Varga, Aron (ed.)
1981   *Théorie de la littérature*, París, Picard.

Koestler, Arthur
1964   *The Act of Creation*, Londres, Picador, 1977.

Kuhn, Thomas S.
    1962   *La estructura de las revoluciones científicas*, trad. del ing., Mé-
           xico, FCE, 1971.
Labov, William
    1972   *Language in the Inner City*, University Park, University of
           Pennsylvania Press.
Lakatos, Imre y Alan Musgrave (eds.)
    1970   *La crítica y el desarrollo del conocimiento*, trad. del ing., Barce-
           lona, Grijalbo, 1975.
Lanham, Richard A.
    1968   *A Handlist of Rhetorical Terms*, Berkeley y Los Ángeles, Univer-
           sity of California Press.
Lausberg, Heinrich
    1949   *Elementos de retórica literaria*, trad. de la 2.ª ed. al. (1963),
           Madrid, Gredos, 1975.
    1960   *Manual de retórica literaria*, trad. del al., Madrid, Gredos, 1966,
           3 vols.
Lázaro Carreter, Fernando
    1953   *Diccionario de términos filológicos*, Madrid, Gredos, 1968[3].
    1966   «Los sonetos de fray Luis de León», en Lázaro Carreter y Correa
           Calderón (1974: 154-67).
    1971   «Función poética y verso libre», en Lázaro Carreter (1976a: 51-
           62).
    1972   «La poética del arte mayor castellano», en Lázaro Carreter
           (1976a: 75-111).
    1976a *Estudios de poética (la obra en sí)*, Madrid, Taurus.
    1976b «El mensaje literal», en Lázaro Carreter (1980: 149-71).
    1976c «La literatura como fenómeno comunicativo», en Lázaro Carre-
           ter (1980: 173-92).
    1980   *Estudios de lingüística*, Barcelona, Crítica.
Lázaro Carreter, Fernando y Evaristo Correa Calderón.
    1974   *Cómo se comenta un texto literario*, Madrid, Cátedra.
Levin, Samuel R.
    1971   «The Conventions of Poetry», en Chatman (1971: 177-96).
Lewis, David K.
    1969   *Conventions: A Philosophical Study*, Cambridge, Mass., Harvard
           University Press.
Limentani, Alberto y Marco Infurna (eds.)
    1986   *L'epica*, Bolonia, Il Mulino.
Linsky, Leonard (ed.)
    1971   *Reference and Modality*, Londres, Oxford University Press.
Longhi, Silvia
    1979   «Il tutto e le parti nel sistema di un canzionere», *Strumenti critici*,
           39-40: 265-300.
López Casanova, Arcadio y Eduardo Alonso
    1982   *Poesía y novela (Teoría, método de análisis y práctica textual*,
           Valencia, Bello.

López Estrada, Francisco
1969   *Métrica española del siglo XX*, Madrid, Gredos.
Lo Piparo, Franco
1974   *Linguaggi, macchine e formalizzazione*, Bolonia, Il Mulino.
Lord, Albert B.
1960   *The Singer of Tales*, Nueva York, Atheneum, 1973[2].
1965   «Oral Poetry», en *EEP*, pp. 591-93.
Lotman, Juri M.
1970   *La estructura del texto artístico*, trad. del ruso, Madrid, Istmo, 1975.
1973   «I due modelli della comunicazione nel sistema della cultura», en Lotman y Uspenskij (1975: 111-33).
1980   *Testo e contesto. Semiotica dell'arte e della cultura*, trad. del ruso, Bari, Laterza.
Lotman, Jurij y Boris A. Uspenskij
1975   *Tipologia della cultura*, trad. del ruso, Milán, Bompiani.
Lotman, Jurij y otros
1979   *Semiótica de la Cultura*, Madrid, Cátedra.
Lotz, John
1960   «Metric Typology», en Sebeok (1960: 135-48).
Lozano, Jorge, Cristina Peña-Marín, Gonzalo Abril
1982   *Análisis del discurso (Hacia una semiótica de la interacción textual)*, Madrid, Cátedra.
Lukács, Giörgy
1936   «¿Narrar o describir?», en *Problemas del realismo*, trad. del al., México, FCE, 1966, pp. 171-216.
1956   *Significación actual del realismo crítico*, trad. del al., México, Era, 1963.
Maas, Paul
1949   *Critica del testo*, trad. de la 2.ª ed. al. (1.ª ed., 1927), Florencia, Le Monnier, 1975.
McLuhan, Marshall
1962   *La galaxia Gutenberg. Génesis del «Homo typographicus»*, trad. del ing., Madrid, Aguilar, 1972.
Man, Paul de
1971   *Blindness and Insight: Essays in the Rhetoric of Contemporary Criticism*, Nueva York, Oxford University Press.
Marcellesi, Jean-Baptiste y Bernard Gardin
1974   *Introducción a la sociolingüística: La lingüística social*, trad. del fr., Madrid, Gredos, 1978.
Marchese, Angelo y Joaquín Forradellas
1986   *Diccionario de retórica, crítica y terminología literaria*, Barcelona, Ariel (a partir de un original italiano, 1978).
Martínez Bonati, Félix
1960   *La estructura de la obra literaria*, Barcelona, Ariel, 1983[3].
Mattioli, Emilio
1976   «Categorie estetico-letterarie», en *EFF*, I, pp. 52-68.

Mayoral, José Antonio (ed.)
1987a *Pragmática de la comunicación literaria*, Madrid, Arco/Libros.
1987b *Estética de la recepción*, Madrid, Arco/Libros.
Meneghetti, Maria Luisa (ed.)
1987 *Il romanzo*, Bolonia, Il Mulino.
Menéndez Pidal, Ramón
1944 *Cantar del Mío Cid*, Madrid, Espasa-Calpe, 1964[4].
Merola, Nicola
1978 *Su Verga e D'Annunzio. Mito e scienza in letteratura*, Roma, Edizioni dell'Ateneo y Bizzarri.
Meschonnic, Henri
1982 *Critique du rythme. Anthropologie historique du langage*, Lagrasse, Verdier.
Mignolo, Walter D.
1978 *Elementos para una teoría del texto literario*, Barcelona, Crítica.
Mounin, Georges
1965 *Los problemas teóricos de la traducción*, trad. del fr., Madrid, Gredos, 1971.
Muir, Edwin
1928 *The Structure of the Novel*, Londres, Hogarth Press, 1960.
Mukařovský, Jan
1936 «Función, norma y valor estético como hechos sociales», en *Escritos de Estética y Semiótica*, trad. del al., Barcelona, G. Gili, 1977, pp. 44-121.
Nagel, Ernst y James R. Newman
1958 *El teorema de Gödel*, trad. del ing., Madrid, Tecnos, 1979.
Navarro Tomás, Tomás
1956 *Métrica española*, Madrid-Barcelona, Guadarrama-Labor, 1974[4].
1973 *Los poetas en sus versos. Desde Jorge Manrique a García Lorca*, Barcelona, Ariel.
Neumann, John von y Oskar Morgenstern
1943 *Theory of Games and Economic Behaviour*, Princeton, Princeton University Press, 1953[3].
Norberg, Dag
1958 *Introduction à l'étude de la versification latine médiévale*, Estocolmo, Almquist & Wilsell.
Ohmann, Richard
1971 «Los actos de habla y la definición de la literatura», trad. del ing., en Mayoral (1987 a: 11-34).
Ong, Walter J.
1967 *Presence of the Word*, New Haven, Yale University Press.
Orlando, Francesco
1971 *Lettura freudiana della «Phèdre»*, Turín, Einaudi.
1973 *Per una teoria freudiana della letteratura*, Turín, Einaudi.
1979 *Lettura freudiana del «Misanthrope»*, Turín, Einaudi.
1982 *Illuminismo e retorica freudiana*, Turín, Einaudi.

Ortega y Gasset, José
1925 *Ideas sobre la novela*, Madrid, Revista de Occidente.
Otero, Carlos Peregrín
1972 *Letras* I, Barcelona, Seix Barral.
Oxenham, John
1980 *Literacy: Writing, Reading and Social Organisation*, Londres, Routledge & Kegan Paul.
Pagnini, Marcello
1980 *Pragmatica della letteratura*, Palermo, Sellerio.
Paraíso, Isabel
1985 *El verso libre hispánico. Orígenes y corrientes*, Madrid, Gredos.
Pasquali, Giorgio
1934 *Storia della tradizione e critica del testo*, Florencia, Le Monnier, 1952²; reimpr. Milán, Mondadori, 1974.
Perelman, Chaïm
1970 *Le champs de l'argumentation*, Bruselas, Presses Universitaires de Bruxelles.
Perelman, Chaïm y Lucie Olbrechts-Tyteca
1958 *La nouvelle rhétorique. Traité de l'argomentation*, París, Presses Universitaires de France.
Petronio, Guiseppe (ed.)
1973 *La traduzione. Saggi e studi*, Trieste, LINT.
1979 *Letteratura di massa, letteratura di consumo*, Bari, Laterza.
Petrucci, Armando
1976 «Per una nuova storia del libro», introducción a trad. it. de L. Febvre y H.-J. Martin (1958), *La nascita del libro*, Bari, Laterza, I, v-xlviii.
Petrucci, Armando (ed.)
1977 *Libri, editori e pubblico nell'Europa moderna*, Bari, Laterza.
1979 *Libri, scrittura e pubblico nel Rinascimento*, Bari, Laterza.
Picone, Michelangelo (ed.)
1985 *Il racconto*, Bolonia, Il Mulino.
Popper, Karl R.
1958 *Conjeturas y refutaciones. El desarrollo del conocimiento científico*, trad. de la 4.ª ed. ingl. (1972), Barcelona, Paidós, 1983.
Pozuelo Yvancos, José M.ª
1988a *Del formalismo a la neorretórica*, Madrid, Taurus.
1988b *Teoría del lenguaje literario*, Madrid, Cátedra.
Pratt, Mary Louise
1977 *Toward a Speech Act Theory of Literary Discourse*, Bloomington, Indiana University Press.
Preti, Giulio
1968 *Retorica e logica*, Turín, Einaudi.
Prieto, Antonio
1984 *La poesía española del siglo XVI, I. Andáis tras mis escritos*, Madrid, Cátedra.

Prieto, Luis J.
    1975   *Pertinencia y práctica. Ensayos de semiología*, trad. del fr., Bar-
           celona, G. Gili, 1977.
Propp, Vladimir Y.
    1928   *Morfología del cuento*, trad. del fr., Madrid, Fundamentos,
           1971.
    1946   *Las raíces históricas del cuento*, trad. del fr., Madrid, Fundamen-
           tos, 1974.
Putnam, Hilary
    1978   *Meaning and the Moral Sciences*, Londres, Routledge & Kegan
           Paul.
Quilis, Antonio.
    1964   *Estructura del encabalgamiento en la métrica española*, Madrid,
           CSIC.
    1969   *Métrica española*, Barcelona, Ariel, 1984 (ed. renovada).
Raymond, Marcel
    1947   *De Baudelaire al surrealismo*, trad. del fr., México, FCE, 1960.
Richards, I. A.
    1936   *The Philosophy of Rhetoric*, Oxford, Oxford University Press.
Richaudeau, François
    1969   *La lisibilité*, París, Retz-C.E.P.L.
Rico, Francisco
    1970   *La novela picaresca y el punto de vista*, Barcelona, Seix Barral,
           1982³.
    1982   «El tratado general de literatura», en *Primera cuarentena y
           Tratado general de literatura*, Barcelona, El Festín de Esopo, pp.
           141-145.
    1983   «Literatura e historia de la literatura», en *Boletín Informativo de
           la Fundación Juan March*, 127 (junio), pp. 3-16.
Ricoeur, Paul.
    1983-1984   *Tiempo y narración*, trad. del fr., Madrid, Cristiandad, 1987,
               I y II.
Robert, Marthe
    1972   *Novela de los orígenes y orígenes de la novela*, trad. del fr.,
           Madrid, Taurus, 1973.
Rosiello, Luigi (ed.)
    1974   *Letteratura e strutturalismo*, Bolonia, Zanichelli.
Rousset, Jean
    1968   «Les recueils de sonnets, sont-ils composés?», en AA.VV., *The
           French Renaissance and its Heritage. Essays presented to A.
           Boase*, Londres, 1968: 203-15.
Ruiz, Elisa
    1985   «Crítica textual. Edición de textos», en Díez Borque (1985: 67-
           120).
Santagata, Marco
    1975   «Connessioni intertestuali nel *Canzoniere* del Petrarca», en San-
           tagata (1979a).

1979a *Dal sonetto al canzoniere. Ricerche sulla preistoria e la costituzione di un genere*, Padua, Liviana.
1979b *La lirica aragonese. Studi sulla poesia napoletana del secondo Quattrocento*, Padua, Antenore.
Sanz Villanueva, Santos y Carlos J. Barbachano (eds.)
1976 *Teoría de la novela*, Madrid, SGEL.
Sartre, Jean-Paul
1947 *¿Qué es la literatura?*, trad. del fr., Buenos Aires, Losada, 1950.
Sbisá, Marina (ed.)
1978 *Gli atti linguistici. Aspetti e problemi di filosofia del linguaggio*, Milán, Feltrinelli.
Schmidt, Siegfried J.
1979 *La comunicazione letteraria*, trad. del al. y del ing., Milán, Il Saggiatore, 1983.
Scholes, Robert
1974 *Introducción al estructuralismo en la literatura*, trad. del ing., Madrid, Gredos, 1987.
Scholes, Robert y Robert Kellogg
1966 *The Nature of Narrative*, Nueva York, Oxford University Press.
Schücking, Levin L.
1923 *Sociología del gusto literario*, trad. del al., México, FCE, 1950.
Schulz-Buschhaus, Ulrich
1983 «La critica e la società di massa nei paesi di lingua tedesca», en *Critica e società di massa*, ed. G. Petronio y U. Schulz-Buschhaus, Trieste, LINT, pp. 95-103.
Searle, John
1969 *Actos de habla*, trad. del ing., Madrid, Cátedra, 1980.
Sebeok, Thomas A. (ed.)
1960 *Style in Language*, Cambridge, Mass., M.I.T. Press; parc. trad. del ing., *Estilo del lenguaje*, Madrid, Cátedra, 1974.
Segre, Cesare
1968 «Sistema y estructura en las *Soledades* de A. Machado», en Segre (1969: 103-150).
1969 *Crítica bajo control*, trad. del it., Barcelona, Planeta, 1970.
1974 *Las estructuras y el tiempo*, trad. del it., Barcelona, Planeta, 1976.
1979a *Semiotica filologica*, Turín, Einaudi.
1979b «Generi letterari», en Segre (1985: 268-296).
1984 *Teatro e romanzo*, Turín, Einaudi.
1985 *Principios de análisis del texto literario*, trad. del it., Barcelona, Crítica.
Selden, Raman
1985 *La teoría literaria contemporánea*, trad. del ing., Barcelona, Ariel, 1987.
Senabre, Ricardo
1986 *Literatura y público*, Madrid, Castalia.

Shapiro, Michael
1974 «Sémiotique de la rime», *Poétique*, V: 501-19.
Sklovskij, Viktor B.
1925 *Una teoria della prosa*, trad. del ruso, Turín, Einaudi, 1981.
Sornicola, Rosanna
1981 *Sul parlato*, Bolonia, Il Mulino.
Sobejano, Gonzalo
1985 *«Clarín» en su obra ejemplar*, Madrid, Castalia.
Spang, Kurt
1979 *Fundamentos de retórica*, Pamplona, EUNSA.
Spinazzola, Vittorio
1984 *La democrazia letteraria*, Milán, Comunità.
Spitzer, Leo
1948 *Lingüística e historia literaria*, trad. del al. y del ing., Madrid, Gredos, 1961².
Staiger, Emil
1946 *Conceptos fundamentales de la poética*, trad. del al., Madrid, Rialp, 1966.
Steiner, George
1975 *Después de Babel. Aspectos del lenguaje y la traducción*, trad. del ing., México, FCE, 1981.
Stempel, Wolf-Dieter
1970-1971 «Pour une description des genres littéraires», en *Actes du XIIᵉ Congrés International de Linguistique et Philologie Romanes (Bucarest, 1968)*, 2 vols., Bucarest, Editura Republicii Socialiste Romània, II, pp. 565-70.
Stierle, Karlheinz
1980 «The Reading of Fictional Texts», en Suleiman y Crosman (1980: 83-105). Una primera versión del texto, «¿Qué significa "recepción" en los textos de ficción?», trad. del al. en Mayoral (1987b: 87-143).
Stussi, Alfredo
1983 *Avviamento agli studi di filologia italiana*, Bolonia, Il Mulino.
Stussi, Alfredo (ed.)
1985 *La critica del testo*, Bolonia, Il Mulino.
Suleiman, Susan R. e Inge Crosman (eds.)
1980 *The Reader in the Text: Essays on Audience and Interpretation*, Princeton, Princeton University Press.
Terracini, Benvenuto
1966 *Analisi stilistica. Teoria, storia, problemi*, Milán, Feltrinelli, 1975².
Terracini, Lore
1980 *I segni e la scuola*, Turín, La Rosa.
Timpanaro, Sebastiano
1962 *La genesi del metodo de Lachmann*, Padua, Liviana, 1981².
1970 *El lapsus freudiano. Psicoanálisis y crítica textual*, trad. del it., Barcelona, Crítica, 1977.

Todorov, Tzvetan
  1969   *Gramática del «Decamerón»*, trad. del fr., Madrid, Taller de Edi-
          ciones J. B., 1973.
Todorov, Tzvetan (ed.)
  1978   *Teoría de la literatura de los formalistas rusos*, trad. de originales
          fr. y rusos (ed. fr. 1965), México, Siglo XXI (1.ª ed. cast.: Buenos
          Aires, Signos, 1970).
Tomachevski, Boris V.
  1925   «Temática», trad. del ruso, en Todorov (1978: 199-232) y en su
          Teoría de la literatura, trad. del orig. ruso (1928), Madrid, Akal,
          1982, pp. 179-269, en versión ampliada.
Tompkins, Jane P. (ed.)
  1980   *Reader-Response Criticism: From Formalism to Post-Struc-
          turalism*, Baltimore, Johns Hopkins University Press.
Tortel, Jean
  1970   «¿Qu'est-ce que la paralittérature?», en *Entretiens sur la para-
          littérature*, ed. N. Arnaud, F. Lacassin, J. Tortel, París, Plon, pp.
          9-31.
Traugott, Elizabeth Closs y Mary Louise Pratt
  1980   *Linguistics for Students of Literature*, Nueva York, Harcourt
          Brace Jovanovich.
Turner, Eric G.
  1952   «Il libri nell'Atene del V e IV secolo a. C.», trad. del ing., en Cavallo
          (1975: 3-24).
Ubersfeld, Anne
  1977   *Lire le théâtre*, París, Éditions Sociales.
Uspenskij, Boris
  1970   *A Poetics of Composition*, trad. del ruso, Berkeley, University of
          California Press, 1973.
Valesio, Paolo
  1968   *Strutture dell'allitterazione. Grammatica, retorica e folklore ver-
          bale*, Bolonia, Zanichelli.
  1986   *Ascoltare il silenzio. La retorica come teoria*, Bolonia, Il Mu-
          lino.
Vansina, Jan
  1961   *La tradición oral*, trad. del fr., Barcelona, Labor, 1966.
Varela Jácome, Benito
  1974   *Estructuras novelísticas del siglo XIX*, Barcelona, Aubí.
Varvaro, Alberto
  1970   «Critica dei testi classica e romanza», *Rendiconti dell'Accademia
          di archeologia, lettere e belle arti di Napoli*, XLV: 73-117.
Verdín, Guillermo
  1970   *Introducción al estilo indirecto libre en español*, Madrid,
          CSIC.
Villanueva, Darío
  1977   *Estructura y tiempo reducido en la novela*, Valencia, Bello.

Wehrli, Max
    1951   *Introducción a la ciencia literaria*, trad. del al., Buenos Aires,
            Nova, 1966.
Weinrich, Harald
    1964   *Estructura y función de los tiempos en el lenguaje*, trad. del al.,
            Madrid, Gredos, 1974.
    1967   «Para una historia literaria del lector», en A.V. Gumbrecht y
            otros, *La actual ciencia literaria alemana*, trad. del al., Salaman-
            ca, Anaya, 1971, pp. 115-134.
Wellek, René
    1955-1965   *Historia de la crítica moderna*, trad. del ing., 4 vols., Madrid,
            Gredos, 1959-1988.
Wellek, René y Austin Warren
    1949   *Teoría literaria*, trad. del ing., Madrid, Gredos, 1951.
Williams, Raymond
    1981   *Cultura. Sociología de la comunicación y del arte*, trad. del ing.,
            Barcelona, Paidós, 1982.
Wilson, Edmund
    1931   *El Castillo de Axel. Estudios sobre literatura imaginativa de 1870-
            1930*, trad. del ing., Madrid, Cupsa, 1969.
    1938   *The Triple Thinkers*, Harmondsworth, Penguin, 1962[3].
Wimsatt, William K.
    1954   *The Verbal Icon: Studies in the Meaning of Poetry*, Londres,
            Methuen, 1970.
Wittgenstein, Ludwig
    1953   *Investigacions filosòfiques*, trad. del al., Barcelona, Laia, 1983.
Wolff, Janet
    1981   *Social Production of Art*, Londres, MacMillan.
Yllera, Alicia
    1974   *Estilística, poética y semiótica literaria*, Madrid, Alianza Ed.,
            1985[3].
Ynduráin, Francisco
    1968   «La novela desde la segunda persona. Análisis estructural», en
            A. y G. Gullón (1974: 199-227).
Zeraffa, Michel
    1971   *Novela y sociedad*, trad. del fr., Buenos Aires, Amorrortu, 1975.
Zumthor, Paul
    1972   *Essai de poétique médievale*, París, Seuil.
    1983   *Introduction à la poésie orale*, París, Seuil.
    1987   *La lettre et la voix. De la «littérature» médievale*, París, Seuil.

GLOSARIO RETÓRICO

Nota: Los números remiten al párrafo correspondiente.

actio, o *pronuntiatio*, 17; v. partes de la retórica.

acumulación, v. *adiectio*. Es la sucesión, en relación coordinada o subordinada, de elementos que no constituyen una repetición (v.). La acumulación se da en contacto (v. enumeración) o a distancia (v. distribución). Para la acumulación subordinante, v. epíteto. La expresión de la segunda por medio de la primera da lugar a la endíadis (v.).

adiectio, v. figura; agregación de uno o más elementos al conjunto de un discurso o a una de sus partes, frases o palabras. Puede preceder (prótesis), insertarse (epéntesis) o seguir (paragoge). Para las figuras gramaticales, v. metaplasmo; para las figuras retóricas, v. repetición, acumulación.

adynaton, v. perífrasis.

aequivocatio, v. *traductio*. Es la concurrencia de homófonos en un mismo contexto: *hierro* y *yerro*, *vino* (verbo) y *vino* (sustantivo), etc.

alegoría, v. tropos de pensamiento. Corresponde a la metáfora (v.) y consiste en el uso de una comparación (v.), cuyo primer término se calla. Cuando es difícil reconocer el primer término, se hablará de enigma. Se integran en la alegoría las formas narrativas de la parábola y del apó-

logo, así como campos de imágenes convencionales, como la navegación (para significar las vicisitudes del Estado o del destino individual), el fuego y el hielo (para significar los estados de la pasión), etc.: *Al mar desierto, en el profundo estrecho,/entre las duras rocas, con mi nave/desnuda, tras el canto voy suave* (Herrera). La mezcla de campos de imágenes incongruentes determina la *incosequentia rerum*: «el carro del estado navega sobre un volcán». Para la alegoría como principio de interpretación, v. interpretación figural; para la alegoría como personificación, v. prosopopeya.

aliteración, v. *compositio*. Propiamente es una licencia (v.) frente a la prohibición de homeoproforon (repetición de la misma consonante o sílaba en un grupo de palabras: *Tite, tute, Tati, tibi tanta, tyranne, tulisti* es el ejemplo clásico de Ennio, citado por los tratadistas). La aliteración puede tener función descriptiva (fonosimbolismo): *al bajo son de mi zampoña ruda* (Garcilaso); o de agrupación impresionista de las palabras. Para la aliteración como figura métrica, 22.

alusión, v. énfasis del pensamiento. Es la disimulación jocosa de un pensamiento, por ejemplo, de la referencia a un *exemplum* (v.): *Transforma en oro todo lo que toca*, con alusión al mito del rey Midas.

anacoluto, figura gramatical (v.). Es el empleo de una construcción sintáctica irregular: *él, sintiéndose tan frío de bolsa cuanto caliente de estómago, tomóle tal calofrío (Lazarillo de Tormes).*

anadiplosis, figura de repetición (v.). Es la repetición del último miembro de un grupo sintáctico o métrico al inicio del grupo sucesivo: *tan solo que aun de vos me guardo en esto./ En esto estoy y estaré siempre puesto* (Garcilaso). Si la figura se repite recibe el nombre de climax (v.).

anáfora, figura de repetición (v.). Es la repetición de una o más palabras al comienzo de grupos sucesivos: *Bella es mi Ninfa, si los lazos de oro/ al apacible viento desordena;/ bella, si de sus ojos enajena/ el altivo desdén, que siempre lloro* (Francisco de la Torre).

anástrofe, v. *transmutatio*. Es la inversión de los elementos de un grupo sintáctico (nombre y especificación, verbo y complemento objeto, etc.): *Del salón en el ángulo oscuro* (Bécquer) v. hipérbaton.

annominatio, v. paronomasia.

antanaclasis, v. *traductio*. Es la realización de la diáfora (v.) en el diálogo: «Hamlet, mucho has ofendido a tu padre. —Madre, mucho has ofendido a mi padre» (Shakespeare).

anticlímax, v. clímax.

antífrasis, v. ironía.

antimetábole, v. quiasmo.

antimetátesis, v. quiasmo.

antítesis, v. figuras del pensamiento. Es la contraposición de palabras o frases de sentido diverso: «mis palabras vuelan, mis pensamientos se quedan en el suelo» (Shakespeare). A menudo, toma el valor de la *correctio* (v.). Una variante digna de nota es el oxímoron, que atribuye al objeto cualidades contradictorias: silencio elocuente; *concordia discors; caduco dios, y rapaz... Y niño mayor de edad,/ por el alma de tu madre,/ —que murió, siendo inmortal* (Góngora); *aunque callen, hablan mucho* (Cicerón).

antonomasia, tropo (v.) que sustituye un nombre propio con una perífrasis (v.): *el manco de Lepanto* por *Cervantes;* o un apelativo: *el Filósofo* por *Aristóteles.* En este segundo caso, el *locus* (v.) *a maiore ad minus* puede convertirse en su contrario: *un Marte* por *un guerrero.*

aposiopesis, figura de elipsis (v.) Es la suspensión de la frase, dejada incompleta: *Yo... distingo... si el bajo es cantante...* (Clarín). El mismo término designa también la correspondiente figura de pensamiento (v. reticencia), con la que por lo demás a menudo coincide.

apóstrofe, v. *aversio*. El orador se dirige al adversario (más que a la audiencia) o a personas ausentes o seres personificados.

aptum, virtud (v.) de la *dispositio* y de la *elocutio*. Es la congruencia del discurso con el fin de la persuasión (v.), así como de las partes con el todo.

argumentación, 16.

asíndeton, figura de elipsis (v.). Es la supresión de las partículas conjuntivas en las construcciones coordinadas de la acumulación (v.). Puede tener lugar entre palabras independientes, grupos de palabras y frases; tiene el valor de la conjunción suprimida, adversativo: *vincere scis, Hannibal; victoria uti nescis (sabes vencer Aníbal; no sabes usar la victoria;* (Tito Livio), causal, explicativo, etc. Lo contrario es el polisíndeton.

aversio, v. figuras de pensamiento. El orador se aparta de sí mismo (v. *sermocinatio*), de la materia (v. digresión) o del público (v. apóstrofe). La figura puede tener lugar también como realización extrañada de tales relaciones: el soliloquio, la referencia a la situación del discurso, la interpelación al lector.

brevitas, v. figuras de pensamiento. Es la renuncia a tratar en detalle la materia. Se divide en *percursio* (v.), preterición (v.), reticencia (v.).

catacresis, tropo (v.) que, por costumbre, ocupa ya el puesto de un término propio que la lengua no posee: *la pata de la mesa.*

ciclo, figura de repetición (v.). Es la repetición de una palabra al comienzo y al final de un grupo: *recuerda Marzo, los Idus de Marzo recuerda* (Shakespeare); si las partes interiores se encuentran en correspondencia, como en el ejemplo aquí referido, se obtiene un quiasmo (v.).

clímax, figura de repetición (v.). Es la repetición de la anadiplosis (v.) en varios grupos sintácticos consecutivos. El término ha pasado luego a significar la sucesión de palabras o frases en un orden (v.) progresivo de canti-

dad o intensidad: *miedo, terror, espanto,* y se aplica en particular a la sinonimia (v.) y a la enumeración (v.). Lo contrario es el anticlímax.

coacervatio, isocolon (v.) que realiza a nivel de frase o de sintagma la figura de la enumeración. Puede tener contenido narrativo y describir la fases correlativas de una acción: *Be gone!/Run to your houses, fall upon your knees,/pray to the gods!* (¡Id! *Corred a vuestras casas arrodillaos, rogad a los dioses!,* Shakespeare); o puede tener contenido argumentativo y articular los pasajes de un razonamiento.

commoratio, v. figuras de pensamiento. Es la repetición de la misma idea a través de frases que expresan el mismo contenido o, sin más, la iteración de la misma frase; corresponde respectivamente a la *interpretatio* (v.) y a la epanalepsis (v.): *she's dead, she's dead, she's dead!* (¡está muerta, está muerta, está muerta! Shakespeare).

comparación, v. figuras de pensamiento. Es la confrontación entre el objeto o el fenómeno de que se habla y otro objeto o un fenómeno que comparta con el primero una cualidad significativa *(tertium comparationis).* Se divide en símil, cuando el segundo término es general y típico (el león ávido de presa, la hormiga laboriosa, etc.), y en *exemplum,* cuando el segundo término es individual y concreto (ejemplos históricos, mitológicos o literarios). La formulación de la comparación puede ser larga, y en tal caso, si se sobreentiende el primer tér-

mino, se obtiene la alegoría (v.);
o bien breve, y en tal caso, si se
sobreentiende el primer término, se obtiene, respectivamente,
del símil la metáfora (v.), del
exemplum la antonomasia
(v.).

compositio, v. figura. Regula la estructura sintáctica y fonética
del sintagma, de la frase y del
período. Desde el punto de vista
sintáctico se distinguen tres tipos. La *oratio soluta*, simple sucesión de frases principales:
«Pero, ¿quiénes sois? ¿De qué
tierras venís? ¿Adónde vais?»
(Virgilio); la *oratio perpetua*, sucesión coordinada de frases en
secuencia: «construyen un caballo como un monte con el
arte divino de Pallas, unen los
flancos con tablas de abeto; fin-
gen que es un voto por el regreso; esta fama se extiende» (Virgilio); período, ciclo de frases
constituido por una prótasis
que crea tensión y expectativa,
y por una apódosis que la resuelve. La relación entre prótasis y apódosis con frecuencia es
de subordinación (la estructura
típica «si... entonces» del período hipotético, en el que se ins-
pira el uso corriente de estos
términos). Prótasis y apódosis
pueden repetirse varias veces
dentro de un período complejo:
si no sólo (prótasis)... *sino también* (apódosis)... (PRÓTASIS), *por
ello o...* (prótasis) *o* (apódosis)...
(APÓDOSIS), etc. La construcción
de las unidades menores, por su
parte, puede presentar la figura
del isocolon (v.). La estructura
fonética puede hacer uso de la
aliteración (v.) y del *numerus*
(v.).

concinnitas, v. ornato. Es el esmero

particular de la *compositio*
(v.).

Correctio, v. figuras de pensamiento. Es el paso de una alternativa
no apropiada a una alternativa
apropiada: «no *x*, sino *y*», «*y*, no
x», «*x*, o mejor *y*», «no sólo *x*, sino
también *y*»: *sin embargo, éste
vive. ¿Vive? Es más, viene al se-
nado* (Cicerón). Se acompaña a
menudo de la antítesis (v.): *pu-
rificadores, no asesinos* (Shakespeare), de la sinonimia (v.),
etc.

definición, v. figuras de pensamiento. Consiste en el uso de
una perífrasis (v.) para aclarar
el significado de una palabra.
Combinada con la metáfora,
puede asumir un valor puramente decorativo: «los sueños...
son los hijos de un cerebro de-
socupado» (Shakespeare). A
menudo no se distingue de la
definición la glosa, es decir, el
comentario explicativo. Desde
el punto de vista epistemológi-
co, cabe distinguir dos tipos de
definición: la que enuncia criterios necesarios y suficientes
para identificar un objeto —*un
paralelogramo es un cuadriláte-
ro con los lados paralelos dos a
dos*— y la que enuncia criterios
que no son necesarios o suficientes, sino que se reconocen
de forma evidente en ciertos
ejemplos típicos o paradigmáti-
cos. Se hablará en el primer
caso de clases, en el segundo de
campos. La definición mediante
ejemplos predomina en toda actividad cognoscitiva, excluidas
las ciencias axiomáticas. Como
es obvio, las definiciones de la
retórica (v.) distinguen campos
y no clases.

demostración, 16.

descripción, o ecfarasis, v. *eviden-tia.*

detractio, v. figura. Omisión de un elemento inicial (aféresis), interior (síncopa), final (apócope) del conjunto de un discurso o de una de sus partes, frases o palabras. Para las figuras gramaticales, v. metaplasmo; para las figuras retóricas, v. elipsis.

diáfora, v. *traductio.* La misma palabra es repetida con *énfasis (v.)* que puede ser positivo: *Un padre es siempre un padre,* o negativo: *La única salvación para los vencidos es desesperar de toda salvación* (Virgilio). En este segundo caso la primera ocurrencia de la palabra se convierte en un ejemplo de ironía (v.). O bien las dos ocurrencias se refieren a distintos contenidos semánticos de la misma palabra: «el corazón tiene sus razones que la razón desconoce» (Pascal), que, desde el punto de vista sintáctico, es también un políptoton (v.). Si la figura se realiza en un diálogo, se habla de antanaclasis (v.).

diálage, v. enumeración, sinonimia.

diálogo, v. *sermocinatio.*

digresión, v. aversión. El orador deja de tratar del asunto para referirse a materias distintas (*excursus*).

disiunctio, isocolon (v.) que representa la misma acción, referida a objetos diversos: *Caesar, beware of Brutus, take heed of Cassius, come not near Casca, have an eye to Cinna, trust not Trebonius, mark well Metellus* (César, guárdate de Bruto, presta atención a Casio, no te acerques a Casca, no pierdas de vista *a Cinna, no te fíes de Trebonio, observa bien a Metelo*; Shakespeare).

dispositio, 17; v. partes de la retórica. Se ocupa del número de las partes en el conjunto del discurso y de su ordenación (v.), así como de la táctica, o *ductus* (v.). Por lo que respecta a la estructura general del discurso, un ejemplo típico es la tripartición en inicio (exordio, proemio), que tiende a establecer el contacto con el público; núcleo (proposición de la tesis, narración de los hechos, argumentación y refutación); fin (recapitulación, peroración, despedida). El drama se divide en enredo (δέσις) y catástrofe o desenlace (λύσις); a su vez, el enredo se subdivide en una fase preparatoria o prótasis, una fase dinámica o epítasis y una fase estática o catástasis. De ahí proviene la estructura en cinco actos, de los que el primero se dedica a la prótasis, el segundo y el tercero a la epítasis, el cuarto a la catástasis, el quinto a la catástrofe. Las fronteras entre las partes, mayores y menores, pueden suavizarse mediante transiciones intermedias (v. *transitio*) o reforzarse mediante la eliminación de tales transiciones (v. ex abrupto). La narración (v.) se desarrolla independientemente como género epidíctico (v. géneros retóricos) y entra dentro de los géneros literarios (v.).

distribución, acumulación (v.) a distancia.

ditología, v. sinonimia.

dubitatio, v. figuras de pensamiento. Es la indecisión entre dos alternativas: *sin parar, sin*

*saber nunca/ si es alma de carne
o sombra/de cuerpo lo que
besamos* (P. Salinas).

ductus, v. *dispositio*. La táctica del
discurso puede seguir el *ductus
simplex*, cuando el orador dice
en serio lo que piensa; el *ductus
subtilis*, cuando usa la ironía de
pensamiento (v.); el *ductus figu-
ratus* u *obliquus*, cuando emplea el énfasis de pensamiento
(v.) o la alegoría (v.), porque razones de oportunidad desacon-
sejan el recurso a la expresión
directa; el *ductus mixtus*, que
mezcla los anteriores.

ecfrasis, v. descripción.

ejemplificación, 2, 20.

elipsis, v. *detractio*. Omisión de elementos que quedan sobreen-
tendidos. Puede tener lugar por
suspensión (v. aposiopesis), por
exclusión (v. zeugma) o por
comprensión (v. asíndeton).

elocutio, 17; v. partes de la retórica.
Obedece a los preceptos de la
gramática, que regula la corrección lingüística de los enunciados (v. *puritas*), y de la retórica
(v.), que regula su eficacia per-
suasiva a la luz de las demás
virtudes (v.) del discurso. Según
guíe al orador la intención de
docere, movere o *delectare* (v.
persuasión), le auxiliarán los diversos estilos (v.) o generará
elocutionis.

enálage, figura gramatical (v.). Es
la *immutatio* (v.) entre clases de
palabras (el uso del adjetivo en
lugar del adverbio) o entre aspectos morfológicos (el género
o el número, en la concordancia
por el sentido; el caso, en el acusativo griego; el tiempo, en el
presente histórico; el modo,
cuando se emplea, por ejemplo,
el indicativo en lugar del sub-

juntivo). En el aspecto
semántico puede coincidir con
la hipálage (v.), en particular,
con la hipálage del adjetivo, a
que se reduce en español el
acusativo griego: *Desnuda el
pecho anda ella* (Góngora).

endíadis, figura de acumulación
(v.). Es la expresión en forma
coordinada de una acumulación subordinante: *pateris liba-
mus et auro*, («libamos en copas
y en oro»: Virgilio), por *pateris
aureis*, «en copas de oro».

énfasis, tropo (v.) que se sirve de un
término propio intensificando
su significado de modo que incluya la referencia a una cualidad no enunciada: *comportarse
como un hombre* por *comportarse como un hombre valeroso*.
En sustancia, consiste en un
uso peculiar del *locus* (v.) *a
maiore ad minus*. Como el énfasis, para no pasar inadvertido,
iba acompañado de voces y gestos propiamente «enfáticos», el
término acabó por significar
exageración, calor y vigor exce-
sivos, etc., más que una ampli-
ficación semántica en el sentido
original.

énfasis de pensamiento, v. tropos
de pensamiento. Es la disimulación de un pensamiento peli-
groso en la situación del enunciado por medio de una formulación inocente: *Hice lo que
tenía que hacer*, dice el protagonista de *El Asesinato de Roger
Ackroyd* de Agatha Christie.
Sólo al final de la novela com-
prenderá el lector que la frase
escondía un sentido del todo
inesperado (el yo narrador, que
es el asesino, ha suprimido los
indicios). Un caso especial es la
alusión (v.).

entimema, v. figuras de pensamiento. Consiste en la acumulación argumentativa, mientras que la *evidentia* (v.) representa la acumulación descriptiva. En términos lógicos, constituye el equivalente retórico del silogismo (v.); las razones que lo sostienen carecen, por así decirlo, de fuerza demostrativa y se sitúan en el ámbito de la persuasión (v.): *Bien, ahora hablemos de matrimonio* (proposición de la tesis)... *Hay mujeres más jóvenes que tú, aquí en Verona... ya madres* (premisa mayor)... *Yo ya era tu madre a tu edad, y aún eres una niña* (premisa menor). *En suma, el valiente Paris te pide en matrimonio* (conclusión) (Shakespeare).

enumeración, figura de acumulación (v.). Es la sucesión coordinada de palabras que designan miembros no sinónimos, sino correlativos, pertenecientes a una misma clase: *mujeres, hombres, niños*. La misma clase, por otra parte, puede designarse (*el mar, la tierra, el cielo, la naturaleza entera*). Si se combina con la sinonimia (v.), da lugar a la diálage. La homogeneidad de los miembros desaparece en la enumeración caótica. A menudo va acompañada del climax (v.) y contribuye a definir un caso especial de hipérbaton (v.).

epanalepsis, figura de repetición (v.). Es la repetición consecutiva de una o más palabras al comienzo, la mitad o el final de una frase. El contacto puede amortiguarse con la inserción de algún elemento, un vocativo, una frase parentética o una conjunción: «vivos, y vivos no por...» (Cicerón).

epifonema, v. *locus communis*.

epífora, figura de repetición (v.). Es la repetición de una o más palabras al término de grupos sucesivos.

epífrasis, v. figuras de pensamiento. Consiste en añadir un pensamiento como complemento de una frase ya cerrada sintácticamente. Es lo correspondiente al hipérbaton (v.), con el que, por lo demás, a menudo coincide.

epíteto, acumulación (v.) subordinante. Es el uso del adjetivo en función atributiva o predicativa. El epíteto *ornans*, en particular, es aquel adjetivo que expresa una cualidad intrínseca del objeto: *nieve blanca; húmeda lluvia*. El uso de varios adjetivos coordinados conduce a la sinonimia (v.) o a la enumeración (v.). Dos casos especiales son la hipálage (v.) y la prolepsis (v.).

estilos, o *genera elocutionis*, 17; v. *elocutio*. En relación con las intenciones que el orador se fija —*docere, movere* o *delectare* (v. persuasión)—, se distinguen los tres estilos: humilde, mediocre, grave o sublime. Tal clasificación puede enriquecerse con las ulteriores subdivisiones del ornato (v).

eufemismo, v. término propio.

evidentia, v. figuras de pensamiento. Es el equivalente de la enumeración y puede definirse como acumulación descriptiva, mientras que el entimema (v.) representa la acumulación argumentativa.

ex abrupto, v. *dispositio*. Consiste, por ejemplo, en el comienzo *in medias res* de una narración (v.)

y, más en general, el paso brusco, desprovisto de mediaciones, de un argumento a otro. Lo contrario es la *transitio* (v.).

excursus, v. digresión.

exemplum, v. comparación.

figura, 17; v. ornato. Es la alteración de un conjunto y su orden (v.) por adición (v. *adiectio*), supresión (v. *detractio*), permutación (v. *transmutatio*) o sustitución (v. *immutatio*) de uno o más elementos. A las figuras que resultan se añaden las de la *compositio* (v.), así como, en general, las licencias frente a las virtudes (v.). Tradicionalmente se distinguen figuras de palabra (o dicción) y figuras de pensamiento (v.), pero no siempre son fáciles de discernir sus límites. Esta distinción es poco útil, por cuanto de ordinario nos hallamos en presencia de figuras compuestas y las mismas definiciones de cada figura no excluyen la posibilidad de casos intermedios (v. definición). Un caso totalmente especial es la *thypsis* (v.); para un sentido en realidad distinto, v. *typus*.

figura etimológica, v. *traductio*. Es la repetición de la misma raíz en dos palabras distintas: *No tardes, muerte, que muero* (Manrique); *vivir la propia vida*. Afín a la paronomasia (v.) orgánica.

figura gramatical, licencia frente a la *puritas* (v.) Afecta a los elementos fonéticos de la palabra (v. metaplasmo), la morfología de la palabra en relación con las demás (v. enálage) o la estructura sintáctica de la frase (v. anacoluto).

figuras de pensamiento, v. figura. *Adiectio* (v.): incluye las figuras de repetición (v. *commoratio*) y de acumulación (v. *evidentia*, entimema, epífrasis), así como las figuras de clarificación (v. definición, *correctio*, *dubitatio*) o de dilatación semántica según el *locus* (v.) *a contrario* (v. antítesis), *a maiore ad minus* (v. *locus communis*), *a simili* (v. comparación). *Detractio*: incluye las figuras de *brevitas* (v.). *Transmutatio*: incluye el *hysteron proteron* (v.) y el paréntesis (v.). *Immutatio*: incluye los tropos de pensamiento (v.), la *aversio* (v.) y la *immutatio* sintáctica (v.).

fonosimbolismo, v. *compositio*. Incluye también la onomatopeya, o sea la imitación de sonidos naturales a través de signos no gramaticales: *Mili, mili, en el viento;/ glu-glu, glu-glu, en la arena... ¡Tan, tan! ¿Quién llama, di?* (A. Machado), etc.

genera elocutionis, v. estilos.

géneros literarios, 19. Entran dentro de los géneros retóricos (v.), exactamente en la esfera del género epidíctico. Pero también los demás géneros retóricos pueden, por su parte, entrar a formar parte de los géneros literarios. Esta circularidad paradójica explica, no justifica la «literaturización» de la retórica (v.).

géneros retóricos, 17. «De la oratoria se cuentan tres especies, pues otras tantas son precisamente las de oyentes de los discursos. Porque consta de tres cosas el discurso: el que habla, sobre lo que habla y a quién; y el fin se refiere a éste, es decir, al oyente. Forzosamente el oyente es o espectador o árbitro, y si árbitro, o bien de cosas sucedidas, o bien de futuras. Hay el que juzga acerca de cosas futuras, como miembro de la asamblea; y hay el que juzga acerca de cosas pasadas, como juez; otro hay que juzga de la habilidad, el espectador, de modo que necesariamente resultan tres géneros de discurso en retórica: deliberativo, judicial, demostrativo (o epidíctico)» (Aristóteles). Cuando un discurso deliberativo o judicial, como los discursos de Cicerón, se somete a uso repetido (v.), se inscribe en la situación del género epidíctico, al que, en conjunto, pueden asignarse los géneros deliberativos (v.).

glosa, v. definición.

gnome, v. sentencia.

hipálage, v. epíteto. El adjetivo concuerda con un sustantivo distinto de aquel al que se refiere semánticamente: *altae moenia Romae* (*los muros de la alta Roma*; Virgilio) por *alta moenia Romae*, «los altos muros de Roma»; *trofeos dulces de un canoro sueño* (Góngora). En el aspecto gramatical, la figura remite a la *enálage* (v.). En algún ejemplo, vgr. *Donde la primavera trae una voz mojada* (Neruda), se combina con la sinestesia (v.).

hipérbaton, v. *transmutatio*. Es la inserción de una palabra o miembro de frase entre los constituyentes inmediatos de un único grupo sintáctico: *omnem accusatoris orationem in duas divisam esse partes* («todo discurso del acusador se divide en dos partes»: Cicerón). Un caso particular es el de la enumeración (v.) pospuesta: *del yugo desatadas/del bárbaro fu-*

ror, y libertadas (fray Luis de León); *templados y pulsados/fueron y repetidos* (Alberti). No siempre se distingue de la anástrofe (v.), de la que, por lo demás, es un efecto. Su correspondiente gramatical es la tmesis (v.).

hipérbole, tropo (v.) que sustituye la palabra propia por una expresión exagerada, cuyo contenido semántico sobrepasa lo creíble: *hace siglos que no le veo*. Puede combinarse con la metáfora (v.): *tiene un corazón de hierro*. E igualmente con la ironía (v.).

hipérbole de pensamiento, v. tropos de pensamiento. Es una exageración paradójica del pensamiento: *fulminis ocior alis*, («más veloz que las alas del rayo»; Virgilio).

homeoptoton, v. homoteleuton.

homoteleuton, igualdad de terminación de las palabras finales en los miembros del isocolon (v.) Su equivalente métrico es la rima, 31-2. La igualdad de las formas morfológicas de la flexión es el homeoptoton.

hysteron proteron, v. figuras de pensamiento. Corresponde a la anástrofe (v.): *moriamur et in media arma ruamus*» («muramos y arrojémonos a la batalla», Virgilio).

immutatio, v. figura. Es la sustitución de un elemento del conjunto del discurso por otro. Para las figuras gramaticales, v. metaplasmo, enálage; para las figuras retóricas, v. sustitución sinonímica, tropos.

immutatio sintáctica, v. figuras de pensamiento. Es la sustitución de una frase afirmativa por una interrogativa retórica o una exclamativa. La interrogativa puede servir también para fingir incertidumbre (v. ironía de pensamiento).

interpretación figural, 21; v. alegoría. Es la interpretación de un acontecimiento como alegoría de un acontecimiento sucesivo, del que el primero se denomina *typus* o figura.

interpretatio, isocolon (v.) que, al nivel de la frase, realiza la figura de la sinonimia (v.): *he's gone, he's kill'd, he's dead*, («se ha ido, ha sido matado, ha muerto», Shakespeare).

inventio, 17; v. partes de la retórica. Es la búsqueda de las ideas adecuadas en la memoria, representada a su vez como un espacio en cuyos lugares (v. *loci*) o *topoi* están contenidas tales ideas.

ironía, o antífrasis, tropo (v.) con el que se utiliza una expresión desmentida por el contexto. *Bruto es un hombre honorable* (Shakespeare). Recurre al *locus* (v.) *a contrario*.

ironía de pensamiento, v. tropos de pensamiento. Se define como la ironía (v.) de palabra, cuya continuación es. Se diferencia en disimulacion, que consiste en esconder el propio pensamiento fingiendo, por ejemplo, incertidumbre (ironía socrática), y en simulación, que consiste en apropiarse la opinión del interlocutor porque se refuta por sí misma, por ejemplo, en la forma de *sermocinatio* (v.).

isocolon, figura de *compositio* (v.). Consiste en la correspondencia sintáctica entre las frases dentro de un período o entre los sintagmas dentro de una frase. La sucesión de los elementos correspondientes puede ser paralela o cruzada (v. quiasmo). El isocolon está constituido al menos por dos miembros (coordinados o subordinados) que pueden tener significado igual (v. *interpretatio*), distinto (v. *coacervatio*), análogo (v. *disjunctio*) o contrapuesto: en este caso el isocolon es un reforzamiento de la antítesis (v.). En conjunto, el isocolon es la realización a nivel de la frase de las figuras de *adiectio* (v.), que, por otra parte, pueden hallarse presentes en su interior; v. paramoiosis, homoteleuton. Su equivalente métrico es el verso.

litotes, tropo (v.) que sustituye la palabra propia con la negación del contrario, obteniendo un grado superlativo: *no hermoso* por *muy feo, desagradable*.

loci, o *topoi*, 17; v. *inventio*. Las ideas contenidas en los *loci* se reclaman a la mente a través de oportunas preguntas. Un ejemplo compendioso es proporcionado por el hexámetro apreciado en las escuelas del siglo XII: *quis, quid, ubi, quibus auxiliis, cur, quomodo, quando?* (¿quién, qué, dónde, con qué medios, por qué, cómo, cuándo?), de donde proviene la clasificación en *locus a persona, a re, a loco, ab instrumento, a causa, a modo, a tempore*. Agréguense los *loci a simili, a contrario* (comparación con lo similar y con lo opuesto), *a maiore ad minus, a minore ad maius* (deducción e inducción), etc. Un tipo particular de locus es el *locus communis* (v.).

locus communis, 17; v. figuras de pensamiento. El tratamiento de una cuestión específica e individual (quaestio finita) es el recurso a la cuestión universal correspondiente (quaestio infinita): se puede preguntar, por ejemplo, en el género judicial (v. géneros retóricos) «si la deposición de un testigo sospechoso del acto es creíble»; en el género deliberativo, «si uno se debe casar» (fray Antonio de Guevara toca el tema en una epístola dirigida a un viejo); en el género epidíctico, «si la tiranía es compatible con los fines de la sociedad». Propiamente, locus communis es la respuesta, positiva o negativa, a una pregunta semejante. Cuando se presenta como una verdad de experiencia o una norma de vida tenemos una sentencia o gnome: Milicia es la vida del hombre contra la malicia del hombre (Gracián). Cuando tal sentencia se halla al término de una argumentación o de una narración tenemos un epifonema: que toda la vida es sueño (Calderón de la Barca). El locus communis puede estar sobreentendido en una formulación finita (v. topos).

memoria, 17; v. partes de la retórica.

metáfora, tropo (v.) que sustituye la palabra propia con una palabra cuyo contenido semántico está en relación de semejanza, según el locus (v.) a simili, con el de la primera: Juan es un león por un hombre valeroso. En sustancia, la metáfora se refiere a una propiedad ejemplificada (v. ejemplificación) por ambos términos así puestos en relación. En particular, el término metafórico parece vinculado a tal peculiaridad por medio de figuras como la antonomasia (el león es valeroso por antonomasia) o la sinécdoque (v.) u otras aún. Cuando la metáfora involucra dominios sensoriales distintos recibe el nombre de sinestesia: relámpagos de risa carmesíes (Quevedo); Silencio de cal y mirto (García Lorca).

metalepsis, tropo (v.) que sustituye la palabra propia con un sinónimo, que, sin embargo, en aquel contexto particular, aparece desprovisto del significado requerido: fantasma por espíritu. El término designa también una variable de metonimia (v.).

metaplasmo, figura gramatical (v.). Es la modificación de los elementos fonéticos de una palabra. Puede ser una figura de adiectio (v.), a saber, prótesis (asentarse por sentarse), epéntesis (vendrá por venrá), paragoge (felice por feliz). Figura de detractio (v.), a saber, aféresis (noramala por enhoramala), síncopa (Navidad por Natividad), apócope (algún por alguno, buen por bueno). Figura de transmutatio (v.), como la tmesis (v.) o la metátesis de acento (sístole, impio por impío; diástole, oceano por océano). Figura de immutatio (v.), como fuego por juego, etc.

metonimia, tropo (v.) que sustituye el término propio por otro cuyo contenido semántico es distinto, pero contiguo según una concatenación real: ésta corresponde a los loci (v.) a persona, a re, etc. Así, el efecto es expresado por la causa y, en especial, se dice el autor en lugar de la obra (leer a Cervantes por leer las obras de Cervantes), la divinidad por su esfera de acción (*Neptuno* por *mar*), el propietario o el constructor, por el objeto (*un Seat* por *un coche fabricado por la Seat*). Si la causa no es una persona, sino una cosa, la figura recibe el nombre de metalepsis (v.): un ejemplo bíblico es *comerás con el trabajo de tus manos* por *el fruto del trabajo*. Inversamente, la causa es expresada por el efecto (*ganarse el pan con el sudor de la frente* por *con el trabajo*), el contenido se expresa por medio del continente: *beber una copa* por *el vino contenido en la copa*; la acción a través del medio: *armas* por *guerra*, etc.

mixtura verborum, o **synchisis**, figura de *transmutatio* (v.). Es el efecto caótico de un uso combinado de la anástrofe (v.) y del hipérbaton (v.), como modo de agitar. Una aplicación totalmente especial se tiene en los versos correlativos: *Pastor arator eques pavi colui superavi/capras rus hostes fronde ligone manu* que debe entenderse como *Pastor pavi capras fronde, arator colui rus ligone, eques superavi hostes manu* («de pastor apacenté cabras con el follaje, de labrador cultivé los campos con el azadón y de caballero vencí a los enemigos con mis manos», *Antología Palatina*).

narración, 37-48. Es el desarrollo autónomo de una subdivisión de la *dispositio* (v.) y se incluye entre los géneros literarios (v.). Naturalmente, sus estructuras internas son también objeto de estudio por parte de la retórica (v.) y muchas de las categorías señaladas por las modernas investigaciones narratológicas coinciden con las antiguas figuras: el *flashback*, por ejemplo, con el *hysteron proteron* (v.), el sumario con la *percusio* (v.), la digresión con la *aversio* (v.), etcétera.

numerus, v. *compositio*. Regula la sucesión de largas y breves en las lenguas clásicas, de tónicas y átonas en las lenguas modernas. En poesía se identifica con el verso y con sus leyes (25-30). En prosa organiza el ritmo de la apódosis (v. período) y, en especial, la parte final o cláusula. De los tipos de cláusulas previstos en la Antigüedad se originan los tipos de *cursus* acentual usados en la Edad Media latina y vulgar: *planus* (— +/— + —, *coróna donátur*), *tardus* (+ —/— + — —, *décus perdíderam*), *velox* (+ — —/— — + —, *frángere conabámur*), *trispondaicus* (+ —/— — + —, el recurrente *ésse videátur* de Cicerón sobre el que Tácito aplicaba su ironía).

onomatopeya, v. fonosimbolismo.

orden, v. *dispositio*. Afecta a la sucesión de las partes, mayores y menores, del discurso. Se hablará de *ordo naturalis* o de *ordo artificialis* según se respete o no la sucesion del antes y el después, de la premisa y la conclusión, etc., así como las «leyes del progresivo aumento de las partes», las cuales establecen que las partes subsiguientes deben ser más largas que las precedentes, la intensidad semántica de los términos debe crecer gradualmente, etc. Toda alteración del *ordo naturalis* produce una figura (v.), pero el mismo respeto del *ordo* *naturalis* puede aparecer a su vez como una figura (v. clímax).

ordo naturalis, ordo artificialis, 17; v. orden.

ornato, v. virtud. Es el uso de las figuras (v.) con el fin de conferir dignidad y belleza al discurso, cumpliendo las intenciones del *delectare* y el *movere* con el propósito de la persuasión (v.), eventualmente sólo estética. El ornato atañe tanto a los pensamientos y sus relaciones como a la urdimbre lingüística del enunciado. Debería por ello tratarse dentro de la *inventio* (v.) y la *dispositio* (v.), y no sólo en la *elocutio* (v.). Desde la perspectiva del ornato, es posible articular la clasificación de los estilos (v.) en una tipología más rica. Se distinguen así: el ornato vigoroso, adecuado al género sublime; la gracia, adecuada para el género mediocre; la elegancia simple, adecuada al humilde; y la refinada, para el mediocre; la *concinnitas* (v.), el lustre (esto es, la repugnancia por lo vulgar), etc. Se habla, además, de: *hilare dicendi genus*, desenvuelto e ingenioso; *acutum dicendi genus*, caracterizado por el gusto de la paradoja intelectual y por la agudeza; *copiosum dicendi genus*, que tiende a la perífrasis (v.) y a las figuras de la *adiectio* (v.); *accuratum dicendi genus*, que evita el ornato para favorecer la *puritas* (v.) y la *perspicuitas* (v.), etc. En la presencia o ausencia de la oscuridad (v.) se fundaba en la Edad Media la distinción entre *ornatus facilis* y *difficilis*.

oscuridad, licencia frente a la *perspicuitas* (v.). Halla su justificación en la conformidad con las exigencias de los estilos (v.) y, aun antes, del *ductus* (v.) o táctica del discurso. Está vinculada estrechamente con el uso específico del ornato (v.).

oxímoron, v. antítesis.

paréntesis, v. figuras de pensamiento. Corresponde al hipérbaton (v.): «El forastero —conviene darle a conocer antes que refiramos, textualmente, como es nuestro propósito, el acalorado diálogo que ambos personajes sostuvieron en la huerta del convento— era un joven llamado Martín Martínez Muriel» (Pérez Galdós). Es una forma de *aversio* (v.).

paromoiosis, isocolon (v.) en el que aparecen las figuras de la *traductio* (v.): *et l'on peut me réduire à vivre sans bonheur,/ mais non pas me résoudre à vivre sans honheur* («Se me puede reducir a vivir sin felicidad, pero no inducirme a vivir sin honor», Corneille).

paronomasia, o *annominatio*, v. *traductio*. Es la relación entre dos palabras parecidas fonéticamente, para subrayar las diferencias y afinidades de significado más o menos casuales. Será orgánica o inorgánica, según concierna o no a palabras en relación derivativa: «...más con soberbia cierta/se ofrecieron la incierta/victoria»... (Herrera). Si la derivación es flexiva, v. políptoton; si la repetición afecta a la raíz, v. figura etimológica.

partes de la retórica, v. retórica. Son las cinco fases de elaboración del discurso: v. *inventio*, dispositio, elocutio, memoria, actio.

percursio, v. brevitas. Es la enumeración de los temas o los hechos que no se tratan o narran, pero de los que se da noticia sumaria.

perífrasis, tropo (v.) que sustituye un término propio por un circunloquio: «Señor de los exércitos armados» (Herrera) por Dios. Puede combinarse con la alusión (v.): el ave de Júpiter por águila; con la metáfora (v.): consejero de belleza por espejo, etc. A menudo se utiliza para concretar conceptos abstractos: «mientras el sol las desgarradas nubes/de fuego y oro vista» (Bécquer) por siempre; de forma análoga, jamás puede expresarse con un adynaton, es decir, la descripción de un acontecimiento imposible: ninguna violencia podrá arrancarme mi consentimiento, aunque la tierra se vuelque en el mar, inundada por el diluvio, o se precipite el cielo en el Tártaro (Virgilio). La perífrasis de un nombre propio es la antonomasia (v.).

perífrasis de pensamiento, v. tropos de pensamiento. Expresa un pensamiento a través de rasgos característicos de su contenido: maiores cadunt altis de montibus umbrae («caen más largas las sombras de las altas montañas», Virgilio) por anochece. Es una especie de sinécdoque (v.) de espacio menor.

período, v. compositio.

perspicuitas, v. virtud. Es la comprensibilidad del enunciado y consiste, en primer lugar, en la claridad y transparencia de la elocutio (v.). De manera no menos decisiva, sin embargo, se aplica a la inventio (v.) en cuanto al hallazgo de las ideas y su precisión; a la compositio (v.), en cuanto a su concatenación; a la actio (v.), en particular, la declamación. La licencia frente a la perspicuitas es la oscuridad. (v.).

persuasión, 16; v. retórica. Se obtiene al recabar la máxima credibilidad para las propias opiniones respecto a las contrarias. Con este fin, el orador puede aspirar a ejercer su influencia en el plano intelectual (docere) a través de dos grados de intensidad: la comunicación informativa, adecuada, por ejemplo, en el ámbito de la dispositio (v.), a la proposición y a la narración; y la prueba, adecuada, por ejemplo, a la argumentación. O bien, en el plano emotivo, aún a través de dos grados de intensidad: el ethos, esto es, una emoción moderada, agradable (delectare), adecuada, por ejemplo, para el exordio; y el pathos, esto es, una emoción violenta y arrebatadora (movere), adecuada, por ejemplo, para la peroración. A las intenciones del docere, del delectare y del movere corresponden los tres estilos (v.). Cabe considerar el valor estético (v.) como el tipo de persuasión propio del género epidíctico (v. géneros retóricos); pero ningún discurso puede prescindir de alguna consideración de calidad estética.

políptoton, v. traductio. Es la repetición de la misma palabra con cambio de flexión o de función sintáctica: «sé que me acabo, y más he yo sentido/ver acabar conmigo mi cuidado./Yo acabaré, que me entregué sin arte» (Garcilaso). En el segundo caso, se combina a menudo con la diáfora (v.): «el corazón tiene sus razones que la razón ignora» (Pascal). Afín a la paronomasia (v.) orgánica.

polisíndeton, figura de repetición (v.). Es la repetición de las partículas conjuntivas en las construcciones coordinadas de la acumulación (v.): *Hay un palacio y un río,/y un lago y un puente viejo,/y fuentes con musgo y hierba* (Juan Ramón Jiménez). Lo contrario es el asíndeton.

preterición, v. *brevitas*. Anuncia la intención de omitir un argumento, a menudo con el resultado de hablar precisamente de ello: «y por no ser largo, dejo de contar cómo hacía monte la plaza del pueblo, pues de cajones de tundidores y plateros y mesas de fruteras... sustentaba la chimenea de casa todo el año» (Quevedo). Bajo otro aspecto es una forma de *aversio* (v.).

prolepsis, v. epíteto. Es el uso predicativo de un adjetivo o de un participio que da por pasado el efecto de la acción designada por el verbo: *scuta latentia condunt* («los escudos ocultados esconden», Virgilio). Aparte de la prolepsis del adjetivo, es típica la del demostrativo: *Esta felicidad fugitiva,/esto que se me va de las manos,/esto que me devora los días,/...pretendo loca y tercamente/fijar de modo...* (Moreno Villa).

prosopopeya, v. alegoría. Es la personificación de objetos inanimados o conceptos abstractos,

como, por ejemplo, «La catedral de Barcelona» de Unamuno.

puritas, v. virtud. Es la corrección lingüística de la *elocutio* (v.). Su norma se identifica en el uso o la costumbre viva, pero se entiende que la multiplicidad de registros y de niveles impide dar una formulación precisa. Existen además normas que alejan del uso corriente: la autoridad de los clásicos y la *vetustas* o arcaísmo, que se remiten respectivamente a modelos activos o ya superados. Son licencias frente a la *puritas* la figura gramatical (v.), el dialectalismo, el tecnicismo, el neologismo, etc. Constituyen, en cambio, vicio (v.) por exceso el purismo, por defecto el barbarismo, el solecismo, etc., que, por otra parte, la literatura —no sólo la moderna— recupera a menudo con finalidad mimética o expresiva.

quiasmo, v. isocolon. En general, es la distribución cruzada entre elementos (frases, sintagmas, palabras) que se corresponden sintáctica o semánticamente: *Las mujeres, el caballero, las armas, los amores*. Repitiendo en orden inverso las mismas palabras se obtiene una antimetátesis: *hay que comer para vivir, no vivir para comer*. Y una antimetábole, si tales palabras intercambian también sus funciones sintácticas, como aparece de forma más evidente en la versión latina del ejemplo precedente: *ede ut vivas, nec vive ut edas*.

repetición, v. *adiectio*. Se distingue entre repetición en contacto y repetición a distancia. Para el primer caso, v. epanalepsis, anadiplosis, clímax. Para el segundo caso, v. ciclo, anáfora, epífora. Cuando el elemento repetido es una conjunción, se habla de polisíndeton (v.). Si la igualdad de los elementos repetidos es parcial, da lugar a la *traductio* (v.) o a la sinonimia (v.).

reticencia, v. *brevitas*. Es la interrupción de un pensamiento: *Basta, ya he dicho suficiente.* Se puede expresar como suspensión sintáctica y en tal caso coincide con la aposiopesis (v.).

retórica, 16-18. Tradicionalmente la enseñanza de la retórica se ocupa del discurso orientado a la persuasión (v.), distinguiendo y examinando: *a*) los géneros retóricos (v.) del discurso; *b*) las fases o partes (v.) de su elaboración; *c*) las virtudes (v.) del discurso. Por el tipo de definición (v.) a que recurre, y no sin cierto sabor de paradoja, se clasifica entre las disciplinas argumentativas (v. argumentación), esto es, retóricas, no entre las demostrativas (v. demostración).

setentia, v. *locus communis.*

sermocinatio, v. *aversio*. El orador atribuye el discurso a otra persona o a varias personas que hablan entre sí (diálogo).

silogismo, 16.

símil, v. comparación.

sinécdoque, tropo (v.) que sustituye un término propio por otro cuyo contenido semántico engloba el del primero o está incluido en aquél. Así, la especie es expresada por el género (*mortales* por *hombres*); la parte, por el todo (*frigidus annus* dice, por ejemplo, Virgilio, por

invierno); el singular, por el plural (*nosotros* mayestático por *yo*); el producto por la materia (*acero* en vez de *espada*). Y viceversa, el género se expresa por la especie (*pan* en vez de *alimento*); el todo, por la parte (*vela* en vez de *nave*); el plural, por el singular (*el español* en vez de *los españoles*). En el primer caso, se emplea el *locus* (v.) *a maiore ad minus* (sinécdoque de espacio mayor); en el segundo, *el locus a minore ad maius* (sinécdoque de espacio menor).

sinestesia, v. metáfora.

sinonimia, repetición (v.) del mismo significado mediante sinónimos: *ve, corre*; es típica la ditología: *quedito, pasito, amor,/no espantéis al ruiseñor* (Lope de Vega). A menudo acompaña al clímax (v.) y es propia del *copiosum dicendi genus* (v. *ornatus*). Si se combina con la enumeración (v.), da lugar a diálage. Puede adoptar el valor explicativo de la glosa (v.) o de la *correctio* (v.).

sustitución sinonímica, *immutatio* (v.) de un término propio (v.) por una palabra que tenga ya el mismo contenido semántico: *corcel* en vez de *caballo*. En la medida que ese contenido se diferencia, se obtienen los tropos (v.).

término propio, palabra a la que el uso asigna convencionalmente el contenido semántico expresado en el contexto por medio de una sustitución sinonímica (v.) o de un tropo (v.). Por más que pueda parecer paradójico, el término propio a veces no existe en el lenguaje (v. catacresis) o es inconveniente (como en caso de eufemismo: *¿Dónde* *puedo ir a lavarme las manos?*). Esto pone de relieve que el término propio se define en relación al tropo en no menor medida que éste respecto a aquél. En este aspecto conviene recordar que el término propio no está de hecho desprovisto de connotaciones ni se identifica con un supuesto «grado cero» del lenguaje.

thypsis (v.), figura (v.) imaginaria, inventada por Wilson (1938: 275). El vocablo se halla disponible para designar cualquier nuevo recurso retórico eventual que por su cuenta descubriera el lector.

tmesis, figura gramatical (v. metaplasmo) de *transmutatio* (v.). Consiste en el desmembramiento de una palabra compuesta por medio de la inserción de otra palabra: *septem subiecta trionis* («sometida al septentrión»; Virgilio); «la jeri (aprenderá) gonza siguiente» (Quevedo). Una variante con elipsis (v.) afecta a las construcciones adverbiales en -*mente*, aún posibles en algunas lenguas románicas: *clara y concisamente*. Para la tmesis como figura métrica, 32.

topos, 17; el término se emplea para designar en general los *loci* (v.) o, en sentido más específico, el *locus communis* (v.) sobreentendido en una formulación finita: la descripción del paisaje idílico que sirve de marco en las églogas de Garcilaso remite al topos del *locus amoenus*: «la belleza de la Naturaleza alegra el ánimo».

traductio, repetición (v.) parcial de una palabra modificada en sus elementos fonéticos (v. paronomasia, políptoton, figura etimológica) o en el significado (v. *aequivocatio*, diáfora, antanaclasis). Incluye los juegos de voces, los calamburs, etc., y es propia del *acutum dicendi genus* (v. ornato).

transitio, v. *dispositio*. Es el paso de un argumento a otro obtenido con alguna forma de meditación que vincula a ambos. En una narración, el mismo prólogo representa una transición respecto a la situación precedente del discurso. Su contrario es el ex abrupto (v.).

transmutatio o metátesis, v. figura. Es el intercambio de posición entre elementos del conjunto de un discurso (parte, frase o palabra). Para las figuras gramaticales, v. metaplasmo; para las figuras retóricas, v. anástrofe, hipérbaton, *mixtura verborum*.

tropo, 17; *immutatio* (v.) de un término propio (v.) por una palabra que no tiene el mismo contenido semántico (v. sustitución sinonímica). Se distinguen : los tropos de desplazamiento dentro del mismo campo conceptual del término propio (v. perífrasis, antonomasia, sinécdoque, énfasis, lítotes, hipérbole); los tropos de desplazamiento fuera del campo conceptual del término propio (v. metonimia); los tropos de salto (v. metáfora, ironía); un caso especial es la metalepsis (v.). Cuando un tropo es habitual y no existe el uso del término propio correspondiente, se habla de catacresis (v.).

tropos de pensamiento, v. figuras de pensamiento. Incluyen figuras de desplazamiento (v. énfasis, perífrasis, hipérbole) y de salto (v. alegoría, ironía).

typus o figura, v. interpretación figural.

uso repetido, 3. En el ámbito de los géneros retóricos (v.), corresponde específicamente al discurso epidíctico y a los géneros retóricos (v.).

valor estético, 57; v. persuasión.

vicio, falta contra las virtudes (v.) del discurso. Puede ser por defecto (incompetencia o distracción) o por exceso (afectación).

virtud, v. retórica. Las virtudes del discurso son la *puritas* (v.) gramatical y las virtudes propiamente retóricas de la *perspicuitas* (v.), del ornato (v.), del *aptum* (v.). Si el orador elude una virtud en favor de otra más fuerte, se habla entonces de licencia (v. figura); si no se justifica la violación, se habla de vicio (v.). El *aptum* es la virtud a la que se subordinan todas las demás.

zeugma, figura de elipsis (v.). Consiste en excluir un elemento de una frase coordinada por aparecer ya en otra: *vicit pudorem libido, timorem audacia, rationem amentia* («la lujuria venció al pudor, la osadia al temor, la locura a la razón»; Cicerón). Puede resultar una incongruencia sintáctica si se rompe la concordancia con algunos de los miembros: *me gusta Bilbao, su niebla, las viejas calles del centro*; una incongruencia semántica, si dejan de ser compatibles los significados: *y paso largas horas oyendo gemir al huracán, o ladrar los perros, o fluir blandamente la luz de la luna* (Dámaso Alonso), o si se plantea una compatibilidad en forma heterogénea: *pacemque huc fertis an arma?* («¿lleváis la paz o las armas?», Virgilio), donde *arma* es metonimia (v.) por *bellum*, «guerra».

ÍNDICE ONOMÁSTICO

A

Abrams, M. H. 189, 303
Abril, G., 315
Acutis, C., 69, 303
Agosti, S., 231, 281, 303
Aguiar e Silva, V. M. de, 56, 68, 303
Alarcos Llorach, E., 51
Alas, Leopoldo, 57, 201, 209, 214, 218, 242
Alberoni, F., 121
Alberti, R., 105, 160, 182
Aldana, F., 105
Aleixandre, V., 128, 158, 159, 162, 163, 256
Alemán, M., 53, 229, 239
Alfieri, V., 62
Alonso, D., 108, 303
Alonso, E., 208, 314
Álvarez Gato, J., 171
Apuleyo, 202
Arcipreste de Hita, 272
Archipoeta, 193
Argente, J., 306
Argote de Molina, G., 146
Ariosto, L., 20, 62, 228
Aristóteles, 57, 87, 89, 90
Armisén, A., 195, 303
Arnaud, N., 321
Arnaut Daniel, 173
Arpino, G., 162
Arrieta, E., 125
Asor Rosa, A., 68, 303, 311
Asunción Silva, J., 159
Aub, M., 210, 212
Auerbach, E., 33, 106, 107, 108, 303
Austin, J. L., 82, 83, 303
Avalle, d'A. S., 56, 108, 141, 150, 223, 303

Avellaneda, A. F. de, 228
Ayala, F., 29, 212
Ayguals de Izco, J., 36

B

Bach, J. S., 292
Baehr, R., 163, 177, 303
Batjín, M., 106, 107, 108, 220, 235, 239, 240, 298, 303, 304
Bal, M., 208, 304
Balbín, R. de, 141, 177, 304
Balduino, A., 50, 56, 304
Balzac, H. de, 106, 119, 229, 240, 244, 278
Banfi, A., 259, 304
Barbachano, C. J., 247, 319
Baroja, P., 30, 65, 207, 277
Baronesa Orczy, 120
Barral, C., 31
Barthes, R., 78, 208, 227, 246, 304, 312
Basile, B., 56
Bateson, G., 257, 304
Battaglia, S., 233, 304
Baudelaire, Ch., 126, 195, 298
Beatles, 255
Beccaria, G. L., 137, 141, 196, 304
Bécquer, G. A., 49, 65, 81, 125, 126, 128, 148, 253
Bédier, J., 44, 45, 48, 223, 304
Beltrami, P. G., 137, 141, 304
Bellay, J. du, 195
Bembo, P., 118, 286
Benjamin, W., 30, 56, 121, 297, 298, 299, 300, 304
Benveniste, E., 295, 305

Berardinelli, A., 121, 247, 279, 305, 308
Berceo, G. de, 150
Berchet, G., 119
Berengo, M., 36, 305
Bermúdez, J., 175
Bernat de Ventadorn, 180
Berruto, G., 82, 305
Bertinetto, P. M., 141, 305
Bierce, A., 293
Blecua, A., 56, 305
Bloom, H., 108, 274, 305
Bobes, M.ª C., 51
Boccaccio, G., 51, 62, 100
Bollati, G., 246, 305
Booth, W. C., 233, 305
Boscán, J., 136, 144, 146, 151, 175, 179, 195
Bourdieu, P. 277
Bourget, P., 241
Bourneuf, R., 208, 305
Bousoño, C., 108, 305
Boyardo, M. M., 20, 228
Bradbury, M., 68, 305
Brambilla Ageno, F., 56, 113, 305
Brecht, B., 54, 278
Bremond, C., 208, 304, 305
Brik, O., 196, 305
Brioschi, F., 68, 83, 141, 211, 289, 305, 308
Burke, K., 95, 306
Butor, M., 213, 246, 306

C

Cage, J., 254
Caillois, R., 121, 246, 306
Calderón de la Barca, P., 20
Calvino, I., 231, 246, 306
Campbell, J., 233, 306
Canepari, L., 138, 306
Canziani, A., 259, 306
Carchia, G., 300, 306
Carlomagno, 34
Carlos V, 30
Castillejo, C. de, 30
Castro, A., 53

Castro, R., de, 149
Catulo, 193
Cavallo, G., 32, 33, 34, 37, 306, 321
Cela, C. J., 29, 53, 120, 212, 230, 236, 256
Celaya, G., 159
Céline, L.-F., 278, 283
Cervantes, M. de, 11, 29, 40, 58, 100, 167, 201, 203, 228, 232, 233
Cetina, G. de, 146, 173, 175
Chrétien de Troyes, 204
Christie, A., 230
Cicerón, 30, 33, 114
Círculo Lingüístico de Praga, 76, 306
«Clarín», véase Alas, L.
Cohen, J., 141, 306
Coleridge, S. T., 282
Conan Doyle, A., 29, 229
Conde, C., 159
Conte, M.-E., 82, 307
Contini, G., 44, 47, 50, 51, 56, 108, 137, 163, 307
Copérnico, N., 12
Copi, I. M., 95, 307
Cornulier, B. de, 141, 307
Correa Calderón, E., 314
Cortázar, J., 214
Corti, M., 68, 108, 128, 129, 203, 307
Cremante, R., 141, 196, 307
Crespí de Valldaura, mosèn, 173
Croce, B., 62, 76, 261, 307
Crosman, I., 289, 313, 320
Culler, J., 208, 307
Curtius, E. R., 108, 307

CH

Chabrol, C., 208, 306, 311
Chaplin, Ch., 95
Chase, R., 246, 306
Chatman, S., 37, 184, 208, 212, 216, 220, 228, 306, 314
Chaucer, G., 51
Chaytor, H. J., 121, 306
Chiarini, G., 154, 155, 306
Chomsky, N., 104

D

Dalla Chiara Scabia, M. L., 95, 307
Dällenbach, L., 233, 307
Dante, 11, 51, 55, 57, 62, 105, 106, 172, 173, 184, 191, 193, 286, 313
Darío, R., 148, 149, 150, 159
Debenedetti, G., 101, 233, 241, 242, 245, 246, 284, 307
Defoe, D., 242
Delibes, M., 30, 120
Della Casa, G., 195
De Mauro, T., 104, 274, 307
De Sanctis, F., 58, 62
Devoto, D., 141, 307
Devoto, G., 108
Dewey, J., 300, 308
Dickens, Ch., 209
Diderot, D., 229, 240
Díez Borque, J. M., 69, 259, 308, 318
Díez Echarri, J. M., 177, 308
Di Girolamo, C., 23, 82, 83, 108, 141, 196, 211, 274, 289, 300, 305, 308
Dionisotti, C., 68, 308
Dittmar, N., 82, 308
Domínguez Caparrós, J., 163, 308
Dom Quentin, 44
Dostoievski, F., 11, 108, 220, 227
Dubois, J., 311
Dubrow, H., 108, 308
Dufrenne, M., 259, 308
Dumas, A., 242
Duvignaud, J., 259, 308
Dylan, B., 252

E

Eagleton, T., 69, 308
Eco, U., 121, 234, 244, 304, 308
Edeline, F., 311
Einstein, A., 27
Elam, K., 257, 258, 259, 306, 308
Eliot, T. S., 56, 57, 184, 309
Encina, J. de la, 144
Enzensberger, H. M., 69, 278, 309
Erlich, V., 82, 196, 233, 309
Escarpit, R., 37, 309

Espinel, V., 170, 229
Espronceda, J. de, 81, 144, 145, 184, 188, 239
Esquilo, 256
Euclides, 12

F

Faral, E., 91, 309
Febvre, L., 37, 309, 317
Federico II, 54
Fernández, P. H., 96, 309
Fernández de Heredia, J., 171
Fernando I de Austria, 30
Ferroni, G., 259, 309
Feyerabend, P. K., 22, 37, 309
Fielding, H., 30
Finnegan, R., 112, 113, 121, 309
Fish, S. E., 82, 274, 289, 309
Flaubert, G., 127, 231, 242, 243
Flores, J. de, 184
Florescu, V., 89, 95, 309
Fokkema, D., 68, 309
Folengo, T., 230
Formaggio, D., 259, 304, 308, 310
Forradellas, J., 96, 163, 315
Forster, E. M., 223, 224, 226, 227, 233, 246, 310
Fortini, F., 22, 53, 54, 56, 161, 163, 310
Fowler, A., 108, 310
Fowler, R., 234, 310
Foz, B., 240
Frank, A., 81
Fränkel, H., 56, 310
Freud, S., 54, 207
Friedman, M., 233, 310
Friedrich, H., 121, 310
Fry, P. H., 310
Frye, N., 108, 127, 141, 234, 274, 310
Fubini, M., 108, 196, 310
Fuentes, C., 213, 217

G

Galileo, 62
García Berrio, A., 51, 82, 310

García Calvo, A., 52, 53
García Hortelano, J., 218, 229
García Lorca, F., 102, 105, 147, 158, 258
García Lorenzo, L., 259, 308
García Márquez, G., 29
Garcilaso de la Vega, 40, 77, 129, 135, 136, 137, 139, 140, 141, 143, 151, 152 153, 168, 169, 172, 173, 175, 179, 186, 187, 190, 191, 195, 252
Gardin, B., 82, 315
Garrido Gallardo, M. A., 108, 310
Garvin, P. L., 82, 310
Genette, G., 96, 108, 208, 214, 217, 220, 228, 229, 230, 304, 310
Geninasca, J., 196, 310
Genot, G., 196, 311
Getto, G., 68, 311
Giacomo da Lentini, 174
Gide, A., 231
Giglioli, P. P., 82, 311
Gil de Biedma, J., 173
Gil Polo, G., 20, 173
Gil Vicente, 170
Gimferrer, P., 182
Giordani, P., 286
Girard, R., 246, 311
Gödel, K., 87, 95
Goethe, J. W., 231, 299
Goffman, E., 257, 311
Gogol', N. V., 20
Goldin, D., 82, 311
Goldmann, L., 30, 244, 311
Góngora, L. de, 136, 146, 177, 183, 184, 187, 188
Goodman, N., 22, 108, 253, 274, 288, 290, 296, 311
Gorni, G., 195, 311
Goya, F., 11
Goytisolo, J., 99, 230, 236
Goytisolo, J. A., 129
Gramsci, A., 31, 244, 296, 311
Greimas, A. J., 225, 304, 311
Grice, P., 82
Griffith, D. W., 95
Gritti, J., 304
Gruppo μ, 96, 311

Guiducci, R., 306
Guillén, C., 108, 311
Guillén, J., 181
Guiraut Riquier, 193
Gulli-Pugliatti, P., 306
Gullón, A. y G., 247, 311, 322
Gumbrecht, A. V., 321

H

Hall, J., 37, 311
Halle, M., 313
Hallyn, F., 233, 312
Hamburger, K., 220, 312
Hamon, Ph., 233, 312
Hanson, N. R., 37, 312
Havelock, E., 37, 312
Havránek, B., 306
Hegel, G. W. F., 235
Heidegger, M., 23, 261, 312
Hemingway, E., 212, 229
Hempfer, K. W., 108, 312
Henríquez Ureña, P., 163, 312
Herodoto, 32
Herrera, F. de, 136, 173, 174
Hershbell, J. P., 37, 312
Hierro, J., 159
Hirsch, E. D., 274, 312
Hjelmslev, L., 77, 78, 312
Hokusai, 281
Holub, R. C., 289, 312
Homero, 93, 111, 229, 265
Hopkins, G. M., 128, 157, 184
Howson, C., 68, 312
Hrushovski, B., 312
Huarte de San Juan, J., 19
Hudson, R. A., 82, 312
Hugo, V., 120
Hugo, Primado de Orleans, 193
Husserl, E., 101
Hymes, D., 74, 75, 82, 312

I

Imperial, F., 136, 151
Infurna, M., 108, 314

Invernizio, C., 120
Iriarte, T. de, 145
Iser, W., 289, 312
Isla, F., 230
Ivanov, V. Vs., 289, 313

J

Jakobson, R., 25, 56, 58, 76, 77, 79, 80, 94, 95, 128, 141, 190, 196, 306, 313
James, H., 16, 218
Jauss, H. R., 68, 108, 274, 289, 313
Jiménez, J. R., 126, 127, 157, 196
Jlébnikov, V., 13
Jolles, A., 234, 313
Joyce, J., 80, 215, 230, 236, 242
Juan II, 30
Juan de la Cruz, san, 16
Juan Manuel, 51, 127

K

Kafka, F., 244, 291
Kellogg, R., 208, 319
Kemey, T., 306
Kermode, F., 246, 313
Kibédi-Varga, A., 68, 313
Klinkenberg, J. M., 311
Koestler, A., 274, 313
Kuhn, T. S., 26, 27, 37, 309, 313
Kunne-Ibsch, E., 68, 309

L

Labov, W., 199, 200, 202, 208, 314
Lacassin, F., 321
Lachmann, K., 40, 44, 47, 57
Lakatos, I., 68, 314
Lanhamn, R. A., 96, 314
Lausberg, H., 17, 22, 96, 314
Lawrence, D. H., 80
Lázaro Carreter, F., 51, 69, 83, 96, 163, 183, 314

Le Carré, J., 121
León, fray Luis de, 21, 127, 182, 183
León Felipe, 160
Leonardo da Vinci, 11, 291
Leopardi, G., 115, 195, 238, 245, 281
Lesage, A. R., 30
Levin, S. R., 196, 314
Lewis, D. K., 267, 314
Limentani, A., 108, 314
Linsky, L., 22, 314
Livio Andronico, 54
Longhi, S., 195, 314
Lope de Vega, 146, 147, 167, 191
López Casanova, A., 208, 314
López Estrada, F., 163, 168, 314
Lo Piparo, F., 104, 315
Lord, A. B., 109, 110, 111, 113, 121, 315
Lotman, Ju. M., 67, 141, 262, 289, 313, 315
Lotz, J., 141, 315
Lozano, J., 82, 315
Lukács, G., 244, 315
Luzi, M., 162

M

Maas, P., 44, 46, 56, 315
Mácha, K. H., 80
Machado, A., 12, 139, 147, 148, 168, 184
Mallarmé, S., 117
Man, P. de, 274, 315
Mann, T., 242, 244
Manrique, J., 145
Manzoni, A., 36, 240
Maquiavelo, N., 62
Marcellesi, J.-B., 82, 315
Marchese, A., 96, 163, 315
Marsé, J., 120, 217, 230
Martin, H.-J., 37, 309, 317
Martín-Santos, L., 127, 230, 291
Martínez Bonati, F., 108, 315
Marx, K., 53, 54
Mateo, 110
Mathesius, V., 306
Mattioli, E., 108, 315

Maupassant, G. de, 246
Mayoral, J. A., 83, 289, 315, 316, 320
McLuhan, M., 121, 315
Memling, H., 231
Mena, J. de, 30, 149, 156
Mendoza, E., 121
Meneghetti, M. L., 108, 315
Menéndez Pelayo, M., 58, 286
Menéndez Pidal, R., 58, 154, 155, 316
Merola, N., 289, 316
Meschonnic, H., 141, 316
Metsys, Q., 231
Metz, Ch., 304
Mignolo, W. D., 289, 316
Minguet, P., 311
Montale, E., 162
Montemayor, J. de, 20, 173
Morgenstern, O., 267, 316
Morin, V., 304
Mounin, G., 56, 316
Mozart, W. A., 103, 271, 291
Muir, E., 246, 316
Mukařovský, J., 261, 306, 316
Musgrave, A., 314
Musil, R., 242

N

Nadar, 243
Nagel, E., 95, 316
Napoleón, 219, 220
Navarro Tomás, T., 163, 177, 316
Nebrija, E. A. de, 143
Neumann, J. von, 267, 316
Newman, J. R., 95, 316
Newton, I., 12, 21
Nietzsche, F. W., 53
Norberg, D., 141, 316

O

Ohmann, R., 82, 316
Olbrechts-Tyteca, L., 87, 93, 95, 317
Ong, W. J., 121, 316
Orlando, F., 25, 30, 58, 274, 316

Ortega y Gasset, J., 246, 291, 316
Otero, C., P., 53, 316
Ouellet, R., 208, 305
Ovidio, 202, 277
Oxenham, J., 37, 316

P

Pablos, J., 311
Paccagnella, I., 108, 308
Pagliarani, E., 131
Pagnini, M., 83, 306, 317
Palmer, D., 68, 305
Paraíso, I., 163, 317
Parini, G., 62
Parry, M., 111
Pasolini, P. P., 317
Pasquali, G., 317
Pazzaglia, M., 141, 307
Peire Vidal, 151
Peña-Marín, C., 315
Perec, G., 265
Perelman, Ch., 87, 93, 95, 317
Pérez Galdós, B., 20, 29, 36, 65, 209, 219, 226, 227, 277
Pérez de Guzmán, F., 151
Perrault, Ch., 29
Petrarca, F., 34, 62, 114, 173, 192, 193, 195, 239
Petrocchi, G., 34, 35
Petronio, G., 56, 122, 317, 319
Petrucci, A., 34, 35, 37, 317
Picasso, P., 11
Picone, M., 108, 317
Pinciano, A. L., 144
Pirandello, L., 230
Pjatigorskij, A. M., 313
Platón, 33, 126
Poe, E. A., 128
Ponson du Terrail, P. A., 120
Popper, K. R., 87, 317
Pozuelo, J. M., 68, 96, 208, 317
Pratt, M. L., 81, 82, 200, 202, 208, 289, 317, 321
Preminger, A., 309
Preti, G., 95, 317
Prévost, A.-F., 229

Prieto, A., 195, 317
Prieto, L., 252, 253, 276, 277, 317
Propp, V. Y., 205, 206, 207, 208, 223, 225, 233, 318
Proust, M., 29, 54, 215, 227, 229
Pushkin, A. S., 236
Putnam, H., 69, 272, 274, 283, 318

Q

Queneau, R., 265
Quevedo, F. de, 81, 195, 277
Quilis, A., 163, 196, 318

R

Rabelais, F., 53, 108, 203
Racionero, L., 121
Racine, J., 30, 211
Raymond, M., 121, 318
Rico, F., 68, 69, 220, 318
Ricoeur, P., 220, 318
Richards, I. A., 94, 95, 318
Richaudeau, F., 245, 318
Robert, M., 207, 318
Rojas, F. de, 11
Ros de Olano, A., 240
Rosiello, L., 318
Rousseau, J.-J., 115
Rousset, J., 196, 318
Ruiz, E., 318
Ruiz, Juan (Arcipreste de Hita), 56, 127, 145
Rufo, J., 19
Ruscelli, G., 187
Rutebeuf, J., 193
Rutelli, R., 306

S

Saba, U., 195
Sabuco, M., 29
Salinas, P., 54, 57
Salizzoni, R., 300, 306
Sánchez Ferlosio, R., 218

Santagata, M., 194, 195, 196, 318
Santillana, marqués de, 57, 136, 146, 149, 151, 152, 156, 174, 177
Sanz Villanueva, S., 247, 319
Sartre, J.-P., 64, 261, 319
Saussure, F. de, 94, 104, 265
Savater, F., 121
Savinio, A., 246
Sbisà, M., 83, 319
Scaramuzza, G., 308
Scève, M., 195
Schiller, F., 115
Schlegel, F., 126
Schmidt, S. J., 290, 300, 319
Scholes, R., 68, 208, 319
Schücking, L. L., 37, 319
Schulz-Buschhaus, U., 244, 319
Searle, J., 82, 83, 274, 319
Sebeok, Th. A., 312, 315, 319
Segre, C., 56, 58, 108, 196, 222, 233, 259, 289, 307, 319
Selden, R., 319
Sem Tob, 146
Senabre, R., 37, 319
Serpieri, A., 306
Shakespeare, W., 52, 53, 90, 100, 210, 228
Shapiro, M., 319
Shaw, G. B., 225
Sklovskij, V. B., 232, 233, 319
Sobejano, G., 225, 320
Sócrates, 85, 86
Sófocles, 228
Sornicola, R., 82, 319
Spang, K., 96, 320
Spinazzola, V., 37, 122, 289, 320
Spitzer, L., 108, 320
Spongano, R., 307
Staiger, E., 101, 108, 320
Stein, G., 284
Steiner, G., 56, 320
Stempel, W. D., 108, 320
Stendhal, 106, 240, 241, 242
Sterne, L., 203, 229, 236, 239
Stierle, K., 234, 320
Stussi, A., 56, 320
Sue, E., 120
Suleiman, S. R., 289, 313, 320

Svevo, I., 210
Swift, J., 14

T

Tácito, 126
Tasso, T., 195
Terracini, B., 67, 69, 320
Terracini, L., 108, 320
Tespis, 256
Thomas, D., 182
Timpanaro, S., 40, 56, 320
Tirso de Molina, 147, 210, 213
Tobino, M., 162
Todorov, Tz., 82, 208, 304, 305, 320, 321
Tolstoi, L. N., 94, 227, 231, 240, 242, 244, 263
Tomachevski, B. V., 233, 321
Tompkins, J. P., 289, 321
Toporov, N. V., 313
Tortel, J., 244, 320, 321
Torrente Ballester, G., 31, 214, 230, 236
Torres Villarroel, D. de, 29
Traugott, E. C., 208, 321
Trinon, H., 311
Trubetzkoy, N. S., 306
Trueba, A., 125
Tucídides, 32, 33
Turner, E. G., 32, 33, 321

U

Ubersfeld, A., 321
Unamuno, M. de, 147, 175, 229, 230
Ungaretti, G., 182, 196
Uspenskij, B. A., 218, 220, 289, 313, 315, 321

V

Valdés, A. de, 30
Valdés, J. de, 118

Valente, J. A., 160
Valera, J., 19, 211, 225
Valesio, P., 96, 313, 321
Valle-Inclán, R. del, 127, 230
Vansina, J., 121, 321
Varela Jácome, B., 225, 226, 321
Vargas Llosa, M., 120
Varvaro, A., 321
Vázquez Montalbán, M., 30-31, 121
Velázquez, D., 11, 231
Verdi, G., 271
Verdín, G., 220, 321
Villanueva, D., 220, 321
Villegas, E. M., 146, 159
Villena, E. de, 61
Virgilio, 49, 61, 90, 91, 133, 222, 229, 277
Voltaire, 240

W

Warren, A., 68, 322
Wehrli, M., 68, 321
Weinrich, H., 217, 321
Wellek, R., 68, 322
Whitman, W., 157
Wilson, E., 121, 322
Williams, R., 37, 322
Wimsatt, W. K., 95, 322
Wittgenstein, L., 267, 322
Wolff, J., 37, 322

Y

Yllera, A., 68, 322
Ynduráin, F., 220, 322

Z

Zarlino, B., 114
Zéraffa, M., 246, 322
Zola, E., 244
Zorrilla, J., 183
Zumthor, P., 113, 114, 121, 193, 322

ÍNDICE

Prefacio a la edición española 7

I
LA INSTITUCIÓN LITERARIA

El objeto literario 11
  1. La obra 11
  2. Condiciones simbólicas 14
  3. Condiciones pragmáticas 17

Los sujetos de la comunicación literaria 25
  4. La comunidad literaria 25
  5. El autor 27
  6. Editores y público 31

El texto en el tiempo 39
  7. La transmisión 39
  8. La competencia 48
  9. La traducción 51

El estudio de la literatura 57
  10. La crítica literaria 57
  11. Historia y teoría de la literatura 61
  12. La enseñanza 64

II
ESTILÍSTICA Y RETÓRICA

Lengua y literatura 73
  13. Variedades de lenguaje y géneros del discurso 73
  14. La definición de la literatura 76
  15. La práctica de la literatura 78

La retórica 85
16. Retórica y lógica 85
17. Las partes de la retórica 88
18. Retórica y literatura 92

Formas literarias 97
19. Géneros literarios 97
20. Las categorías estéticas 99
21. Gramática y estilo 103

Ejecución, destinación, proyecto 109
22. Oralidad y escritura 109
23. Tradición y vanguardia 114
24. Literatura de elite, popular, de masas 117

III
LA VERSIFICACIÓN

El sistema métrico 125
25. Poesía y prosa 125
26. Tipología e historia de los sistemas métricos 131
27. Metro y ritmo 135

El verso 143
28. Clases de versos 143
29. Anisosilabismo 154
30. El verso libre 157

La rima 165
31. Clases de rima 165
32. Formas estróficas 168
33. Géneros métricos y géneros poéticos 175

El texto poético 179
34. Métrica y sintaxis 179
35. Métrica y semántica 184
36. La estructura del texto poético 190

IV
MODOS DE LA NARRACIÓN

Estructura y formas históricas del relato 199
37. La narrativa natural 199
38. Géneros narrativos 202
39. La estructura del relato 204

Aspectos del relato 209
40. La voz 209
41. El tiempo 213
42. El punto de vista 217

El análisis del relato 221
43. Fábula e intriga 221
44. Tipologías del personaje 223
45. Las técnicas narrativas 228

La novela 235
46. Épica y novela 235
47. Metamorfosis de la novela 239
48. La novela y su público 242

V
ARTE Y LITERATURA

El texto en las artes 251
49. La clasificación de las artes 251
50. Artes mixtas 254
51. El teatro 256

La comunicación artística 261
52. La dimensión estética 261
53. La creación 265
54. Interpretación 269

La fruición del arte 275
55. Autonomía y funciones del arte 275
56. Arte y conocimiento 280
57. El valor 284

El significado del arte 291
58. El arte como experiencia 291
59. Una perspectiva sociológica 294
60. Una perspectiva antropológica 297

Bibliografía 301

Glosario retórico 323

Índice onomástico 343

Son obra de Franco Brioschi los §§1-6, 10-12, 16, 20-21, 23-24, 36, 39-42, 44-48, 52-54, 56-58, 60; de Costanzo di Girolamo, los §§ 7-9, 13-15, 17-19, 22, 25-35, 37-38, 43, 49-51, 55, 59.

Impreso en el mes de septiembre de 1988
en Talleres Gráficos HUROPE, S. A.
Recaredo, 2
08005 Barcelona